De zwendelaar

Voor Saskia

Bjorn Stibbe

De zwendelaar

A.W. Bruna Uitgevers B.V., Utrecht

© 2008 Bjorn Stibbe
Omslagbeeld
Image Select: David Cumming
Corbis: Marco Cristofori; José Luis Peláez
Omslagontwerp
Wil Immink Design
© 2008 A.W. Bruna Uitgevers B.V., Utrecht

ISBN 978 90 229 9465 8
NUR 305

*H*ét was uiteindelijk meer hoop dan nieuwsgierigheid geweest die Philippe naar deze landerijen net buiten een Nederlands dorp gedreven had. Hij stond voor een gigantisch landhuis omringd door bomen waarvan de omtrekken versmolten in de warme zomernacht. Nog één keer bestudeerde hij de briefkaart die hij vorige week in de bus gevonden had en die hij nu in zijn hand geklemd hield. De afgelopen dagen had hij de boodschap telkens opnieuw herlezen. Het was een blanco briefkaart, de achterkant beschreven met keurige, kleine letters. Philippe had geen codes kunnen ontdekken of andere aanwijzingen over deze stem uit het graf. Hij had er zelfs aan geroken. Een postzegel ontbrak.

Philippe, kom zondagavond laat naar me toe op onderstaand adres. Zeg geen woord tegen wie dan ook, anders komt de belofte die ik je ooit deed alsnog in gevaar. Breng deze briefkaart mee, die mag niet in andere handen vallen. Tot dan. John.

De tekst herinnerde hem aan de verbondenheid die vanaf het begin als een onzichtbaar koord tussen hen in had gehangen. John en Philippe, onderwijzer en leerling. Later haast vader en zoon. De overdracht tussen generaties. John was de man die hoop gaf.

Met pijn in zijn hart dacht hij terug aan de laatste keer dat hij John in leven had gezien, een halfjaar geleden op de avond van het gala. De stemming was uitbundig geweest. Iedereen schitterde van blijdschap, John had alle aanwezige dames om beurten ten dans gevraagd en de heren keken trots toe. Twee dagen later: een explosie, verwoeste dromen en een koelcel in het politielaboratorium. John was verworden tot een zwartgeblakerd lijk waarvan de botten nauwelijks bedekt werden door het verbrande vlees, stinkend naar olie. En nu: levend?

Hij trok aan de gietijzeren knop naast de voordeur. Ergens in het huis tingelde een belletje. Een lamp hoog boven hem ging aan en er klonken voetstappen. Philippe voelde zijn maag samentrekken. Als dit echt John was, wilde hij weten hoe dit staaltje Houdini-achtige ontsnappingskunst in elkaar stak, maar eerst zouden ze elkaar omhelzen als twee Gallische broeders. Dat was zeker.

De deur zwaaide open. Een silhouet stak scherp af tegen het licht en Philippe moest zijn ogen even toeknijpen. Het onmogelijke materialiseerde zich. John stond voor hem, superieur als altijd. Een moment nam Philippe de gelaatstrekken in zich op, de spitse kin, de magere wangen, het hoge voorhoofd.

Hij stapte naar voren met zijn armen wijd opengesperd, maar werd tegengehouden door iets scherps dat in zijn buik duwde. Verbaasd zag hij dat het een mes was, haast zo lang als een zwaard. Johns ogen drukten geen vriendschap of zelfs maar herkenning uit. Enkel leegte. Philippes mond opende zich, maar toen ramde John het glimmende staal hard in zijn buik. Dubbelklappend van pijn werd hij naar achteren gesmeten en hij landde met het gezicht tegen het grind. Zijn handen zochten de navelstreek en hij keek omlaag. Tussen zijn vingers sijpelde bloed.

1

Mei

Victor van Zanten liep de kantoortuin in met de stijve tred van iemand die hier gisteravond nog, in alle eenzaamheid, het licht had uitgedraaid. Nu was het de ochtend van een nieuwe dag en hij hing het jasje van zijn krijtstreep op in de garderobekast. Zijn spieren protesteerden toen hij ging zitten en de computer weer tot leven bracht. Aan sporten kwam Victor al lang niet meer toe. Het bureau lag vol papieren, foto's en notities.

Another day, another dollar.

De zaken gingen slecht bij de bank Acorn Brothers in Rietschoten. Hijzelf was beginnend *private banker* en nog maar pas bij Acorn, aangesteld om aandelen en effecten aan nieuwe klanten te verkopen. Omdat niemand tegenwoordig meer reageerde op brieven, advertenties of andere reclame-uitingen, had Victor besloten dat er drastischer maatregelen nodig waren. Vanaf deze plek had hij daarom de afgelopen maanden honderden mensen gebeld, maar tot nu toe met een volstrekt gebrek aan succes. De meesten blaften hem af of verbraken de verbinding zodra ze hoorden namens wie hij belde en waarom.

Gemiddeld duurde het ten minste een jaar, wist hij van collega's, om een geheel nieuwe portefeuille van rijke families op te bouwen. Hij betwijfelde of de bank hem die tijd zou gunnen. Waarschijnlijk niet. De aandelenmarkt was als een hond die in zijn eigen staart beet, met elke dag lagere koersen. Gebrek maakt hongerig en de wolven in het hoofdkantoor in Londen, die Victor en zijn collega's met provisie-inkomsten moesten voeden, hadden weinig geduld. Bij de volgende sanering zou hij een makkelijke prooi vormen. Niemand mist ooit de beginneling. Nog zes weken, hooguit een kwartaal, schatte Victor in, dan stond hij op straat, tenzij hij eerder het tij kon keren.

Hij liep zijn namenlijst door, die gerangschikt was van 'heel erg rijk in Rietschoten' tot 'iets minder heel erg rijk'. Van elke *prospect* had hij een dossier aangelegd. Zijn blik bleef hangen op nummer 240. De familie Bastiaanse stond op het bellijstje voor vandaag. De foto op het plastic dossierhoesje liet een vrouw zien van middelbare leeftijd met sprankelende ogen en kastanjebruin haar. Henrica Bastiaanse omarmde een man met een gerimpeld gezicht, die keek alsof hij na al die jaren zijn geluk nog steeds niet kon geloven. De foto was tijdens een receptie genomen. Victor had hem uit een societytijdschrift geknipt.

Hij dacht terug aan de eerdere vruchteloze telefoontjes naar hun landhuis, verborgen in de bossen. De brieven die hij had gestuurd en waarop hij nooit antwoord had gekregen. De vele uren die hij had besteed aan het zoeken in allerlei dossiers en registers.

'Ik weet bijna alles over u,' zei Victor tegen de foto, vanwaar Henrica Bastiaanse vrolijk naar hem terugstaarde, 'meer dan uw echtgenoot, ondanks uw vijfentwintig jaar samen. Genoeg om jullie kinderen de schrik van hun leven te bezorgen.' Hij belde het nummer en een lichte schok ging door hem heen toen een vrouw opnam.

'Met Henrica Bastiaanse.'

'Mevrouw Bastiaanse, u spreekt met Victor van Zanten van de bank Acorn Brothers hier in Rietscho...'

'Sorry, geen interesse. Ik kan het me niet meer veroorloven met een bank te praten, meneer Van Zanten. De laatste keer kostte me dat mijn halve vermogen. Nog één zo'n gesprek en ik ben failliet. Goedemorgen.'

'Niet zo snel, alstublieft. Hebt u mijn brieven gelezen? Die...'

'Ik heb ze niet gelezen omdat alles wat uit een bankenvelop komt ongeluk brengt en lage beurskoersen tot gevolg heeft. Eén bank is genoeg. Zonder banken zou het leven trouwens sowieso beter zijn. Mijn man en ik hebben geen behoefte om met een vreemdeling onze zaken te bespreken.'

'U bent geen vreemde voor mij, mevrouw Bastiaanse. En ik ben anders dan alle andere bankiers. Ik weet dat uw man nooit thuis is omdat hij veel moet reizen voor zijn bedrijf in dakkapellen. U bespreekt uw zaken met accountants en advocaten die veel in rekening brengen, maar weinig opleveren. U hebt twee originele Van

Goghs aan de muur hangen, u onderhoudt zelf de tuin van uw kapitale villa die onlangs voor bijna drie ton is gerenoveerd, en u draagt de verantwoordelijkheid voor drie kinderen in de leeftijd van achttien tot tweeëntwintig jaar. Verder...'

'Een ogenblik. Zeg, hoe weet u dat allemaal?' Ze klonk geschokt en dat verbaasde Victor niet. Hij zou het zelf ook raar vinden als hij werd gebeld door een onbekende die allerlei persoonlijke details over hem wist.

'Enkel publiek toegankelijke informatie, mevrouw. Bevolkingsregisters, interviews die u en uw man ooit hebben gegeven, de roddelpers, Kamer van Koophandel, dat soort bronnen. U moet begrijpen, mevrouw Bastiaanse, ik had geen keus. Banken als de onze hebben steeds weer nieuwe klanten nodig, anders kunnen we de tent hier wel sluiten, en mensen komen niet uit zichzelf naar ons toe. Ik ben achtentwintig jaar, heb Bedrijfskunde gestudeerd en ben hier nog niet zo lang geleden begonnen. Acorn Brothers richt zich op het hoogste segment van de markt. Alleen koopt niemand nog aandelen na de schandalen van de laatste tijd. Ze hebben me een lijst relaties gegeven die iedereen kent, maar niemand wil. Zeurpieten, klagers, vermogende mensen die hun geld alleen op een spaarrekening willen zetten, u begrijpt wat ik bedoel. Daar kon ik niets mee en dus bel ik mensen zoals uzelf.'

'Dat is vervelend, maar...'

'Lang geleden kwam u naar Nederland, op de vlucht voor het Russische leger. De Praagse Lente bracht kogels. Uw ouders bleven in Tsjechië, maar vielen kort daarna weg. U hebt hier op succesvolle wijze een eigen leven opgebouwd, mevrouw Bastiaanse, en daar mag u trots op zijn. Maar weet uw huidige bank daarvan? Informeren ze u hoe te beleggen in nieuwe democratieën? Neemt iemand u mee naar bijeenkomsten van denktanks die bestaan uit bevlogen, invloedrijke persoonlijkheden, waar gepraat wordt over hoe een individuele gift het lot van velen kan veranderen? Acorn Brothers doet dat wel, als u wilt samen met u. Bent u zich bewust van wat u met uw kapitaal kunt doen voor de jonge Henrica's van vandaag?'

Een zucht klonk aan de andere kant van de lijn. 'Meneer Van Zanten, ik stel niet langer prijs op dit gesprek.'

'Dertig jaar geleden kwam u Karel Bastiaanse tegen. Hij was toen al een succesvol ondernemer. U maakte zich in zijn bedrijf onmisbaar binnen de verkoopdivisie, ging mee naar klanten, en besprak 's avonds tussen de lakens de cijfers met hem. Een jaar later was u de nieuwste mevrouw "dakkapel". Karel kocht een Harley en liet zich Charles noemen omdat u dat interessanter vond klinken. U haalde hem over om naar Rietschoten te verhuizen, want hier wonen meer miljonairs dan muizen. Vandaar overigens dat onze bank zich lang geleden ook op deze plaats vestigde. Wij zitten aan de Kastanjelaan in een monumentaal pand; heel mooi gerestaureerd. Kan ik u overhalen bij ons een kop koffie te komen drinken? Wat dacht u van een nieuwe start bij een nieuwe bank?'

'Meneer Van Zanten, ik...'

'Zeg maar Victor.'

'Victor, ik zweer dat zolang Charles en ik leven wij nooit één aandeel via jullie bank zullen kopen. En nu...'

'Een laatste moment nog, alstublieft.' Hij haalde diep adem. Deze vis, de grootste die hij de afgelopen maanden aan de haak had geslagen, kon elk moment wegzwemmen. Het was nu alles of niets. 'Acorn Brothers is een bank met historie, mevrouw Bastiaanse. Driehonderd jaar geleden opgericht in Londen en nog altijd in handen van de oorspronkelijke familie. Zeer exclusief. In Nederland hebben wij daarom slechts deze ene vestiging. Wij komen alleen ons bed uit voor vermogens van tien miljoen euro of meer. We hebben ook een afdeling betalingsverkeer. Betalingen via een door u opgerichte stichting voor liefdadigheid kunnen in twee dagen een zeker tehuis voor gehandicapten in Praag bereiken. U weet ongetwijfeld welk tehuis ik bedoel. Uw man hoeft nergens van te weten.'

Hij hoorde een licht gehijg in zijn oor. 'Hoe... mijn God, zelfs dáár ben je achter gekomen. Niemand in Nederland weet dit.'

'Het was eenvoudig, mevrouw. Van al mijn mogelijke klanten vraag ik de persoonsgegevens op; het is verbazingwekkend hoeveel mensen zich anders voordoen dan ze in werkelijkheid zijn. Via de ambassade kon ik uw uittreksel uit het bevolkingsregister bemachtigen. Een zeer lezenswaardig document. Twee maanden voor vertrek uit Praag beviel u van een zoon, Jonathan.'

Het gehijg werd luider en resulteerde uiteindelijk in een jankende geluidsexplosie. 'Jonathan was zwaar gehandicapt, eigenlijk een plant! Ik stond voor een keuze, een nieuw leven. Er was geen tijd. Het instituut bood aan...'

Victor vreesde even dat hij te ver was gegaan. De vrouw leek hysterisch te worden, en hysterische mensen kopen geen aandelen.

'Mevrouw Bastiaanse, u had volkomen gelijk. Iedereén moet keuzes maken. U koos voor ambitie, en kijk waartoe u het hebt gebracht. Uw droom kwam uit. Nu kunt u tegelijk uw zoon en andere kinderen helpen en mijn eigen droom een zetje geven. Uw keuze.'

'Je gaat te snel, Victor. Ik moet nadenken of ik de politie ga bellen of een rekening bij je zal openen.'

'Wat u ook besluit, uw geheim is veilig bij mij en dat is meer dan de politie kan beloven; als u met hen praat, weet binnen een paar dagen heel Rietschoten alles over Jonathan. Ik daarentegen bereik mijn doel nooit over de rug van andere mensen.'

'Dat klinkt nobel, Victor, en wellicht geloof ik het ook nog – waarschijnlijk niet. Ik moet hierover nadenken. Geef me je telefoonnummer.'

Hij gaf zijn nummer, bedankte haar vriendelijk en hing op. Een paar minuten later belde ze al terug, haar stem vol woede.

'Victor, ik pik het niet dat iemand in mijn leven graaft, mysteries van vroeger opduikelt en daaruit voordeel probeert te halen. Wat je achtergrond ook is, je bent ver verwijderd van wat ze je ooit leerden. Maar dit soort spelletjes worden niet met mij gespeeld. Ik maak je kapot, Victor. Je carrière is over.'

'We moeten allemaal veranderen als we iets willen bereiken, mevrouw. Daarbij sneuvelen soms heilige huisjes.' Victor groef in het plastic mapje en haalde een verzameling foto's tevoorschijn die hij zorvuldig over het bureau uitspreidde. Henrica Bastiaanse in gezelschap van een lid van een Europees vorstenhuis, haar ogen zoekend naar de camera. Henrica Bastiaanse in bikini aan boord van een zeiljacht tussen andere mooie mensen. Er waren zeker tien van dergelijke opnames. Toen kwam de foto die hij zocht: een klein portret, een zwart-witopname, duidelijk lang geleden genomen. Het gezicht was wat smaller en de uitdrukking was die van een jongere vrouw, maar de ogen straalden precies zoals op de latere foto's. 'Bij modeshows, feestelijke openingen en recepties zit u steevast op de eerste rij, genietend van de aandacht. Op hoeveel voorpagina's stond dat schitterende kastanjebruine haar wel niet, zonder één draadje grijs? Iedereen denkt dat dit uw eigen kleur is, geverfd natuurlijk, maar toch. U bent ook ver verwijderd van vroeger, mevrouw Bastiaanse. Ik heb een oude paspoortfoto gevonden. In werkelijkheid bent u blond.'

'Ja, maar... ik...' Een moment was het stil. Victor probeerde zich de implicaties voor te stellen als dit in haar wereld bekend zou worden, maar zijn fantasie schoot hiervoor hopeloos tekort. Een vulkaanexplosie kwam nog het meest in de buurt.

'Het ziet ernaar uit dat we tot elkaar veroordeeld zijn, Victor. Ik kan het me niet veroorloven dat iemand zoveel over me weet. Maar je komt hier niet mee weg zonder zelf een prijs te betalen.'

'Mag ik een voorstel doen? De bank Acorn Brothers doet een donatie van twintigduizend euro aan dat tehuis in Praag. En u komt volgende week naar ons toe om te praten over vermogensbeheer.'

'Je gaat te snel. Is er geen andere oplossing te vinden; een regeling tussen ons beiden waar verder niemand van weet?'

'Niet als er een toekomst moet zijn voor ons allebei, mevrouw.'

'Je bent een klootzak, Victor. Ik meld me volgende week.'

Victor hing op en maakte een aantekening. Een dikke bankier die inmiddels aan het bureau naast hem was gaan zitten, keek grinnikend op.

'Dat was vast mevrouw Bastiaanse,' zei hij. Julius van Maaren was tien jaar ouder en zeker dertig kilo zwaarder dan Victor.

'Je raadt het,' zei Victor.

'En ze wilde niet langskomen voor een kop koffie?'

'Vandaag niet. Nogmaals in de roos. Je bent een helderziende.'

Julius' vader was een van de rijkste mensen in het dorp. Met diens vermogende vrienden als klant had Julius zijn positie bij de bank algauw onaantastbaar gemaakt. Hij wreef gewichtig over zijn onderkin. 'Onze klanten gedragen zich behoorlijk wispelturig de laatste tijd. Velen van hen houden de boot af. Terwijl dat nog maar enkele jaren geleden volkomen anders was. Toen sméékten ze praktisch om aandelen. De hoorn des overvloeds daalde niet op ons neer; het was een zondvloed!'

Victor haalde zijn schouders op. 'Heb je niets anders te doen dan mij met vervlogen dromen lastig te vallen? Als bankier heb je tegenwoordig minder aanzien dan Enrons accountant. Op feestjes vertel ik dat ik erotische hulpmiddelen verkoop, dat voorkomt een hoop geruzie.'

Julius legde zijn vingertoppen tegen elkaar. 'Ik ruzie nooit over mijn vak, Victor. En met míjn klanten heb ik een band, omdat wij samen de goede en de slechte jaren hebben meegemaakt. Maar jij bent hier pas en kent geen hond. Erger nog, geen hond kent jou.' De varkensogen van de bankier staarden Victor aan alsof hij hem voor het eerst zag. 'Eigenlijk twijfelen wij eraan of jij hier wel past, Victor. Je lijkt het bankieren niet van nature in je te hebben. Had je misschien arme ouders?'

'Bij mijn geboorte is er helaas geen gouden lepelrek in mijn mond gevonden. Sorry.'

'Achter jouw streepjespak schuilt volgens ons een onafhankelijke geest. Dat maakt je creatief, en op lange termijn mogelijk zelfs succesvol, maar ook onvoorspelbaar. Potentieel gevaarlijk.'

'Alles is toegestaan in liefde, oorlog en het bankiersvak, zolang de mevrouwen Bastiaanse van deze wereld de aan- en verkoop van hun aandelen maar via mijn provisierekening laten lopen.'

'Dat is jouw – onorthodoxe – mening.' Julius leunde naar achteren en zijn stoel protesteerde krakend. Hij woog geen gram minder dan honderd kilo, wat veel te zwaar was voor iemand van zijn lengte. Julius sportte nooit en rookte sigaren. Zijn favoriete tijdsbesteding was lunchen met klanten; als het kon elke dag van de week. Hij zwaaide filosofisch met een vulpen. 'Laten we eerlijk zijn. Die methode van je, het willekeurig benaderen van miljonairs, is tot mislukken gedoemd. Ze past ook niet in de traditie van deze bank, waarin de opbouw van langdurige relaties centraal staat.'

Victor zag dat Julius zijn vlezige handen over zijn buik vouwde als een moeder die haar kind beschermt.

'Geef je klanten aan mij, Julius, ik doe er meer mee dan ze volstoppen met eten en drinken.'

'Jij bent een briljant bankier, Victor. En ik ken iedereen in Rietschoten. Jou en mij ontslaan ze als laatsten.' Julius ging gniffelend verder met zijn werk.

Victor zuchtte. Julius had natuurlijk gelijk. Eigenlijk had hij bij Acorn Brothers niets te zoeken. De meeste mensen die hij had leren kennen tijdens zijn studie zaten nu bij grote bedrijven, waar ze carrière maakten door hielen te likken en politiek te bedrijven. Maar zijn echte maatjes hielden niet van protocol en platgetreden paden, en waren meteen hun eigen bedrijf begonnen. Victor zelf had gedacht dat hij, door eerst bij een kleine bank te gaan werken, in een paar jaar veel ervaring zou opdoen zodat hij snel alsnog hun voorbeeld kon volgen. Nu dreigde ontslag voordat hij nauwelijks een halfjaar in dienst was.

Hoe dom kon je zijn?

2

Philippe kwam langzaam bij uit zijn staat van bewusteloosheid, als een stuk wrakhout dat door de golven af en toe boven water wordt geduwd. Hij lag in foetushouding. Overal was pijn. Een boor draaide onophoudelijk gaten in zijn maag en in zijn hoofd dreunden hamers. Zijn tong voelde als leer. Na de messteek had John hem het huis in gesleurd, door de hal voor zich uit geduwd en vervolgens van een trap naar beneden gegooid. Waarschijnlijk had hij een hersenschudding.

Het enige licht was een smalle streep die onder de deur door kwam. Toen zijn ogen aan het donker gewend waren, draaide hij voorzichtig zijn hoofd en keek om zich heen. Hij bevond zich in een soort bunker zonder ramen of enige vorm van comfort. Het beton was koud en vocht kroop in zijn botten. Philippe wist nog dat John hem door een lange betonnen gang had gesleept en hem hier als vuil had achtergelaten. Waarom wist hij niet. Met zijn handen voorzichtig tegen de buikwond gedrukt kroop hij naar de deur en trok de kruk naar beneden. Op slot, maar dat verwachtte hij al. Hij voelde beginnende paniek. Hij was zesentwintig jaar, gezond, met werk. Zijn leven lag praktisch nog voor hem. Hoe ging dit aflopen? Ging hij dood?

Mei

De rest van de dag besteedde Victor aan administratieve klussen. Om vijf uur sloot hij af. Het was tijd voor zijn cursus kunstgeschiedenis. Hij stapte in de Volkswagen Golf die hem door Acorn Brothers verstrekt was en startte de motor. Het kiezel onder de banden knarste en Victor liet de kapitale villa achter zich. De Kastanjelaan dankte haar naam aan de lange rij bomen die al honderd jaar lang de weg flankeerden en de landgoederen erachter aan het zicht onttrokken. De warme namiddagzon stond hoog en wierp schaduwen over het wegdek. Hij reed de laan uit en was enkele minuten later op de snelweg.

In Amsterdam was het zoals altijd druk, maar Victor had geluk en vond een plaatsje op de Spiegelgracht. Hij haastte zich naar de ingang van het Rijksmuseum, de drommen toeristen met hun camera's ontwijkend. Het gebied rondom het museum was een bouwput met overal hekken, gapende gaten en bouwketen.

Hij vond het zaaltje en schreef zich in. Het was vol, er waren zo'n honderd belangstellenden en bijna alle stoelen waren bezet. Victor ging zitten op de achterste rij.

Een jonge, blonde vrouw in een nauwzittende zwarte spijker-broek, zwarte pumps met hoge hakken en een eenvoudig, getail-leerd T-shirt, legde uit waarom Rembrandt zo'n unieke kunstenaar was geweest. Ze sprak Engels met een Oost-Europees accent. Ze had het figuur van een model, met benen waaraan geen einde leek te komen, en koele ogen in een smal, regelmatig gezicht. Een vrouw met klasse.

'Ze is Russisch; uit Sint-Petersburg,' fluisterde iemand naast Vic-tor. Hij probeerde zijn aandacht erbij te houden, maar de ver-moeidheid van de afgelopen maanden werd hem te veel. Zijn ogen bleven dichtvallen en ondanks pogingen het onvermijdelijke tegen te houden, viel hij in slaap. Het leek een eeuwigheid later toen hij iemand aan zijn mouw voelde trekken. Hij schrok op. De cursus-leidster stond naast hem en keek op hem neer. Victor rook haar parfum. De stoelen rondom hem waren leeg; op hen tweeën na was de zaal verlaten. Victor krabbelde overeind en voelde zich uitzon-derlijk lullig.

'Wat is het probleem, meneer? Is Rembrandt van Rijn niet goed genoeg? Hebt u liever Britney Spears? Dan moet u op een heel ander adres zijn.' Haar ogen waren diepblauw en haar wangen rood. Ze was duidelijk boos. De getuite volle lippen leken hem uit te dagen.

'Nee, nee. Rembrandt is prima,' hakkelde hij. 'Rembrandt is mijn favoriet. Ik heb al zijn muziek op mijn IPod staan.'

Ze lachte een perfecte rij tanden bloot. 'Laat dat na de pauze dan maar zien.' Ze draaide zich op haar hakken om en liep weg.

Nog half slapend staarde Victor haar na. Hij ging op zoek naar het museumcafé, dronk twee koppen koffie en probeerde na de pauze zijn hoofd erbij te houden. Geen eenvoudige opgave omdat de slaap hem nog steeds in zijn greep hield. Na afloop van de voordracht liep hij naar haar toe. Ze waren ongeveer van dezelfde leeftijd, schatte hij.

'Ik wil je mijn excuses aanbieden. Ik heb niet al Rembrandts platen; ik ben een groot liefhebber van zijn boeken.'

Ze keek hem koeltjes aan. 'Hoe grappig. Het is typisch voor Nederlanders om hun eigen kunstenaars onderuit te halen. Jullie zouden trots moeten zijn, in plaats van altijd zo laatdunkend te doen.'

'Dat is de Hollandse cultuur, ben ik bang. Wij prijzen onze helden door ze terug te brengen naar het laagste niveau. Wat kun je ook verwachten van een land dat elk moment in de golven kan verdwijnen?'

'Waanzin. Overal liggen dijken.'

'Dat is waar, maar angst voor de zee speelt wel degelijk een rol in onze nationale verbeelding. Net als het gegeven dat wij omringd worden door buren die ons allemaal weleens hebben aangevallen.' Hij stak zijn hand uit. 'Mijn naam is Victor van Zanten. En het spijt me dat ik in slaap ben gevallen.'

Na enige aarzeling nam ze de hand aan. 'Jessica Dobson. En ik ben het niet met je eens. Juist in een klein land als Nederland zouden genieën als Rembrandt en Van Gogh op een voetstuk moeten staan. Wat is het leven waard zonder kunst?'

'Ah... de dictatuur van de kunst,' zei Victor en hij keek haar schattend aan. Jessica was bloedmooi, maar blijkbaar ook bloedserieus; een koude schoonheid. 'Hier in de buurt ken ik een café. Het heet Hans en Grietje en heeft een terras aan de gracht. Kan ik je overhalen om daar wat te drinken?'

'Niet zo snel. Wat bedoel je met "de dictatuur van kunst"?'

'Is dat niet waar je ons daarnet over hebt verteld? Kunstenaars kunnen alleen maximaal presteren zonder de invloed van anderen. Goede kunst bevindt zich op eenzame hoogten en het publiek mag slechts kritiekloos en van een afstand toekijken, anders verheft het zich tot hetzelfde niveau. Chaos zal dan het resultaat zijn. Echt geniale kunst heerst als een dictator, alleen zij is de maatstaf van goed en slecht; het andere volgt slechts in haar voetspoor.'

Jessica knikte. 'Dus je hebt wel geluisterd. Ik hield je in de gaten, maar het leek alsof je nog steeds zat te dromen.'

'Deze passage is me bijgebleven. Hij deed me ergens aan denken.'

'Blijkbaar gebruik je mijn cursus om bij te slapen. Ben je wel geïnteresseerd in kunst?'

Victor schuifelde met zijn schoenzolen over de stenen vloer. 'Niet echt, eigenlijk. Ik volg deze cursus omdat het moet van mijn baas. Hij betaalt.'

Ze trok een wenkbrauw op. 'Je bent wél duidelijk. Zijn alle Nederlanders zo bot?'

Hij grinnikte en ging haar voor richting de uitgang. 'Bijna allemaal. Het is de schaduwzijde van onze veelbezongen tolerantie. In dit land mag iedereen doen en laten wat hij wil, maar we geven daar vervolgens wel graag onze mening over. Of die nu in de smaak valt of niet.'

Tien minuten later zaten ze in het licht van de ondergaande zon en hij bestelde een fles chablis. Het was heerlijk lenteweer en Victor keek om zich heen. Alle mannen op het terras staarden naar de vrouw tegenover hem. Jessica was als een magneet die blikken naar zich toe trok.

'Wie is je baas dat hij je cultuur probeert bij te brengen?' vroeg ze.

'Acorn Brothers, een Engelse bank. Alle medewerkers moeten een dergelijke cursus volgen. Na kunstgeschiedenis volgt een cursus wijn.'

'Ach ja, dát klinkt interessant. Een cursus die je leert hoe je wijn moet drinken?'

'Wijn drinken, wijn maken en in wijn beleggen. De klanten van mijn bank investeren lang niet alleen in aandelen of obligaties. Ze stoppen ook geld in kunst, wijn of auto's. Alles wat leuk is.'

'Maar jij houdt niet van kunst en viel tijdens mijn cursus in slaap. Geef me het nummer van je baas. Ik zal hem zeggen dat hij met jou zijn geld verspilt.'

De fles arriveerde en Victor proefde. De chablis was licht gekoeld en heerlijk. De ober vulde de glazen.

'Begrijp me niet verkeerd. Net als iedereen kan ik oprecht genieten van kunst. Maar het bezit van kunst beschouw ik als luxe; iets wat iemand zich alleen kan permitteren als al het andere er al is. Een huis, een vermogen; vrijheid en onafhankelijkheid.'

Een schaduw viel over haar gezicht en Victor zag dat hij haar op een of andere manier gekwetst had. Zonder eruit gedronken te hebben zette ze haar glas weer neer, pakte haar tas en stond op.

'Ik zie een gespierd lichaam, donker krullend haar en mooie ogen, maar hoor de gedachten van een kind. Ik vrees dat ik ervan uit moet gaan dat je me enkel uitgenodigd hebt om naar mijn borsten te staren. Het is duidelijk dat we niets gemeen hebben. Ik vertrek.'

Snel krabbelde Victor omhoog. 'Nu ben je even bot als ik daarnet. En zo bedoelde ik het niet.'

'Ik doe als alle Nederlanders blijkbaar doen: me aanpassen aan het laagste niveau, daar waar het water ons brengt. Tot ziens.'

Ze draaide zich om en liep weg, haar fraaie achterwerk nagekeken door tientallen bewonderaars.

'Dag, Jessica. Tot volgende week.'

Ze keek niet om. Victor liet zich in de stoel terugvallen en staarde naar de twee volle glazen voor hem.

'Sufferd,' hoorde hij iemand naast zich mompelen.

3

In het begin schreeuwde Philippe tegen het betonnen omhulsel. Hij smeekte John om genade voor de zonden die hij blijkbaar had begaan, om hem seconden later hard te vervloeken. Op niets volgde een reactie. Het was bijna grappig dat er niemand anders was tot wie hij zich kon richten. In God geloofde hij niet en zijn ouders waren oud en allang met pensioen. Hij was nu gestopt met schreeuwen want de inspanning putte hem te veel uit.

Gelegen op de koude vloer probeerde Philippe te begrijpen, zich te herinneren waarom John hem had neergestoken en opgesloten. Het lukte niet. Zijn geest was te verward.

Nog geen jaar geleden zou Philippe het een eer hebben gevonden om zijn leven aan John toe te vertrouwen, maar nu...

Op de grond onder zijn navel had zich inmiddels een donkere kring gevormd van gestold bloed. Telkens wanneer hij bewoog, scheurde de wond weer open en vielen er een paar druppels bij. Er was geen eten of drinken.

Juni

Er klonk geen ander geluid in de spreekkamer van Kees Vorm Makelaars te Rietschoten, dan het tikken van een antieke Friese staartklok. De makelaar zelf stond voor het in de deur geschroefde spionnetje en bekeek zijn gast. De man leek rond de veertig jaar en was klein, maar atletisch gebouwd. Zijn kostuum was handgemaakt, had de receptioniste hem gezegd. Ze had oog voor dat soort zaken. Dat moest ook, want Kees Vorm deed alleen de duurste landgoederen. Zijn ontvangstkamer moest dat uitstralen en was daarom volgepropt met kunst en antieke voorwerpen. Aan de muren hingen spectaculaire, vanuit de lucht genomen foto's van lokale paleisjes. 'Hierin kunt u ook wonen', was de boodschap aan iedereen die hier binnentrad, als u maar veel geld meebrengt. Armoedzaaiers werden geweigerd. Kees opende de deur en trad binnen. Hij stak een hand uit naar zijn bezoeker.

'Kees Vorm, makelaar en eigenaar van dit bedrijf. Welkom in Rietschoten, meneer Scarborough.'

De gast was net als hijzelf een meter zeventig, maar het verschil in lichaamsgewicht was aanzienlijk. De makelaar genoot van het goede leven, terwijl Scarborough meer weg had van een asceet. Handen werden geschud.

'Bedankt. Noem me William. Je Engels is uitstekend, maar dat schijnt te gelden voor al je landgenoten.'

'Dat klopt. Ga zitten.'

Ze lieten zich in antieke schaapslederen fauteuils zakken.

'We kunnen moeilijk verwachten dat al onze klanten Nederlands spreken. We bemiddelen veel voor het buitenland. Waar komt u zelf vandaan?'

'De Verenigde Staten. Californië.'

'Kijk eens aan. Ik hoop dat u hier niet hetzelfde klimaat verwacht.'

De receptioniste bracht koffie in fragiele, porseleinen kopjes. Vanzelfsprekend antiek.

'Wij hadden uw komst verwacht,' kwam Kees direct ter zake. Dat deed hij altijd. Waarom tijd verspillen met beleefdheden? 'Uw Zwitserse bank was zo vriendelijk ons een kredietreferentie toe te sturen. Indrukwekkend, moet ik zeggen. Zelfs voor ons in Rietschoten.'

'Daar ben ik blij om.'

Kees voelde opwinding bij de gedachte aan een grote transactie. De crisis op de financiële markten had ook zijn bedrijf niet onaangetast gelaten en hij hongerde naar provisie. Iemand als deze Amerikaan kon zijn jaar in één klap goedmaken.

'Ik heb fantastisch nieuws. We hebben gevonden wat u zocht; een schitterend landgoed in de omgeving. U kunt er gelijk in. Misschien enkel wat aanpassingen aan persoonlijke voorkeuren?'

'Je maakt me nieuwsgierig.'

'Zullen we dan?' stelde Kees voor terwijl hij opstond. Deze klant tartte de grenzen van de goede smaak, vond hij. Zijn pak mocht dan handgemaakt zijn, maar daaronder droeg hij glimmende, zwarte cowboylaarzen en zijn rechterhand was versierd met een buitenproportioneel grote gouden ring. Het ding was werkelijk een monster. De makelaar was echt wel wat gewend, maar dit was al te opzichtig. Zeker voor Rietschoten, dat zich van oudsher graag dompelde in Hollandse bescheidenheid.

William bewoog zich niet. 'Een ogenblik, Kees. Eerst een paar afspraken. Als je me het toestaat, natuurlijk.'

Kees liet zich terugzakken en William telde af. 'Ik stel prijs op privacy. Ik zou het waarderen als voorlopig niet bekend wordt dat ik in Rietschoten kom wonen.'

De makelaar knikte. Geen probleem, discretie was onderdeel van zijn werk.

'Ten tweede: als ik dat landgoed huur, heeft de eigenaar niet langer toegang. Niet voor inspectie, niet voor onderhoud, nergens voor. Eigendommen moeten van tevoren worden opgehaald, want zodra ik er woon, komt er niemand meer in zonder mijn toestemming. Niet-opgehaalde zaken worden weggegooid of verbrand. Al gaat het om de dagboeken van de koningin, ik maak geen uitzondering.'

Kees fronste. 'Dit is ongebruikelijk, meneer Scarborough. Met dergelijke voorwaarden werken wij hier niet.'

William negeerde de opmerking en stond op. Na een korte aarzeling volgde de makelaar. Tien minuten later draaide hij zijn eigen auto een oprijlaan op. De bestrating was bijna onzichtbaar door de dikke lagen gras en onkruid die er onbekommerd groeiden. Tweehonderd meter verder werd een landhuis zichtbaar, het doel van de korte rit. William was al uit zijn Mercedes gestapt en had een lange sigaar opgestoken. Traag krulde de rook omhoog. Het was juni en warm. Later zou het waarschijnlijk weer gaan regenen. Kees griste een brochure van de passagiersstoel van zijn Volvo en voegde zich bij hem. Het was al een flinke tijd geleden dat hij hier zelf voor het laatst was geweest. De oprijlaan zag er al slecht onderhouden uit, maar het huis zelf maakte ronduit een vervallen indruk, hoewel het zelfs in deze bouwvallige staat nog kracht en elegantie uitstraalde, alsof het er na al die eeuwen nog net zo fier bij stond als vlak na de bouw.

De dimensies waren enorm. Vijftig meter lang, twintig meter breed en vijftien meter hoog. Alles was van steen gemaakt: muren, kozijnen, zelfs het schuin oplopende dak. Het leek op het schip van een kerk waarvan de toren nooit was gebouwd. Die indruk werd versterkt door de hoge, boogvormige ramen die ooit gebrandschilderd waren geweest, maar die nu zonder uitzondering kapot waren of gebarsten.

Aan de voorkant was een serre gebouwd, maar ook hiervan waren de ruiten kapot en was het bouwwerk verzakt. Achter de woning lagen met struiken overwoekerde velden: de gazons van vroeger. Dichte bebossing, verder weg, bepaalde de grenzen van het landgoed en schermde het compleet van de buitenwereld af.

'Dit,' zei Kees met enige trots in zijn stem, 'is het pronkstuk van de regio, het grootste huis van Rietschoten. U boft dat het op de markt is.'

William leek niet overspoeld te worden door vreugde. Kees begon voor te lezen.

'Het landgoed De Eendenhorst vindt zijn oorsprong in 1572 en bestaat uit een woonhuis met omringend park. De totale oppervlakte bedraagt dertig hectare. Het huis omvat onder meer een hal met haard en monumentale trap, ontvangstkamers, woonvertrekken en keukens. Het landgoed valt onder de Natuurschoonwet en de Monumentenwet. De Eendenhorst is het grootste en oudste landgoed van Rietschoten en speelde een belangrijke rol in haar geschiedenis. Het was ooit het eerste stenen gebouw tussen Amsterdam en Haarlem.'

'Hoeveel vierkante meter is de grootste ruimte binnen?' vroeg William.

De makelaar raadpleegde de documentatie. Niemand had ooit eerder belangstelling getoond voor deze bouwval. William Scarborough, die volgens de bankreferentie zeker honderd miljoen Zwitserse frank waard was, vroeg echter specifiek om iets groots. Het allergrootste dat Kees kon vinden. En achterstallig onderhoud was geen bezwaar. Integendeel. Kees had zijn ogen niet kunnen geloven toen hij het verzoek onder ogen kreeg. Dit was de droom van elke makelaar: een gek met geld.

'Er is een zaal van dertig bij tien meter. De plafonds zijn daar hemelhoog. Vroeger kwamen er ridders samen en werden er gasten ontvangen. Vergeet niet dat dit pand uit de middeleeuwen stamt.'

'Dat is duidelijk te zien,' zei de Amerikaan, terwijl hij zijn blik over de voorgevel liet gaan. Hij trok aan zijn sigaar. Kees wist niet of de opmerking spottend bedoeld was. Hij stopte de brochure terug in zijn tas. Bij vertrek had hij zijn klant een kopie gegeven, maar die had hem ongezien in de auto gegooid.

'Het landgoed is te koop gezet door de familie die het vanaf het begin van haar historie in bezit heeft. Ofschoon deze familie nog steeds in de buurt woont, wil niemand van hen er zelf wonen. De Eendenhorst staat dan ook al generaties lang leeg. Een koper werd nooit gevonden, dus zijn ze ook in verhuur geïnteresseerd. Zullen we naar binnen gaan?' Hij rommelde in zijn zakken, op zoek naar sleutels.

'Dat is niet nodig,' antwoordde William. 'De opzet ziet er goed uit. En wat de inrichting betreft, die is onbelangrijk.' Hij liep naar het huis toe. De makelaar volgde voorzichtig op zijn dure, bruine herenschoenen. Het had die ochtend geregend en het mos was bepaald glibberig in combinatie met leren zolen.

'Wat is de maximale looptijd van de huur?'

'Drie jaar, maar als het landgoed tussentijds verkocht wordt, dan...'

'Sorry,' onderbrak William hem, 'maar als ik geen eigenaren wil zien, geldt dit ook voor aspirant-kopers. Om van hijgerige makelaars maar niet te spreken.'

Kees beet op zijn lip. Tussentijdse verkoop was dus uitgesloten. Spijtig. Hij volgde de Amerikaan om het huis heen en wierp samen met hem af en toe een blik naar binnen. De ramen waren echter te smerig om veel te kunnen onderscheiden. Ze voltooiden een rondje en verkenden daarna het omliggende park. Het was duidelijk dat de natuur hier heel lang haar gang had kunnen gaan, want alles was overwoekerd. Een roestig hek omringde het bezit, maar bood geen enkele bescherming naar buiten. Een halfuur later keerden ze naar de auto's terug.

'Ik heb een redelijke indruk gekregen,' zei William. 'Hoe schat je zelf de staat van onderhoud in?'

De makelaar kuchte. 'In de brochure staat "praktisch ingericht met alle originele details nog aanwezig". Echt iets voor mensen die van een stijlvolle, romantische inrichting houden.'

William lachte en wees naar de gaten in het dak en de scheefhangende schoorstenen. Op veel plaatsen waren muren gescheurd en staken brokken steen slordig links en rechts uit. Op de grond en in het gras lag overal rotzooi.

'Romantisch natregenen, bedoel je. Daarom wilde ik niet naar binnen. Waarschijnlijk zakken we gelijk door de vloer en worden we daarna opgegeten door hordes ratten.' Schattend keek hij om zich heen. 'Toch heeft het potentie. Luister, ik huur De Eendenhorst voor tien jaar en renoveer het naar eigen smaak. Na afloop krijgt de familie een landgoed terug dat exponentieel in waarde gestegen zal zijn.'

Kees was sprakeloos; zijn tong zat in een knoop. William glimlachte. 'Ga ik te snel? Maak je geen zorgen: de verbouwing betaal ik uit eigen zak en het karakter van De Eendenhorst zal behouden blijven. Aan de buitenkant in elk geval.'

De makelaar smakte – beschaafd natuurlijk, dit was Rietschoten – met zijn lippen toen hij razendsnel zijn eigen provisie berekende. Vijfhonderdduizend euro, schatte hij, bij zo'n lange looptijd. Dat maakte niet alleen dit jaar goed, het compenseerde ook nog eens al die magere jaren daarvoor. Kees bekeek de pezige Amerikaan nu met geheel andere ogen. Niet langer zag hij de protserige ring of het glimmende schoeisel; hij zag een wandelende zak vol euro's. Hij knikte en probeerde niet al te inhalig te lijken en zijn waardigheid te behouden.

'Ik zal het de familie voorleggen.'

'Dat is niet genoeg, Kees. Je zal ze snel moeten overtuigen, anders gaat de transactie niet door. Mijn aanbod is drie dagen geldig. Daarna vervalt het.'

William gooide het eindje sigaar op het grind. Als in een droom zag Kees zijn weldoener aanstalten maken te vertrekken. De motor werd gestart en de Mercedes zette zich in beweging.

'Maar de prijs, meneer Scarborough? U weet de prijs nog niet!' riep hij hem paniekerig toe. William stopte en lachte nu breeduit. Het goud van de ring flikkerde in het zonlicht.

'Integendeel. De prijs weet ik wel degelijk. Het is de familie die de prijs nog niet kent.' De Mercedes trok wild op en liet de makelaar gehuld in stofwolken achter.

'Patser.' Kees keek hem na. 'Wat moet die nu in Rietschoten?' Hij schudde zijn hoofd en raapte de sigaar van de grond. ROMEO Y

JULIETA stond op het wit-rode bandje. Met de hand gerold in 'Habana'. De Cubaan had nog zeker vijf centimeter over. Kees stak hem in zijn mond en begon tevreden te paffen. Vijfhonderdduizend euro was een hoop geld voor een paar gesprekken. Als het aan hem lag, kregen de verhuurders geen andere keus dan dit aanbod te accepteren. Hij haalde zijn mobieltje uit zijn colbert tevoorschijn en drukte op een sneltoets. Dit was een te mooi verhaal om niet onmiddellijk aan zijn vrouw te vertellen.

4

Uitgeput door bloedverlies en pijn sliep Philippe veel. Wanneer hij bij bewustzijn was, leed hij aan deliriumaanvallen. Soms borrelde er een heldere gedachte omhoog.

'John liet me komen om me te laten sterven. Ik ga dood zodat hij voor altijd vrij kan zijn. Ik ben zijn offer. Klootzak.'

Juni

Een week later keerde Victor terug naar het Rijksmuseum. Deze keer zorgde hij ervoor uitgeslapen en op tijd te zijn. Hij ging op de derde rij zitten, recht in het midden. Jessica deed alsof hij lucht was en begon met haar voordracht. De beurt was vandaag aan Vincent van Gogh. De verlichting werd gedempt en door middel van dia's liet de Russin zien hoe de stijl van de schilder zich ontwikkelde van somber en ingetogen naar het veel expressievere en kleurrijke werk dat later zo beroemd was geworden.

'Van Gogh droeg zijn leven op aan de kunst. Hij kan ons als voorbeeld dienen van hoe de psyche van de kunstenaar en de ontwikkeling van zijn persoonlijkheid in zijn creaties weerspiegeld worden. Als toeschouwers kunnen wij daarvan leren. Door ons te verdiepen in leven en werk van een dergelijk genie, verrijken we ons eigen bestaan. Dit is ook mogelijk zonder zelf een echte Van Gogh aan de muur te hebben hangen. Juist hiertoe dient een instituut als het Rijksmuseum. Kunst is geen luxe voor rijke mensen, maar noodzaak voor ons allemaal. Kunst verheft ons uit de dagelijkse routine en regelmaat.'

Dit leek Victor een steek onder water in zijn richting. Hij stak een hand op.

'Als kunst dictatuur is, mogen wij als publiek blijkbaar alleen maar toekijken en bewonderen. Ons eigen leven heeft weinig zin als de bijdrage enkel bestaat uit het vormen van een kritiekloze massa die reproducties koopt in de museumwinkel. In jouw beschrijving wordt kunst opium voor het volk.'

De zaal viel stil. Iedereen staarde naar Jessica. Haar wangen kleurden lichtrood en even dacht Victor dat de Russin woedend naar hem zou uithalen of met haar aanwijsstok zou gooien. Maar het moment ging voorbij en Jessica vervolgde de presentatie alsof er niets gebeurd was.

In de pauze raapte hij zijn moed bijeen en liep in haar richting. Ze stond naast de koffietafel met een groepje cursisten te praten.

'Hopelijk heb ik je niet beledigd. Ik wilde enkel zeggen dat...'

Ze draaide zich half naar hem toe. 'Voor de tweede keer hebt u moeite zich uit te drukken, meneer Van Zanten. Ik heb nog liever dat u tijdens mijn cursus slaapt dan dat u mijn voordracht met zinloze kreten onderbreekt. Blijf in het vervolg anders weg. We begrijpen dat u zich niet graag mengt onder het gepeupel.' Ze vervolgde haar gesprek met een man in een groen colbert.

Victor voelde zich ijler dan lucht, nietiger dan stof. 'Kunst interesseert me wel degelijk, maar dat was niet mijn punt,' sprak hij tegen haar welgevormde rug. 'Mijn punt is dat we ons eigen leven moeten leiden, niet dat van genieën van wie we de prestaties toch nooit kunnen evenaren. Kunst kan inspiratie zijn, maar is nooit het leven zelf. Kunst is hooguit een uiterst belangrijke bijzaak.'

Er kwam geen reactie en Victor vreesde dat ze niet naar hem had geluisterd. Toen draaide Jessica zich weer naar hem om. Ze had een peinzende blik in haar ogen.

'Dus toch enige diepgang. Er is hoop. Goed, ontmoet me na afloop op datzelfde terras als vorige week. Ik ben je een fles wijn schuldig.'

Een uur later bleken alle tafeltjes echter vol te zijn. Ze liepen verder, zij op haar hakken, hij met zijn jasje over de schouder geslagen en zijn stropdas los vanwege de hitte. Op een gegeven moment kwamen ze op de Herengracht uit en Victor wees op enkele herenhuizen. 'Daar woonden vroeger patriciërs. De meeste van deze panden stammen uit Rembrandts tijd. Ondernemers woonden toen letterlijk tussen hun handel. In het begin van de industriële revolutie waren hier fabrieken gevestigd. De vervuiling en de overbevolking waren zó groot dat rijke mensen buitenplaatsen als Rietschoten oprichtten om ruimte te vinden en schone lucht. Het was de eerste vorm van suburbanisatie in Nederland.'

Jessica keek nieuwsgierig om zich heen. Ze leek het fascinerend te vinden.

'Ben je hier nog niet eerder geweest?' vroeg hij.

'Nee, sinds ik in Amsterdam ben aangekomen, heb ik alleen maar gewerkt. Het museum heeft me gecontracteerd om te adviseren bij hun aankomende Van Goghtentoonstelling. Dat werk zit erop. Die cursus die jij volgt, deed ik alleen omdat een van hun mensen ziek werd; een vriendendienst onder kunsthistorici. Volgende week staat er een ander voor de klas en ben ik vertrokken. Een nieuwe expositie wacht. Hamburg, een tentoonstelling over Pieter Brueghel en de Vlaamse Primitieven.'

'Juist,' zei Victor, niet goed wetend hoe hij zijn teleurstelling moest verbergen. Jessica glimlachte.

'Maak je geen zorgen, die fles was er evengoed wel van gekomen. Ik blijf nooit lang boos.'

Victor zweeg.

'Eigenlijk was ik blij dat je iets zei,' ging ze op vrolijke toon verder. 'Dergelijke cursussen zijn voor inleiders nogal saai. Niemand zegt ooit een woord, iedereen laat ons geratel maar over zich heen komen. Je weet nooit zeker of je de cursisten werkelijk raakt. Jij weet weliswaar niets van kunst, maar je denkt er in elk geval over na.'

Victor deed zijn stropdas nu helemaal af en stopte het ding in zijn broekzak. 'Hoe is het om overal in de wereld tentoonstellingen in te richten?'

'Fantastisch! Ik zie enorm veel van de wereld en waar ik ook kom laat ik blije mensen achter.'

'Maar zelf bouw je toch niets op? Je laat enkel het werk zien dat anderen gemaakt hebben.'

'Het etaleren van schoonheid geeft mij bevrediging genoeg. Bouw jij dan wel iets op?'

Hij grijnsde. 'Ik doe mijn best, maar het is moeilijk. Ik probeer mensen die ontevreden zijn over hun bank ertoe te bewegen naar Acorn Brothers over te stappen. Maar veel beleggers hebben de afgelopen tijd op de beurs een vermogen verloren en zijn huiverig om opnieuw risico's aan te gaan.'

'Dan voeg jij helemaal niets toe. Je vervangt alleen de ene bank door de andere.'

'Voor mij is dit de enige manier om een klantenportefeuille op te bouwen. Over een paar jaar wil ik mijn eigen fonds beginnen, maar eerst moet de markt aantrekken.'

'Nog een beleggingsfonds? Zijn er daar niet al genoeg van?'

Haar vraag irriteerde hem. 'De vraag of er genoeg of te veel fondsen zijn, is niet relevant. Wat ik wil, is mijn eigen fonds, zodat ik onafhankelijk kan worden. Een goede beheerder verdient schatten.'

Ze keek hem uitdagend aan. 'Dat is dan het verschil tussen jou en mij. Ik doe mijn werk om anderen met de schoonheid van kunst kennis te laten maken. Jij werkt voor eigen glorie. Ik ben niet bekend met de financiële wereld, maar volgens mij is het begrip schoonheid daar ver te zoeken.'

Victor retourneerde haar blik. 'Ik kan wel degelijk schoonheid zien in een fonds met een almaar stijgende prestatiecurve. En het argument dat er al genoeg fondsen zijn, is waanzin. Toen Rembrandt zijn tiende schilderij had voltooid, zei niemand tegen hem dat het zo wel goed was.'

'Een krankzinnig voorbeeld. Van goede kunst kan nooit genoeg zijn.'

'En wat ís kunst dan precies? Over de definitie alleen al kunnen we urenlang van mening verschillen.'

Jessica haalde haar schouders op. 'Van mening verschillen doen we nu al. Jij denkt dat de wereld om jou draait en ik vind dat we meer moeten delen.'

'Eerst moet je je eigen huis op orde hebben. Een ander helpen is enkel mogelijk vanuit een positie van kracht.'

'Dát is waanzin! Als iedereen zo zou redeneren, had niemand nog tijd of geld over voor elkaar. Pas als mensen bereid zijn zich zonder eigenbelang voor anderen in te zetten, kan de wereld worden verbeterd.'

Victor zuchtte. 'Je praat als mijn moeder. Dat was net zo'n idealiste als jij.'

'Was? Is ze er niet meer?'

'Jawel, maar ik zie haar weinig. Ze leeft voor anderen, maar vergat zichzelf. Ze werkt ergens in Afrika aan een ontwikkelingsproject.'

'Klinkt een stuk sympathieker dan bankier spelen.'

'O, mijn moeder is een schat. Maar het leed van onbekenden in verre landen is voor haar altijd interessanter geweest dan haar directe omgeving. We spreken elkaar hooguit twee keer per jaar.'

'Dat is wel heel erg weinig.'

'Ja. Mijn vader heb ik al veel langer niet gesproken, hoewel hij ook daar zit. Mijn ouders zijn van het soort dat de mens als intrinsiek slecht ziet, dat wil zeggen, de mens met macht. Het land waarin zij nu werken, wordt geregeerd door een dictator en ze zien het als hun plicht om het leed van de bevolking enigszins te verzachten.'

'En jij bent het daar niet mee eens.'

'Hoe had je dat zo snel door? Nee, ik ben het daar niet mee eens. Dictators moet je met open vizier en met het wapen in de hand bestrijden. Pappen, nathouden en aanmodderen door de symptomen af te deppen, is zinloos. Sterker nog, je houdt er de status-quo mee in stand.'

'En wat doe jij, behalve vanuit het veilige Amsterdam dit soort theorietjes te verkondigen? Wat is jouw bijdrage?'

Victor stopte en keek haar aan. Jessica was mooi en intelligent, maar het was duidelijk dat zij en hij in twee verschillende werelden leefden. 'Niets. Ik doe helemaal niets totdat ik in een positie ben dat ik wel iets kan doen, invloed kan uitoefenen en een verschil maken. En dat is pas mogelijk als ik hier in eigen land met mijn eigen werk succesvol ben.'

Ze lachte spottend. 'Dat klinkt mij als een volstrekte illusie in de oren. Alleen gekken of de hele groten van deze aarde kunnen hun eigen werkelijkheid creëren, en jij bent volgens mij geen van beide. Jij hebt gewoon een leuk leventje en roept af en toe iets om je geweten te sussen. Nee, dan bevallen mama en papa Van Zanten me beter.'

Ze liepen over de grachten tot Jessica aangaf dat ze naar het hotel terug wilde. Bij de deur gaven ze elkaar een kus die de wang amper beroerde en Victor zag haar verdwijnen door de draaideur. Ze hadden visitekaartjes uitgewisseld en even overwoog hij het hare maar meteen in de vuilnisbak te gooien. Hij zou de Russin toch nooit meer zien; bovendien leek er vooralsnog niet méér in te zitten dan een hoop gekibbel en langs elkaar heen praten. Toen dacht hij aan die prachtige donkerblauwe ogen en veranderde van mening. Victor stak het kaartje in zijn binnenzak en wandelde naar zijn auto. Het was nog steeds gloeiend heet.

Die avond zat Victor alleen op kantoor, omringd door lege stoelen en donkere beeldschermen. De temperatuur was inmiddels verrukkelijk; hij had de ramen opengezet om iets van de lentegeuren op te vangen. Het park dat de villa omringde, krioelde van nieuw leven. Hij draaide een nummer op zijn lijst. Iemand met een slaperige stem nam op.

'Met Victor van Zanten spreekt u, van de bank Acorn Brothers in Rietschoten. Het spijt me dat ik u zo laat stoor, maar ik wilde u erop wijzen dat de crisis op de aandelenmarkten voorbij lijkt te zijn. Als u nu instapt, kunt u volledig profiteren van het herstel. Wellicht dat ik u kan uitnodigen voor een...?'

'Klik.' De persoon had opgehangen. Het maakte niets uit. Victor belde de volgende. En de volgende. Het was nog lang niet te laat.

5

Philippes ernstig verzwakte lichaam, volkomen verkrampt door het te lang in één houding liggen, was een universum van gillende pijn. Pijn was de enige realiteit. Pijn die nooit over ging en die helder denken onmogelijk maakte, ook de gedachten aan John, diens verraad en de situatie hier. Alleen het verlangen naar water bleef. Zijn lippen waren als gespleten woestijnbodems: korstig en droger dan zand. Hoe had hij ooit géén water kunnen drinken uit zwembaden, toiletkranen en fonteinen overal om hem heen? Wie dronk er wijn wanneer er water was?

Augustus

Kees Vorm moest abrupt remmen omdat de oprit van De Eendenhorst werd geblokkeerd door een immense vrachtwagen. En niet alleen de ingang was bezet, van hek tot huis stond de laan vol met wagens. Kees herkende de namen en logo's van aannemers, installateurs, schilders en, tot zijn verbazing, de duurste antiquair van het dorp. Tussen de wagens door zag hij mensen lopen, de meeste in werkkleding, maar sommige ook in pak. Kees herkende enkele collega's uit de lokale middenstand. Hij reed door, parkeerde zijn auto langs de weg en liep terug. Het was warm. Het verroeste hekwerk dat sinds mensenheugenis De Eendenhorst had omringd en dat altijd vrije entree tot het landgoed had gegeven, was verdwenen. Het nieuwe was hoger, met gemeen puntige spijlen die naar boven wezen. Door de groene kleur was het van een afstand haast niet zichtbaar. De oprijlaan was opnieuw bestraat, zag Kees. Met bakstenen was een kunstig mozaïek geweven.

Er was meer veranderd, maar hij kon er niet gelijk de vinger op leggen. De zon scheen in zijn gezicht en even genoot hij van het gevoel van de zomer. Vanaf de weg kon hij het huis en de oprijlaan zien liggen.

Dat was het – het bos was weg! Al dat groen, het resultaat van eeuwenlange onbelemmerde groei, stond er niet meer. Toen hij hier enkele maanden geleden met William gestaan had, was er vanaf deze plaats niets anders te zien geweest dan dik, ondoordringbaar bos. Nu had de zon vrij spel; over een lengte van een halve kilometer waren bomen en struiken gekapt en brede ruimtes gecreëerd. Kees fronste. Sommige bomen waren honderden jaren oud geweest en vele vogelsoorten hadden hier sinds mensenheugenis hun nesten gebouwd. Hij voelde zich boos worden en in opgewonden staat stapte hij de oprijlaan op, in de richting van het huis. Overal hingen camera's. Ze hingen zelfs boven de voordeur. William Scarborough laat er geen gras over groeien, überhaupt geen gras meer, dacht Kees verbeten.

Binnen was het een drukte van je welste. Werklieden liepen af en aan en de hal stond vol met dozen en meubelstukken, alles nog in verpakking. De makelaar moest zijn niet onaanzienlijke buik ertussen duwen om voorbij de kartonnen torens met inhoud te komen en kwam terecht in een enorme ruimte. Dit moest de zaal zijn die in de documentatie beschreven stond. De plafonds waren inderdaad hemelhoog. Ook deze ruimte verkeerde in een opperste staat van activiteit. Op stellages waren schilders en stukadoors druk bezig met de muren. De oorspronkelijke houten vloer, vermolmd en kromgetrokken van ouderdom, was op vele plaatsen opengebroken en mannen in overalls legden kabels in kruipruimtes. Rechts in de hoek stond een bureau, nog in plastic verpakt. Iemand was bezig daartegenover een plasmatelevisiescherm op te hangen. In de serre stond een tweede bureau en ook hier waren mannen druk doende met buizen en kabels. Achter de bureaus stonden dozen gestapeld met de logo's van de internationale nieuwsdiensten Bloomberg en Reuters.

'Kees, ik ben hier!' hoorde hij roepen. Aan het eind van de ruimte, voor een manshoge open haard, gebaarde William Scarborough naar hem. Voorzichtig baande de makelaar zich een weg door de chaos. De Amerikaan was gekleed in een bruine broek en een sportief hemd, maar de laarzen waren onveranderd, alleen waren ze nu overdekt met stof.

'U laat niets van het pand over!' zei Kees geschokt. 'U had beloofd dat het karakter van De Eendenhorst behouden zou blijven!'

William lachte. 'Van de buitenkant, Kees, enkel van de buitenkant, weet je nog? Maar maak je geen zorgen; een leger adviseurs is hierbij betrokken, dus schort je oordeel op tot het klaar is. De familie heeft het al gezien en ze vonden het allemaal prachtig.' De Amerikaan grinnikte. 'Maar dat kan ook komen doordat de aannemer een neef is en de architect een vriend. Een ander familielid legt de parketvloer aan; zeshonderd meter eiken uit Polen, en geen meter jonger dan honderd jaar. Een relatie van de familie gaat de tuin onderhouden en een ander doet het dak. Allemaal werken we ons hier de benen uit het lijf; de bezorgdiensten van Rietschoten verdienen schatten. Net als de rest van je vrienden uit het dorp. We kunnen geen Chinees of pizza meer zien.'

Kees slikte. De middenstand van Rietschoten kon hem gestolen worden. 'U hebt honderden bomen en struiken gekapt. Dat is verboden, zeker zonder vergunning. U bent hier niet in Californië, waar iedereen zomaar zijn gang kan gaan!'

'Kees, Kees, maak je niet druk,' antwoordde William opgewekt. 'Iemand kende iemand op het stadhuis en voor elk stuk groen is toestemming ontvangen. Overigens houden de rechters in Californië meer van bomen dan van mensen, dus die vergelijking gaat mank.' Hij wees naar het koffertje dat Kees in zijn hand droeg. 'Is dat het huurcontract?'

'Ja.' De makelaar klikte de koffer open en gaf William een map met papieren. 'De familie heeft al uw voorwaarden geaccepteerd; ze gaan akkoord met een huur van tien jaar met alle renovatiekosten voor uw rekening. Van tussentijds recht op entree, inspectie of verkoop wordt expliciet afgezien. De prijs is niet onredelijk voor wat u ervoor krijgt, namelijk het grootste en mooiste landgoed van de omgeving.'

Al iets minder opgefokt keek hij om zich heen. Uit hoofde van zijn beroep zag Kees veel mooie huizen en hoewel ze hier nog lang niet klaar waren, zag hij dat dit iets speciaals zou worden.

'U zegt dat u De Eendenhorst herstelt in volle glorie. Een hoop mensen zult u daar blij mee maken, maar nog veel meer onmogelijk jaloers.'

William knikte plichtmatig, alsof de mening van anderen hem niet raakte, en bestudeerde opnieuw de documenten. Kees keek nog wat verder rond. Tegen de muren stonden met plastic omwikkelde pakketten waarvan hij vermoedde dat het schilderijen waren. Hier en daar stonden archiefkasten en dozen met faxen en printers. Er was ook een scanner.

'Wat bent u hier eigenlijk van plan, meneer Scarborough? Een bedrijf beginnen?'

William gaf geen antwoord, maar knielde neer bij een van de pakketten. Voorzichtig begon hij het verpakkingsmateriaal te verwijderen en gefascineerd keek Kees toe hoe laag voor laag eraf ging. Het bleek inderdaad een schilderij te zijn. Slechts langzaam gaf het zijn geheimen prijs, als een vrouw die zich publiekelijk ontkleedde. Er kwamen vier felgekleurde vierkanten op een witte achtergrond tevoorschijn, met elkaar verbonden door zwarte rechte lijnen. Kees herkende het patroon onmiddellijk en wreef zijn ogen uit.

'*Compositie met rood, geel en blauw*,' zei William zonder zijn ogen van het schilderij af te wenden. 'Mondriaan legde meer fantasie in zijn schilderijen dan in het geven van namen, vind je ook niet?'

'Is het echt?' vroeg Kees ongelovig. Zijn mond werd droog. Dit hoorde in een museum, niet in een privéwoning.

William kwam overeind. 'Natuurlijk is het echt. Ik heb het geleend van iemand die het in zijn bibliotheek had hangen. Geen fanatiek lezer, klaarblijkelijk.' Hij stopte de papieren van het huurcontract terug in de map. 'Mijn advocaat zal dit doornemen. Als je me nu alleen wilt laten... Er is nog veel te doen.' William zakte weer door de knieën voor *Rood, geel en blauw* en keurde de makelaar verder geen blik meer waardig.

6

Philippe werd wakker van voetstappen. De deur ging open en John kwam binnen. Voordat Philippe een beweging kon maken, pakte zijn vroegere leermeester hem bij de pols en sleurde hem in een enkele beweging op zijn benen, de cel uit. De wond onder zijn navel werd opengereten en Philippe voelde een warme scheut bloed omlaag stromen. Dubbelklappend strompelde hij mee. Hij moest met zijn ogen knipperen tegen het plotselinge licht. Zonder iets te zeggen leidde John hem naar een kelderruimte verderop, waar een enorme opslagtank stond met het deksel open. De verstikkende geur van olie golfde hem tegemoet. Hij worstelde maar de greep om zijn pols bleef onwrikbaar en hijzelf was ernstig verzwakt. Philippe keek naar de tank. De zwarte, stille vloeistof kwam tot een centimeter van de rand. Instinctief begon hij te krijsen.

September

Victor liep het bankgebouw binnen. Hij vouwde zijn paraplu samen en zette die in de bak naast de kledingkast. Hij was iets later dan normaal; de eerste herfstbui van het jaar veroorzaakte altijd files op de weg. Buiten sloeg de regen tegen de ramen.

Hij ging achter zijn computer zitten en begon met werken totdat de stilte om hem heen, die hem aanvankelijk niet was opgevallen, ineens vreemd aanvoelde. Hij keek op en zag de spanning op de gezichten van zijn collega's staan. Sommigen staarden voor zich uit alsof hun laatste uur geslagen had.

'Heeft Ajax weer verloren?' vroeg Victor nietsvermoedend, maar niemand gaf antwoord. Hij raadpleegde de weekagenda. Zijn inspanningen van de afgelopen maanden begonnen vrucht af te werpen. Vandaag had hij twee afspraken, morgen zelfs drie. Gesprekken met twintig potentiële investeerders waren gaande. Tot dusver had Victor nog geen cent voor de bank verdiend, maar in vergelijking met de situatie in de lente zag het er bepaald rooskleuriger uit.

Hij pakte de telefoon en wilde een nummer intoetsen, maar Julius legde zijn hand op het toestel.

'Een moment stilte voor de stervenden,' zei de dikke bankier dramatisch.

'Wat bedoel je?' reageerde Victor, gebarend dat die hand weg moest. Julius gaf een knikje in de richting van de tweede etage, waar de directievleugel gevestigd was.

'Iemand van personeelszaken uit Londen is vanochtend gearriveerd. Hij heeft zijn eerste slachtoffer al gemaakt. Mark Biesterveldt moest het pand verlaten; hij mocht niet eens terug voor zijn spullen. Zo gaat de bank tegenwoordig met haar medewerkers om. Volgens de receptioniste huilde Mark toen hij de deur voor het laatst achter zich dicht trok.' Met gespeelde triestheid schudde Julius zijn hoofd. 'Mark zal het nog moeilijk krijgen. Met drie jonge kinderen en een vrouw die alleen maar creditcards op ploffen kan zetten, heeft hij geen beste vooruitzichten. Wie moet hem in deze markt nog aannemen? Alle banken zitten vol met medewerkers waar ze van af willen.'

Victor voelde het bloed uit zijn gezicht wegtrekken. 'Ontslagen?' vroeg hij, zich meteen bewust van zijn eigen onnozelheid.

'In de roos. Je bent helderziend. Ja, samen met nog twee anderen. Peter wacht op dit moment af tot hij aan de beurt is voor zijn gesprekje. Volgens de geruchten moeten minstens vijf bankiers vandaag de bank verlaten.' Julius' ogen glommen boven zijn opgeblazen wangen.

'Jij lijkt niet bang te zijn. Boudewijn heeft mij bezworen dat míjn baan veilig is; niemand slacht de kip die de gouden eieren legt. Jouw nek ziet er daarentegen bepaald kwetsbaar uit. Hijgerig achter klanten aanrennen is geen levensreddende strategie.'

Julius keerde naar zijn computer terug, Victor aan zijn sombere gedachten overlatend. Boudewijn Faber was de filiaaldirecteur van Acorn Brothers, een sympathieke man, maar zonder veel ruggengraat. Boudewijn zou waarschijnlijk geen hand uitsteken om zijn personeel te redden. In opstand komen tegen Londen was helemaal uitgesloten.

De uren die volgden, besteedde Victor voornamelijk aan staren naar de regen en het kopiëren van alle contactadressen en telefoonnummers van mensen die hij ooit had gesproken. Later zou die informatie wellicht van pas kunnen komen, ook al was het nog veel te vroeg voor een eigen beleggingsfonds. De beurs bleef zich bewegen als een lamgeslagen hond die weigerde zelfs maar het kleinste kwispeltje met zijn staart te geven. Zijn afspraken voor die dag zegde Victor af.

Om de zoveel minuten zag hij een collega het pand verlaten, de persoonlijke eigendommen haastig in goedkope plastic tassen gepropt. Het nieuws dat degenen die ontslagen werden niet meer naar hun werkplek terug mochten, had inmiddels de ronde gedaan en de belofte dat hun spullen nagestuurd zouden worden, werd collectief met hoongelach begroet. De sfeer veranderde van gespannen afwachting in cynisme.

Niet alleen relatiebeheerders moesten weg, ook ondersteunend en administratief personeel ging op het blok. Bloed vloeide over de marmeren gangen. Sommigen huilden openlijk, want niemand betaalde beter dan deze bank. Pas rond het middaguur stopte de reeks. Er waren nu vijf bankiers plus zeven man bijbehorend personeel ontslagen en Victor koesterde een stille hoop dat het monster uit Londen zijn buik nu had volgevreten.

Het telefoontje kwam na de lunch. Jolande, Boudewijns secretaresse, vroeg of hij boven wilde komen.

'Krijg ik een paar van die zwarte vuilniszakken mee? Als zwerver op het station komen die goed van pas.'

'Je kunt een viltstift krijgen en een stuk karton. Aldi heeft het goedkoopste brood. Ik weet niet of dit troost biedt, maar jij bent de laatste op mijn lijst.'

Met lood in zijn schoenen liep Victor door het met lambriseringen bedekte trappenhuis; een detail dat in veel interieurbladen had gestaan, net zoals de hele villa onder architectuurkenners een zekere reputatie genoot. Ook de tweede verdieping stond vol kunst en antiek. Aan de muren hingen olieverfschilderijen uit de eigen Acorn Brothers-collectie. Hier waren ook de kamers waar klanten werden ontvangen. Partners uit voorbije eeuwen staarden hem aan. Tijdens zijn eerste weken was Victor onder de indruk geweest van de pracht en praal maar intussen wist hij beter. Hij keek nog eens naar al die met goud omlijste portretten, de marmeren haard, de houten kasten. Al die schoonheid was een schitterend omhulsel van iets wat enorm was gaan stinken.

Boudewijns kamer lag aan het einde van de gang. De deur stond open en Victor zag zijn baas al van verre zitten. Onder het licht van de schemerlamp glom zijn bijna volmaakt kale schedel. De directeur was vijftig jaar en boomlang. De kleur van zijn neus vertoonde een opvallende gelijkenis met die van bourgogne, zijn favoriete wijn.

De bankier gebaarde Victor binnen te komen. Een man in een slobberig, slecht zittend kostuum zat aan de andere kant van het bureau. Door zijn grote ogen en zijn scherpe, uitstekende neus had hij iets van een knaagdier. Dit moest de personeelsfunctionaris uit Londen zijn. Victor staarde de man aan met een zekere fascinatie, zoals een muis een slang aankijkt voordat deze zijn bek opent en hem opslokt.

De man ging staan. 'George Finton,' introduceerde hij zichzelf in plat Engels. Victor noemde zijn naam, drukte de aangeboden hand en ging zitten. Hij voelde zich bedrieglijk rustig.

Boudewijn nam het woord. 'De vooruitzichten blijven slecht en de bank neemt maatregelen. Het spijt me, Victor. George en ik hebben geprobeerd binnen Acorn Brothers alternatieven te zoeken, maar dat is niet gelukt. Nietwaar, George?'

'Zeker. Inderdaad,' bevestigde de personeelsman, die bepaald weinig teleurgesteld keek. Hij opende zijn tas en haalde er enkele papieren uit. 'De bank biedt je een afvloeiingsregeling aan. Helaas ben je nog geen jaar bij ons in dienst geweest, dus we kunnen enkel de minimale afkoopsom...'

'Bespaar me de toespraak,' zei Victor. Hij haalde een opgevouwen document uit zijn zak dat hij enkele uren daarvoor had opgesteld en gaf dat aan Boudewijn. 'Ik neem zelf ontslag, ga ervaren bankiers inhuren die vergunningen kunnen krijgen en begin mijn eigen bank. Binnen een jaar ben ik groter dan Acorn Brothers hier ooit geweest is.'

'Je wilt voor jezelf beginnen? Zonder kapitaal of netwerk? Je hebt geen schijn van kans,' zei Boudewijn verbaasd.

'*Try me.*'

'Excuseer ons een moment.'

Victor werd naar buiten gestuurd en het volgende halfuur bracht hij grappen makend door met Jolande. Binnen ging het er heet aan toe. Victor kon niets verstaan, maar af en toe klonk stemverheffing achter de geblindeerde ruit. Toen werd de deur opengerukt en George Finton stoof woedend weg, zijn tas met papieren dicht tegen zijn borst aan klemmend. Boudewijn wenkte hem weer naar binnen.

'Ik heb George gezegd dat je gezelschap van mij krijgt zodra er nog één bankier dit huis moet verlaten. Je ontslag is een maand opgeschort. Londen moet niet denken dat ze alles kunnen doen. Ga zitten. Wellicht heb ik iets waardoor je kan blijven. Op zijn best is dit vaag, en als het niets wordt, sta je alsnog op straat. En begrijp me goed; de enige reden dat je hier nu nog bent, is dat ik geen zin had in een nieuwe concurrent.'

De directeur pakte een velletje papier van zijn bureau en reikte het Victor aan. 'Enkele dagen geleden werd ik gebeld door iemand die onlangs in Rietschoten is komen wonen. William Scarborough is zijn naam en volgens deze referentie is de man goed voor zeker honderd miljoen Zwitserse franken. Scarborough is Amerikaan en geen klant van Acorn Brothers, maar hij wilde mij spreken over een nieuw beleggingsfonds, waarvoor hij investeerders zoekt in Rietschoten en omgeving. Het fonds moet zich gaan concentreren op kleine, snelgroeiende bedrijven over de hele wereld. Meneer Scarborough had het over een unieke formule, maar details kreeg ik niet.'

Boudewijn wees naar het document in Victors hand. 'Dat is de referentie van Banque LaFayette uit Genève. Lees maar.'

Victor keek ongelovig. 'Iemand die een nieuw beleggingsfonds wil oprichten? In deze markt? Die kerel moet gek zijn of geen kranten lezen.'

'Geen van beide. Lees eerst voordat je oordeelt.'

Het was een formulier zoals er elke dag duizenden tussen banken werden uitgewisseld. Er stonden enkel standaardformuleringen op, gekozen voor de situatie. Victor vatte de inhoud al lezend samen. 'Al tien jaar een probleemloze samenwerking. Bekend vermogen hoger dan honderd miljoen Zwitserse franken. Een relatie wordt aanbevolen zonder beperkingen.' Hij gaf het papier terug. 'Niets over dat fonds van hem.'

'Dat hoeft ook niet. Er staat in hoe rijk de man is. Voor een Zwitserse bank is dat meer dan voldoende.'

Victor dacht na. 'Misschien dat hij daar vroeger succesvol mee was, maar het tij duwt alle bootjes omhoog. De tijd dat iedereen op de beurs geld kon verdienen ligt achter ons. Klanten zitten niet langer te wachten op beleggingen in kleine, snelgroeiende bedrijven. Die doen hun teveel aan internet denken. En mij ook.'

'Onzin,' vond Boudewijn. 'Een goed idee vindt altijd geld. En als wij akkoord gaan, wil William Scarborough samen met onze bank dit fonds opzetten en er investeerders in Rietschoten mee gaan benaderen. De afgelopen zomer heeft hij gebruikt om een landgoed op te knappen. Dat is nu klaar en hij popelt om van start te gaan. Gisteren belde hij voor een afspraak. Ooit gehoord van De Eendenhorst?'

Victor knikte. Het was moeilijk om de afgelopen maanden níét gehoord te hebben van De Eendenhorst. Een buitenlander besteedde een godsvermogen aan een landgoed dat niet zijn eigendom was. Zelfs voor hen die niet op vijf eurocent hoefden te kijken, was dat toch echt te dol.

'Meneer Scarborough zoekt een jonge, ambitieuze bankier die zijn reputatie hier nog moet vestigen. Ik heb jouw naam genoemd en iets van je achtergrond geschetst. Hij wil je graag ontmoeten.' Boudewijn pakte een pen en schreef iets op een stuk papier. 'Dit is zijn telefoonnummer. Bel hem vandaag nog.'

Victor knikte en stond op. Voordat hij echter de kamer kon verlaten, hield Boudewijn hem staande. 'Een paar minuten geleden zette ik spontaan mijn baan voor je op het spel. Je hebt het vermogen om mensen dingen te laten doen die ze zelf niet eerder voor mogelijk hadden gehouden, Victor. Dat is een gave. Zorg dat je die baan bij Scarborough krijgt.'

De volgende ochtend draaide Victor zijn Golf het landgoed op. 'Negen uur precies,' had de Amerikaan gezegd en hij wilde op tijd zijn. Het regende nog altijd maar op de oprijlaan lagen geen plassen omdat de losjes aaneengelegde bakstenen van het mozaïek het water doorlieten. Bomen aan weerskanten van de laan zwiepten in de herfstwind; bij elke vlaag lieten de takken handenvol bladeren los. Het was eind september en de zomer was nu werkelijk ten einde.

Hij parkeerde de auto zo dicht mogelijk bij het huis, stapte uit en liep naar de deur. Die had dezelfde kleur donkergroen als het hek. Victor rook verse verf. Een bel vond hij zo gauw niet maar de deur stond op een kier. Binnen speelde ergens muziek. Voorzichtig duwde Victor de deur open en hij kwam in een hal terecht met op de vloer een schaakbord van marmeren tegels. De muren waren met mahonie bekleed en hingen vol schilderijen. Een kolossale trap draaide naar boven maar Victor bleef in de hal staan. Hoewel het gebouw duidelijk zijn eeuwenoude karakter behouden had, geurde het nieuw, een aangename combinatie.

De muziek klonk harder hier binnen, een mannenkoor met veel diepe stemmen. Victor herkende het stuk: Mozarts *Requiem*. Hij voelde zich vreemd in dit grote, indrukwekkende landhuis. Waar was William Scarborough?

Hij liep door de hal in de richting van de muziek en opende een deur, die toegang bleek te geven tot een reusachtige ruimte. Victor keek om zich heen en geloofde zijn ogen niet. Het leek nog het meest op een ontvangstzaal van een koninklijk paleis. De hoge plafonds waren met goud en blauw gestuukt; het glimmende parket was bedekt met tapijten. Verspreid over de ruimte stond antiek meubilair. Kathedraalvormige ramen lieten gekleurd licht door. Victor had nog nooit zulke mooie brandschilderingen gezien. Pas toen hij langer keek, vielen hem elementen op die in deze omgeving niet thuishoorden. Zo stonden er twee bureaus met computers erop en daartegenover aan de muur grote plasmaschermen. Het waren symbolen van de eenentwintigste eeuw, dissonanten in wat verder een kamer was die geschikt leek voor een vorst.

Het *Requiem* klonk op volle sterkte hier; Latijnse teksten dreunden door de lucht. Bas en alt wisselden elkaar af, maar ritme en tekst bleven gelijk. Het was een gebed om licht, rust en vergiffenis. 'Requiem aeternam dona eis, Domine, et lux perpetua luceat eis,' brulde een deel van het koor. 'Kyrie eleison,' donderde het andere deel net zo hard terug.

Victor stond alleen in het midden van een schijnbaar grenzeloze ruimte. Een huivering trok door hem heen. Het voelde alsof het koor voor hem zong; alsof er iemand, hopelijk in de verre toekomst, liep over de steen op zijn graf. Aan de andere kant van de zaal zag hij een manshoge open haard. Daarvoor stonden enkele banken, bekleed met goudgele zijde. Terwijl het koor op orkaankracht een nieuwe passage inzette, zag Victor voor het eerst dat ook hier de muren met schilderijen behangen waren. Het waren er tientallen, in keurige rijen gerangschikt naast en onder elkaar. Inmiddels wist hij het nodige over kunst. Na Jessica's vertrek was hij de cursus in het Rijksmuseum blijven volgen en, ondanks zijn eerdere scepsis, in de ban geraakt van enkele kunstenaars en hun werk. De bestudering van een schilderij bracht een zekere rust bij hem teweeg; een welkome onderbreking van de dagelijkse hectiek bij Acorn Brothers. Wat hier hing, was spectaculair; geschilderd in verschillende stijlen en afkomstig uit verschillende periodes, maar elk schilderij had een kwaliteit waar geen museum zich voor hoefde te schamen.

'Daaaaaaaa da dam dam, daa da dam dam!' gilde het koor met alle registers open. Vergiffenis en licht kwamen wellicht als je er heel hard om vroeg, overwoog Victor. Hij liep verder in de richting van de haard. Dit kabaal had echter niets met rust te maken. Integendeel, de engelen in de hemel zouden er alleen maar van schrikken.

Pas toen hij het einde van de zaal naderde, zag hij de man liggen, in donker kostuum gekleed en met zijn laarzen nonchalant op een glazen salontafel. Zijn ogen waren gesloten en zijn hoofd bewoog met het ritme mee. William Scarborough, dacht Victor, onzeker of hij zich bekend moest maken of wachten tot hij zou worden opgemerkt. Dit dilemma werd voor hem opgelost toen tegelijkertijd Scarboroughs ogen zich plotseling openden en de muziek stopte. Even leek het zwijgen de ruimte te vullen. Boven in het dak galmde Mozart een nanoseconde na.

De man waar Victors verdere carrière van afhing, liet een afstandsbediening op de bank vallen en stond op. Hij was klein van stuk maar soepel in zijn bewegingen. Er was absoluut niets bescheidens aan de handdruk waarmee Victors vingers als in een bankschroef werden fijngedrukt.

'Welkom op De Eendenhorst. Ik ben William Scarborough,' sprak de Amerikaan enthousiast terwijl hij Victors hand heen en weer bleef pompen. 'Sorry dat ik de deur open liet staan, maar ik kon het niet over mijn hart krijgen Mozart uit te zetten.'

Victor wreef over zijn hand toen hij die eindelijk terug kreeg. 'Geen probleem. Mooie muziek, het *Requiem*.'

William maakte een wijds gebaar en Victor viel de gouden ring op. De Amerikaan had kleine handen, zag hij. Kleiner nog dan je bij iemand van zijn lengte zou verwachten.

'Mozarts beste compositie ooit. Oorspronkelijk gemaakt voor een Oostenrijkse graaf ter gelegenheid van het overlijden van diens vrouw. Mozart had slechts de eerste twee delen gereed toen hij zelf onverwacht doodging. Zijn weduwe Constanze had echter dringend geld nodig en zij liet de rest afmaken door een pupil. Die bakte er weinig van, niemand had immers Mozarts unieke talent. Hij baseerde zich op achtergebleven notities en variaties op het eerdere thema. Daarom is het eerste gedeelte het beste. Noem mij William; dat doet iedereen.' Victor knikte.

'Constanze verkocht het stuk aan de graaf als integrale Mozart-compositie; anders zou ze er minder voor krijgen. De graaf op zijn beurt was ook niet fris, want twee jaar later, in 1793, presenteerde hij het werk als van hemzelf. Je ziet,' besloot William opgewekt, 'zelfs in de achttiende eeuw werd origineel talent al bedreigd door afgunst, diefstal en imitatie. Vandaag de dag is dat nog steeds zo.'

Victor keek om zich heen. Hierbij vergeleken was de spreekkamer bij Acorn Brothers een rommelzolder. 'Dit lijkt wel een museum.'

'Dat is het in feite ook,' zei William. Hij wees op een schilderij. 'Daar hangt bijvoorbeeld een Van Gogh, uit zijn vroege periode. Als je goed kijkt, zie je daarin al de korte verfstreken waarmee hij later beroemd zou worden. Daarnaast hangt een Gauguin; ik heb ze naast elkaar gehangen, hoewel die twee later ruzie zouden krijgen. Dat heeft Vincent in 1888 nog een oor gekost.'

William leidde Victor rond en bleef bij enkele schilderijen wat langer staan. Allemaal waren het meesterwerken, geschilderd door beroemde kunstenaars. Victor bewonderde onder andere een Rubens, een Mondriaan en een Frans Hals. Daarna keerden ze terug naar de haard. Daar, op een standaard, stond een bronzen borstbeeld. Erachter hingen twee olieverfportretten.

'Dit is John Pierpont Morgan, of JP Morgan, zoals iedereen hem noemde. De rijkste en meest invloedrijke bankier ooit. JP Morgan leefde van 1837 tot 1913 en in die zesenzeventig jaar saneerde hij de Amerikaanse spoorwegen en staalindustrie, maakte hij de overheidsfinanciering gezond en bracht stabiliteit op de financiële markten. De man had een unieke visie op grootschaligheid en standaardisatie, die hijzelf met harde hand uitvoerde. Toen hij stierf, was hij een van de machtigste mensen op aarde. Zijn kunstcollectie bestaat nog altijd en is een van de grootste ter wereld.'

Victor bekeek het brons. Natuurlijk kende hij JP Morgan. Voor iedere bankier was die God. De beeldhouwer had hem geboetseerd als kalende man met volle snor. Met name de ogen waren bijzonder goed gelukt. Ze priemden.

William gebaarde naar twee portretten. 'Henry Ford, de man die in 1908 het "Model T" introduceerde, een auto die negentien jaar lang gemaakt zou worden. Een nooit geëvenaard record. Vanaf 1913 werd de T-Ford op een lopende band geproduceerd, wat voor de auto-industrie een revolutie inhield. De uitvinding van de assemblagelijn garandeert voor altijd Fords plaats in de geschiedenisboekjes.'

Henry Ford was geschilderd als een magere, oude man met verbitterde trekken. William bekeek hem ietwat spijtig. 'Zijn leven lang voerde Ford oorlog met vakbonden, familie, zijn eigen management en zichzelf. Zonder twijfel was de man geniaal, net zoals Mozart en JP Morgan dat waren, maar ook koppig en eigenwijs. Zijn medewerkers – hij had er tienduizenden – zag hij als machines, niet als mensen. Toen zijn zoon en opvolger Edsel stierf, benoemde Ford zichzelf wederom als voorzitter van de raad van bestuur. Hij was toen tachtig jaar oud, maar meende dat niemand anders het beter kon. Twee jaar later stierf hij, in 1947.'

Het tweede portret liet een man zien van rond de zestig. Hij had een serieuze blik in zijn ogen en was net als Morgan kalend.

'Dit is Sam Walton, oprichter en eigenaar van Walmart, de grootste winkelketen ter wereld. In zijn jeugd was Walton al uitzonderlijk gedreven. Op zijn zevenentwintigste begon hij voor zichzelf en in de jaren daarna creëerde hij een revolutie in de detailhandel door prijzen blijvend laag te houden, een uniek distributiesysteem te ontwikkelen en overal op het Amerikaanse platteland winkels te openen. Walton opereerde alleen buiten de dichtbevolkte centra, waar de grond goedkoop was en hij meer ruimte kon krijgen. Dat hij ervan beschuldigd werd Amerika's dorpscultuur kapot te maken, interesseerde hem niet. In 1991, een jaar voor zijn dood, was Sam Walton de rijkste persoon op aarde.'

De stroom van wetenswaardigheden overdonderde Victor een beetje. Zijn gastheer leek het te merken.

'Ik kan je geen koffie of iets anders aanbieden, want de keuken is nog niet geïnstalleerd,' verontschuldigde William zich, terwijl hij op de bank ging zitten. Victor nam ertegenover plaats. 'Ik heb zelfs nog geen ijskast.'

'Dat is geen probleem. Dit is werkelijk een prachtcollectie,' zei Victor, hoewel hij niet begreep wat drie ondernemers deden in het gezelschap van Rubens en Van Gogh. En waarom stonden hier die bureaus met computers? Had dat soms te maken met dat beleggingsfonds? 'Is het allemaal privébezit?' vroeg hij.

William lachte. 'Ja, maar slechts één schilderij hier is mijn eigendom en dat heb je nog niet gezien. De rest is allemaal van de mensen hier in Rietschoten. Een kostbare collectie; de verzekerde waarde ligt ver boven de honderd miljoen euro. Vanzelfsprekend is de marktwaarde nog vele malen hoger.'

Victors mond viel open. 'Hónderd miljoen?'

'Ja. Alleen de ondernemersportretten, die overigens ook van mij zijn, net als het borstbeeld, hebben geen artistieke of financiële waarde. Ford, Morgan en Walton zijn om andere redenen in dit huis aanwezig. Later vertel ik je waarom. Alles hier heb ik geleend van de miljonairs uit Rietschoten en allemaal zijn ze langs geweest om de beveiliging te controleren. Wat dat betreft: kom even met me mee. Ik wil je aan iemand voorstellen.'

William stond weer op en Victor liep achter hem aan. Ze gingen terug door de hal en namen een lift naar de kelder. Daar sloegen ze een hoek om en stopten voor een grijs geverfde deur. Op een paneel in de muur toetste William een combinatie in en een moment lang klonk er gesis. De deur was gemaakt van dik staal, zag Victor toen deze opening. Het leek wel de toegang tot een bunker. Toen hij zag waar ze terechtkwamen, werd zijn indruk bevestigd. Muren, vloeren en plafond waren van grijs geverfd beton. Een rij kale gloeilampen, door traliewerk afgeschermd, bescheen de gang. Aan beide kanten waren deuren. In de ruimte rook het vaag naar stookolie. De Amerikaan bleef bij de voorste deur staan en hield zijn rechteroog voor een lens die naast de deurpost was aangebracht. Tegelijkertijd drukte hij zijn duim op een klein plasmascherm. Wederom gesis en geklik. De deur zwaaide open en William stapte naar binnen. Victor volgde. De kamer was klein en laag, wat een enigszins beklemmend gevoel gaf. Binnen stond een bureau met daarop computers en andere apparatuur. Behalve zij tweeën was er niemand aanwezig. William wees op een monitor. Daarop zag Victor een man van middelbare leeftijd achter een tafel zitten. Diens korte haar en gespierde nek gaven hem een militaire uitstraling.

'Richard, dit is Victor van Zanten, hoogstwaarschijnlijk mijn nieuwe assistent. Details volgen.'

Hij wenkte Victor en liet hem het oog van een camera zien, waar hij voor moest gaan staan. 'Victor, dit is Richard Hamilton van de firma Risk Management Consultancy uit Londen. Richard en zijn collega's zijn verantwoordelijk voor de beveiliging van dit landgoed. Alles wordt bestuurd vanuit hun bedrijfspand in Canary Wharf. Richard, kan je Victor iets van je speelgoed laten zien? Misschien het moment dat hij hier arriveerde?'

Hamilton lachte. 'Het zal me een genoegen zijn.' Hij drukte op een paar knoppen. Een tweede scherm kwam tot leven en Victor zag een auto rijden. Hij herkende zijn eigen Golf en zag zichzelf, gevolgd door verschillende camera's, naar het huis rijden. Een camera in de hal pikte hem binnen op en volgde hem terwijl hij langzaam naar de deur van Williams schilderijenzaal liep. 'Audio?' vroeg William. Plotseling vulde de bunker zich met muziek. Na enkele ogenblikken duwde de man in Londen een schuifje terug en Mozart viel stil.

'Het *Requiem* is duidelijk Williams favoriet. Ik hoor de hele dag niets anders.'

William haalde zijn schouders op. 'Als je het niet mooi vindt, zet je het maar uit. Vertel even hoe de rest van de beveiliging in elkaar zit.'

Hamilton draaide zich om en keek in de camera. Zijn stem klonk blikkerig maar was goed verstaanbaar. 'Het terrein van De Eendenhorst wordt bestreken door veertig elkaar overlappende camera's. Het huis zelf telt er twintig; allemaal voorzien van microfoon en zelfversterkende lens. Deuren, hekken en toegangspoorten kunnen allemaal vanuit Londen geopend en gesloten worden. Op elke weg die naar het landgoed leidt, hangt een van onze camera's, zodat we nooit verrast worden door onaangekondigd bezoek. Dat is een van de redenen waarom we al die bomen en struiken achter het hekwerk hebben laten kappen; op die manier kunnen we alles in de gaten houden. Op twee kilometer afstand reed jij al door mijn scherm.'

Victor grinnikte. Hij had er niets van gemerkt.

'Over de hele lengte is het hek voorzien van trillingsalarm. Het systeem reageert op contact; ook konijnen of vogels. We nemen liever geen risico met honderd miljoen euro van andere mensen onder ons dak. Twee telefoonlijnen verbinden De Eendenhorst met de politie in Rietschoten. Binnen zes minuten kunnen zij ter plaatse zijn. We hebben geoefend.'

Richard liet steeds verspringende beelden zien. Delen van het landgoed werden zichtbaar en verdwenen.

'Wat kan ik verder zeggen? Verschillende beveiligingsfirma's hebben ons doorgelicht. De verzekeringsmaatschappij deed nog het moeilijkst. Voordat die bereid was de polis te ondertekenen, zijn we wekenlang met ze bezig geweest. Een van hun eisen was dat elk kunststuk continu door infrarood licht wordt beschenen. Als de bundel maar een microseconde onderbroken wordt, gaan overal alarmbellen rinkelen en vallen de deuren in het slot. De dief is dan samen met zijn buit gevangen.' Hij lachte in de camera.

'Overigens moet je of een idioot of een criminele kunstverslaafde zijn om iets uit De Eendenhorst te willen stelen. Alle stukken zijn bekend bij handelaren en veilinghuizen. In het officiële circuit zijn dergelijke schilderijen niet te koop.'

Victor en William namen afscheid van de beveiligingsman en de schermen werden zwart. Achter hen vielen de deuren vervolgens sissend terug.

'Overdruk,' legde William uit. 'Tegen een biologische of chemische aanval. Dit huis heeft zijn eigen energievoorziening. In de kelder ligt een tank met meer dan honderdduizend liter stookolie. Ik neem nooit risico's – dat zul je nog merken wanneer je hier aan de slag gaat.'

De lift bracht hen terug omhoog.

'Waar worden die andere ruimtes beneden voor gebruikt?'

'Bunkers, voor opslag van nog meer kunst. Ik heb zoveel schilderijen geleend dat ik ze onmogelijk allemaal tegelijk kan laten zien. Boven hangen de mooiste, maar die zijn slechts een fractie van het totaal. Eén heb je er nog niet gezien, daar gaan we nu naartoe.'

Even later stond Victor oog in oog met Rembrandt, de meester van licht en schaduw. Het late zelfportret was geschilderd tegen een donkere achtergrond, het voorhoofd werd beschenen door een zacht schijnsel en de berustende ogen gaven de impressie van een oude man, in vrede met zichzelf. De handen waren ontspannen als in gebed gevouwen. Op het schilderij ging Rembrandt gekleed in een bruine jas met kraag en een pet op het hoofd; onder de rand krulde grijs haar. De ogen keken de toeschouwer aan en leken die overal te volgen. Het was een meesterwerk, in donkere kleuren geschilderd maar toch springlevend en warm.

'Dit is mijn dierbaarste bezit,' sprak William. Voor het eerst hoorde Victor emotie in zijn stem. 'Rembrandt schilderde het in 1669, het jaar dat hij stierf, op drieënzestigjarige leeftijd. Zijn vrouw, Saskia, en Hendrickje, de huishoudster bij wie hij een dochter had, waren toen beiden al overleden, net als de vier kinderen die Saskia hem eerder schonk. Titus, de enige van zijn kinderen die zijn eerste jaar overleefde, was eveneens kort daarvoor doodgegaan. In 1669 was Rembrandt al dertien jaar failliet; een gevolg van een te overdadige levensstijl. Al lang geleden was hij gedwongen geweest zijn huis, dat ooit toebehoorde aan zijn idool Rubens, en zijn imposante kunstcollectie tegen afbraakprijzen te verkopen.'

Victor merkte dat de Amerikaan hém aanstaarde in plaats van het schilderij. Zijn blik voelde enigszins ongemakkelijk.

'Als hij had gewild, had Rembrandt zijn vroegere rijkdom kunnen terugkrijgen. Hij hoefde alleen maar zijn stijl van schilderen aan te passen aan de voorkeuren van het moment. De regenten van toen wilden hun portretten meer verfijnd; minder sober en donker. Rembrandts leerlingen wilden deze techniek leren. Maar Rembrandt weigerde en uiteindelijk schilderde hij de laatste jaren van zijn leven met name voor zijn eigen plezier. Volgens kenners is zijn beste werk afkomstig uit deze periode en heeft het een diepte en spiritualiteit die niet eerder zichtbaar was. Hij liet bij zijn dood zeshonderd schilderijen, driehonderd etsen en veertienhonderd tekeningen na. Een erfenis zonder weerga. Een monument van menselijk talent.'

Victor was onder de indruk. Hij was bekend met Rembrandts geschiedenis, maar niet met de dilemma's waarmee de schilder blijkbaar geworsteld had. Mede daarom werd hij enigszins overvallen door Williams losjes gestelde vraag.

'Wat zou jij hebben gedaan als je Rembrandt was?'

Eerst begreep Victor het niet. William verduidelijkte. 'Wat zou jouw keuze zijn? Rijkdom en aanzien terugkrijgen in ruil voor een aanpassing in stijl, of armoede?'

Ik zou die goudstukken terugsmijten en de regenten vertellen een deur verder te gaan, dacht Victor, maar hij voelde dat William een ander antwoord verwachtte. Dit was een test. Hij koos voor politieke correctheid.

'Ik zou de leerlingen en regenten geven wat ze hebben wilden. In mijn eigen tijd kon ik dan schilderen op mijn eigen manier.' William liet geen reactie blijken. Hij bleef ondoorgrondelijk naar het doek staren.

'Dus de regenten krijgen hun zin?' zei William uiteindelijk. 'Héél goed. Dat zou waarschijnlijk iedereen gedaan hebben. Maar Rembrandt niet. Rembrandt was anders. Hij vond puurheid van stijl belangrijker dan al het andere, inclusief geld, en was bang dat een dergelijk compromis de rest van zijn werk zou schaden. Een enorme wilskracht moet de man gehad hebben. Andere mensen mogen het koppigheid noemen, maar voor mij was Rembrandt de grootste van allemaal.'

Hij ging Victor voor, terug naar de haard. 'Rembrandt was een uniek genie. Maar er zijn er meer geweest die, met talent en doorzettingsvermogen, monumentale prestaties leverden, ondanks protest van de gevestigde orde. Je hoeft je enkel in het leven en werk van een Copernicus, Galileo of Luther te verdiepen en je begrijpt wat ik bedoel. Sommigen van hen heb ik onder dit dak samengebracht. Mozart, Rembrandt en Van Gogh, maar ook Morgan, Ford en Sam Walton. Die laatste drie waren weliswaar geen kunstenaar, filosoof of wetenschapper, maar dat maakte ze niet minder getalenteerd. Het waren briljante ondernemers die een imperium bouwden dat lang na hun dood nog altijd leeft en mach-tig is. En net als Rembrandt sloot geen van hen ooit een compro-mis met zichzelf of de omgeving.'

Victor knikte, maar zweeg. Hij begreep niet waar de uiteenzet-ting heen leidde, hoe interessant die ook was. Hoe zat het met dat beleggingsfonds? Hoe zat het met zijn baan?

Boudewijn Faber hing met samengetrokken schouders over zijn bureau gebogen, de telefoonhoorn tegen zijn oor gedrukt. Aan de lijn was Edmund Wilbur-Karp, zijn baas uit Londen. Diens woe-dende woorden sloegen sissend als kogels van over het Kanaal in. Bij elke inslag verkrampte de bankier alsof hij lichamelijk werd getroffen.

'George Finton is gevaarlijk, Boudewijn. Iemand die zonder compromis afgaat op zijn doel. Normaal gesproken heeft perso-neelszaken bij onze bank geen enkele invloed, maar nu waaien de krachten van verandering in hun voordeel. George kan zijn eigen carrière een stimulans geven door zo veel mogelijk mensen te ont-slaan. Mijn collega's vinden George het beste nieuws sinds de uit-vinding van het telraam, en juist daarom stuurde ik George naar jou en de andere buitenlandse vestigingen toe. Om hem weg te houden uit Londen, begrijp je?'

Wilbur-Karps stem zakte een octaaf en kreeg een ronduit drei-gende klank. 'Alles ging goed totdat jij het nodig vond die Victor van Zanten uitstel te geven. George Finton is zo gek als een deur; iemand die zijn reeks ontslagen als kunstwerk beschouwt en zich-zelf als artiest. Maar als het jouw wens is om Victor naar buiten te volgen, zal ik die keuze met alle liefde respecteren.'

Beng! Londen hing op en nabibberend legde ook Boudewijn neer. Wilbur-Karps boodschap was niet mis te verstaan geweest. Ontdoe je van Victor of graaf je eigen graf. Boudewijn keek uit over het park. Hij hield van de bomen, de vijvers en de rust die uit-ging van de natuur. Oorspronkelijk kwam hij zelf niet uit Riet-schoten. Hij was een Amsterdammer en alleen hiernaartoe geko-men omdat Acorn Brothers hem destijds zo'n krankzinnig goed aanbod had gedaan. Zijn vrouw Sylvia, een Spaanse die hij bij een congres had leren kennen, had hem extra onder druk gezet. Zij klaagde al jaren dat ze Boudewijn nooit zag, omdat zijn werk op de effectenbeurs hem volledig opslokte. Private bankiers zijn echter bijna elke avond thuis voor het eten.

In de loop der jaren was Boudewijn gewend geraakt aan een bestaan zonder stress. Het leven was goed in Rietschoten. Praten met klanten over hun geld en andere zaken, etentjes en golftoernooien organiseren en vooral aardig gevonden worden door iedereen, waren de belangrijkste vereisten om dit werk goed te doen. Boudewijn wilde niet meer weg en als Victor de prijs hiervoor moest betalen, dan moest dat maar zo zijn. Hij pakte de telefoon.

'De geschiedenis van een bedrijf is als de geschiedenis van haar oprichter. Ondernemers maken misschien geen schilderijen of symfonieën, maar ze zijn net zo creatief als kunstenaars. Hun kunstwerk is het bedrijf. Net zoals het *Requiem* Mozart, de *Nachtwacht* Rembrandt, en $E=MC^2$ Einstein onsterfelijk maakten, blijven JP Morgan, Henry Ford en Sam Walton voor eeuwig voortleven in hun ondernemingen.'

De Amerikaan stond op en begon voor Victors neus te ijsberen. 'Ford, Morgan en Walton zijn oudere voorbeelden van het soort mensen dat ik bedoel. Freddy Heineken, Rupert Murdoch en Michael Dell zijn namen van nu die iedereen kent. Bill Gates is tegenwoordig de meest aansprekende exponent van het genus geniale ondernemer. Microsoft is als zijn oprichter: briljant, competitief en paranoïde voor elke vorm van concurrentie. De Russische tycoon van vandaag is vergelijkbaar met zijn Amerikaanse collega een eeuw geleden; beiden gedijen goed in chaos. Maar in welke tijd ze ook leven, al deze mensen hebben iets gemeenschappelijks: talent, wilskracht en een heilig geloof in zichzelf. Zij zijn de machtigen der aarde. Ze opereren op de hoogste niveaus. Hun leven inspireert miljoenen. Hun biografieën zijn bestsellers.'

Victor wist niet waar de Amerikaan heen wilde maar volgde de redenering. Hij knikte instemmend. 'Dat kan ook gezegd worden over artiesten, politici of sportfiguren. Madonna, Nelson Mandela en Michael Jordan hebben ook volgelingen over de hele wereld.'

'Dat klopt maar politici laat ik buiten beschouwing. Hitler, Mao en Stalin werden in hun tijd als genie beschouwd, en kijk hoe de wereld nu over hen denkt. Artiesten en sporters kunnen inderdaad geniaal zijn, maar die hebben ons geld niet nodig.'

'Die hebben ons geld niet nodig?'

De Amerikaan leek zich over zijn verbazing te amuseren. Zijn gelaatsuitdrukking werd zachter en hij kreeg iets vaderlijks over zich. Victor herinnerde zich zijn eigen vader en voelde een lichte pijnscheut.

'Het geld dat wij samen gaan investeren, Victor. Het wordt ons fonds, dat zal gaan beleggen in de geniale ondernemer van morgen.' Hij keek Victor opgetogen aan.

Victor wist niet zo gauw iets te zeggen. 'Heeft het fonds een naam?'

William knipoogde. 'Wat dacht je van IMPERIUMBOUWER?' De Amerikaan nam een slok uit een fles water en ging verder. 'Door de eeuwen heen is de mensheid geobsedeerd geweest door talent. Maar talent is kwetsbaar en moet beschermd worden. Wat dat betreft waren de voorbeelden van Van Gogh en Mozart deprimerend.'

William sprak alsof hij beiden gekend had, vond Victor. 'Mozart was zesendertig jaar toen hij stierf en kreeg een derdeklas begrafenis. Van Gogh pleegde op zijn zevenendertigste zelfmoord. Bedenk eens hoeveel meer die twee hadden kunnen produceren als ze even oud waren geworden als Rembrandt! Hoeveel briljante stukken de mensheid dan rijker was geweest! En vergeet niet: in zijn nadagen schilderde Rembrandt zijn beste werk. Een vroege dood is niet minder dan een ramp. Wij gaan dit voorkomen door jonge ondernemers te koesteren en te kneden tot hun succesvolste periode achter de rug is. Pas dan zal onze eigen missie volbracht zijn.'

Victor stond altijd open voor controversiële ideeën, maar dit leek hem vergezocht. 'Hoe vind je dat soort mensen? Hoe herken je ze?'

'Dat is eenvoudiger dan je denkt. Om voor IMPERIUMBOUWER in aanmerking te komen, moet een ondernemer tussen de twintig en veertig jaar oud zijn en zijn talent en doorzettingsvermogen al bewezen hebben – het liefst in zijn of haar vroege jeugd.'

William zag blijkbaar de frons op Victors gezicht en kwam met concrete voorbeelden. 'Denk aan Salvador Dalí, Bill Gates of Pelé. Voordat hij tien was, schilderde Dalí al fantastische landschappen. Bill Gates schreef zijn eerste computerprogramma op zijn dertiende. Pelé ging van school af om professioneel voetballer te worden toen hij negen jaar oud was. Je ziet, ondanks de grote onderlinge verschillen waren hun talenten en wilskracht al vroeg herkenbaar.'

Hij vouwde zijn vingers samen, net als Rembrandt op het schilderij. William sprak als een predikant, vond Victor. Maar dan wel een met een zilveren tong. Victor kon zich voorstellen dat deze man een publiek op het puntje van de stoel kon brengen.

'Overigens zijn niet alleen in het begin maar ook aan het einde van de carrières van dit type persoonlijkheid overeenkomsten te vinden. Niemand van hen gaat vrijwillig met pensioen; ze moeten daartoe vaak letterlijk gedwongen worden. Michael Jordan bleef terugkomen na drie keer afscheid genomen te hebben. Vladimir Horowitz gaf op zijn tweeëntachtigste nog een serie briljante concerten in Moskou. Mick Jagger is zestig plus maar laat zich door niets of niemand van het podium trappen.'

Williams blik kreeg nu iets gepijnigds. 'Overigens gaan sommigen wel te lang door. Dalí was op een gegeven moment zo ziek dat hij niet meer wist wat hij ondertekende. Ford was echt te oud om weer voorzitter te worden en Mohammed Ali werd gesloopt door Parkinson toen hij voor de laatste keer in de ring verscheen. Te laat stoppen getuigt van de illusie van onfeilbaarheid; het onvermogen in zichzelf niet de oude man of vrouw te zien die men toch geworden is. De fout van te laat stoppen is de grootste bedreiging die er voor talent op de loer ligt. Te laat stoppen is de gift van God ondergeschikt maken aan het eigen ego,' sprak William plechtig, alsof hij de schuldigen het liefst eigenhandig met roestige spijkers aan het kruis zou willen nagelen.

'Er zijn zoveel parallellen tussen getalenteerden te vinden, dat ik hen ben gaan beschouwen als een homogene groep. Individueel uniek, maar onderling vergelijkbaar voor wat betreft de identificatie op jonge leeftijd, de gedrevenheid om de top te bereiken en de latere weigering om op te houden. Binnen deze groep zoeken wij de ondernemers. Ik noem hen "imperiumbouwers", want als wij ze ontmoeten staan ze nog aan het begin van hun loopbaan. Ze hebben geld nodig voor een internationale doorbraak, alleen zijn ze niet gebaat bij wat de traditionele financiële instellingen voor hen kunnen betekenen. Banken vragen om zekerheden, beleggers willen dividend of een beursgang; het liefst allebei. Onze doelgroep heeft echter behoefte aan langjarige financiering zonder verlies aan controle of zeggenschap. Omdat dit normaal gesproken niet mogelijk is, zijn veel talenten gedwongen compromissen te sluiten, beloftes te doen waar ze eigenlijk niet achter staan. Om die reden is er behoefte aan een fonds als het onze. IMPERIUMBOUWER zal namelijk anders zijn. IMPERIUMBOUWER investeert in ondernemers zonder ze beperkingen op te leggen. Daarmee profiteert zowel het talent als ons fonds van voorspelbaar succes. Iedereen wint.'

'Wat bedoel je met voorspelbaar succes?'

'Het selectieproces is belangrijk. Dit moet secuur gebeuren, anders slaagt IMPERIUMBOUWER nooit in haar opzet. We moeten voorzichtig te werk gaan, want wat wij gaan doen, is helemaal nieuw. Niemand anders dan ik heeft ooit zoiets gedaan.' William nam nog een slok water. Prediken maakte blijkbaar dorstig.

'Hoe groter het talent en hoe serieuzer de persoon daarmee omgaat, hoe groter de kans op succes. Op persoonlijk niveau kan er natuurlijk het nodige misgaan: een ongeluk, een verliefdheid, een familietragedie enzovoort, maar op groepsniveau kan succes op wetenschappelijk verantwoorde wijze worden voorspeld met behulp van statistische modellen. Een dergelijk model heb ik zelf ontwikkeld. Daaruit blijkt dat, binnen een groep van honderd streng geselecteerden, de kans op fenomenaal succes binnen tien jaar vijf procent is. Met een foutmarge van drie.'

Dus twee op de honderd breken zeker door, dacht Victor. Dat klonk niet onredelijk, moest hij toegeven.

'Vroeg investeren in een dergelijk fenomeen kan uitzonderlijk profitabel zijn, zoals iedereen weet die ooit op de beurs heeft gehandeld. Een belegger die vanaf het eerste uur aandelen kocht in Bill Gates, Michael Dell of Freddy Heineken kreeg zijn inleg later duizenden keren terug.'

Dat wist Victor, die elke tik van de beurs volgde als een havik. 'Je kan ook verlies maken,' wierp hij tegen. 'Een flink aantal getalenteerden zal ondanks alle goede voornemens failliet gaan. Waarschijnlijk meer dan je denkt.'

'Gemiddeld vijfenvijftig en een half procent in de eerste drie jaar,' antwoordde William droog. 'Op zich is dat niet erg. De twee of drie sterren in de portfolio zullen dit ruim compenseren. Volgens mijn model is het rendement op een dergelijk samengestelde portefeuille zeker vijftig procent. Per jaar welteverstaan, berekend over de oorspronkelijke inleg en bij een minimale looptijd van tien jaar.'

Het begon Victor te duizelen. Vijftig procent per jaar; wetenschappelijk voorspelbaar! Opeens kreeg hij respect voor de kleine Amerikaan met de glimmende laarzen. Dus daar kwam die honderd miljoen Zwitserse frank vandaan. Blijkbaar had William zelf een flinke slok van zijn eigen medicijn genoten. 'Is dit model openbaar?' vroeg hij.

'Natuurlijk niet. Daar heb ik jarenlang aan gewerkt. Dat geef ik aan niemand prijs.'

'Zijn er voorbeelden van investeringen die op dergelijke wijze gedaan zijn? Referenties van banken of beleggers met wie jij eerder gewerkt hebt?'

William stond op. 'Dat zijn vragen die ik pas beantwoord als wij samen verdergaan. Kom snel terug. Zonder jullie bank kan ik niets beginnen. Als je me nu wilt verontschuldigen... Er is nog veel te doen.'

Ook Victor ging staan. 'Het zijn wel moeilijke types. Van Gogh was depressief; Ford feitelijk een fascist. Hitler noemde hem zelfs in *Mein Kampf.*'

William glimlachte en ging hem voor, terug naar de hal. In het voorbijgaan keek Victor nog eens om zich heen. Hij begreep nu Williams idee achter de overdadige inrichting van De Eendenhorst. De schilderijen en muziek waren een viering van ambitie en talent, uitgedrukt in verf en toonladders. Blijkbaar wilde William Scarborough met IMPERIUMBOUWER daar nog eens drie dimensies aan toevoegen: geld, macht en prestige.

Buiten schudden ze elkaar de hand. Het weer was opgeklaard en een waterig zonnetje scheen over het gazon.

'Je hebt gelijk,' zei William. 'Door hun creativiteit en gedrevenheid worden genieën vaak als zonderling beschouwd. Dictators zijn het, bezeten van hun eigen vaardigheden, die geen invloed van buitenaf tolereren. Ook daarin vertoont de groep homogeen gedrag. Voor een genie bestaat het compromis niet.'

Victor liep naar de auto.

'Kom terug, met Boudewijn Faber!' riep William hem na. 'Als die belangstelling heeft, natuurlijk. En Victor?'

Hij draaide zijn hoofd om. 'Ja?'

'Maak je geen zorgen. Mozart was zo mak als een lammetje wanneer hij geld nodig had. Henry Ford bedelde bij zijn buren om zijn eerste auto te kunnen maken.' Wederom klonk William alsof hij beide mensen persoonlijk kende en ze geen geheimen meer voor hem hadden. 'Belangrijker is dat wij bepalen wie goed genoeg is voor ons fonds en wie wanneer zijn piek bereikt heeft. Bedenk dat ons grootste risico is dat zij te lang doorgaan. Mensen maken steeds meer fouten naarmate ze ouder worden.'

Victor startte zijn Golf, zich er vaag van bewust dat de beveiligingsman in Londen hem kon volgen. William wuifde en verdween naar binnen. Terug naar de wereld van Morgan, Mozart en Rembrandt. Het was vijf voor tien. Victor was nog geen uur binnen geweest, maar het voelde veel langer.

Onder het rijden checkte hij zijn mobiele telefoon en bleek Boudewijn een boodschap voor hem te hebben achtergelaten. Victor belde de bank en werd direct met hem doorverbonden. Boudewijn kwam meteen ter zake.

'Doe geen moeite om naar kantoor terug te keren. Personeelszaken in Londen heeft, ondanks mijn heftig verzet, je uitstel van ontslag niet geaccepteerd. Ik heb gevochten als een leeuw. De auto mag je een maand houden.'

'Bedankt voor de moeite,' zei Victor en hij verbrak de verbinding.

Thuis zette hij een pot sterke koffie en ging met zijn laptop achter het bureau zitten dat hij al sinds zijn vroegste jeugd gebruikte. Het hout rafelde aan alle hoeken.

'William praat over "wij" en "ons", maar dit is volgens mij een eenmansshow,' zei hij tegen zichzelf. En een rol als tweede viool trok hem niet aan. Beter kapitein op een sloep dan stuurman op een oceaanstomer.

Victor bleef de rest van de dag achter zijn computer zitten. Hij maakte een lijst van alle miljonairs die hij in Rietschoten kende, hoeveel geld ze hadden en wat de kans was dat ze ooit klant zouden worden als hij zijn eigen fonds begon. Hij berekende de kosten van een beheersovereenkomst met banken, computers, een representatief kantoortje ergens op een straathoek in het dorp, briefpapier, een eigen website, een abonnement op diverse informatiediensten, twee nieuwe kostuums, foldermateriaal et cetera. Hij werkte tot middernacht en besloot toen uiteindelijk Williams aanbod definitief af te wijzen. Volgende week zou hij Boudewijn aan William introduceren, en dat was dan dat.

Victor werd opgewonden bij het idee dat hij succes of falen in eigen hand had. Het verlies aan vaste inkomsten betekende dat de broekriem voorlopig radicaal moest worden aangehaald, maar in feite hield dat niets ingrijpenders in dan dat zijn karige meubilair, dat verder bestond uit een paar oude kasten en een kromgetrokken stoel, voorlopig niet vervangen zou worden. Ook zou hij op eenzame avonden geen goede fles wijn meer kunnen opentrekken, of op zaterdagochtend oesters kunnen halen bij zijn favoriete tentje in Schevingen-Haven. Maar Victor was gewend aan weinig en verslaafd aan niets. Luxe betekende alleen iets als je het verdiend had. Zo had hij ook met verschillende baantjes zijn eigen studie betaald. Pa en ma hadden nooit een cent bijgedragen.

Het vooruitzicht dat hij binnenkort eigen baas zou zijn, gaf hem nieuwe energie. Koortsachtig ging Victor verder met het schrijven van zijn ondernemingsplan, tot hij uiteindelijk tegen halfvier zijn bed inrolde. Het zou jaren armoede kosten en vele opofferingen, maar hij aarzelde niet. Ergens achter de horizon lonkte de toekomst van onafhankelijkheid. Het beste moment was altijd nu.

Maar een uur later woelde hij nog altijd tussen de lakens, niet tot slapen in staat. William Scarborough was toch een speciale vent. Iemand die uitblonk in overtuigingskracht. Kon die theorie over homogeniteit van talent geverifieerd worden? Was investeren in geselecteerd jong talent werkelijk zo winstgevend? Hij stond weer op en bracht de laatste uren van de nacht door met het verzamelen van informatie over Rembrandt, Mozart, Morgan en al die andere beroemdheden over wie William gesproken had. Internet bracht een verbijsterende hoeveelheid informatie onder handbereik. Victor printte alle relevante informatie uit en sorteerde die per persoon in keurige stapels. Daarna begon hij data met elkaar te vergelijken. Maar hoe lang of van hoeveel kanten hij alles ook analyseerde, Scarboroughs theorie bleef onwaarschijnlijk. De persoonlijke achtergronden van kunstenaars en ondernemers waren extreem verschillend. Ze konden op ontelbare wijzen geïnterpreteerd worden en in geen enkel geval was aan bepaalde overeenkomstige gegevens een overtuigende gevolgtrekking te verbinden.

Victor rekte zich uit en legde de papieren opzij. Buiten ging de zon op, hij had een knallende hoofdpijn en hij wist niet meer wat te denken. Wat hij nodig had, was het oordeel van een onafhankelijke, intelligente buitenstaander. Een expert. Hij opende een la en rommelde daarin tot hij een visitekaartje vond. Onwillekeurig hield hij het bij zijn neus, maar het rook nergens naar. Hij toetste het nummer. Het duurde even voor het toestel verbinding had gemaakt.

'Jessica Dobson,' klonk de stem die hij zich maar al te goed herinnerde.

'Jessica, je spreekt met Victor van Zanten.'

'Ah, Victor. Het spijt mij, ik heb het razend druk,' onderbrak ze hem. 'Ik ben in Shanghai momenteel, bezig aan een project voor de Chinese regering. Kunst is hier weer in de mode, na decennialange armoede. Ik weet niet waarom je mij na al die maanden opeens belt, maar wat het ook is: het kan wachten. Ik heb je nummer in mijn koffer liggen. Binnenkort bel ik terug. Ciao!'

7

Philippe worstelde als een waanzinnige, maar besefte dat hij kansloos was. John was sterk, hijzelf uitgehongerd en half leeggebloed. Het moment dat zijn spieren verslapten, kwam snel. Krijsend en wild bewegend met al zijn ledematen verdween hij over de rand van de tank. Kuchend en naar adem happend kwam hij weer boven, met zijn armen omhoog gestrekt. Het lukte hem ternauwernood om zijn glibberige vingers om de ijzeren rand te haken en te voorkomen dat hij terug de diepte in gleed. Zijn gezicht ging schuil achter een dikke laag olie die langzaam naar beneden droop. De smurrie kwam tot aan zijn mond en geluid maken was onmogelijk zonder iets binnen te krijgen. Philippe smakte met zijn lippen en huilde en proestte tegelijkertijd. 'In Godsnaam, haal me hier uit! Ik deed toch alles voor je?'

John knikte hem ontspannen toe, alsof dit bad in de stookolie een dagelijks terugkerend en rustgevend ritueel voor hem was. Hij stond bij de rand van de tank, lichtjes voorovergebogen met één hand in zijn zak en de andere uitgestoken naar het loodzware, rechtopstaande deksel. 'Klopt. En dat was voldoende.'

Oktober

Victor stapte uit de vliegtuigcabine en bracht meteen zijn handen omhoog als bescherming tegen de felle zon. Het metalen platform gloeide, net als de lucht om hem heen, die naar kerosine rook. De hitte sloeg hem in het gezicht.

Samen met de andere passagiers liep hij de trap af, opgelucht het toestel te kunnen verlaten. De Toepolev was een oud Russisch werkpaard: betrouwbaar, maar de propellers draaiden niet altijd even soepel. Gedurende de vlucht had Victor terug moeten denken aan het verhaal dat iemand hem vlak voor hun vertrek aan de luchthavenbar had verteld. In dit door conflicten verscheurde Afrikaanse land stortten vliegtuigen niet neer door raketten of vanwege achterstallig onderhoud; ze verongelukten doordat mecaniciens de kerosine uit de opslagtanks stalen, doorverkochten, en het tekort aanvulden met water. Toepolevs hadden twee motoren en konden een enorme belasting dragen, maar op water in de brandstofleidingen was geen enkel vliegtuig berekend. Victors vlucht verliep echter zonder incidenten en hij stapte vermoeid maar heelhuids in een bus die hem en de andere passagiers naar de terminal bracht.

'Stropers,' wees een collega-passagier Victor op verschillende onderdelen die aan het bus-interieur ontbraken. Het zweet gutste over zijn lichaam; hij was nog op de Hollandse herfst gekleed en hier was het dertig graden warmer. De hitte werkte verlammend. Ooit moest de bus werkende airconditioning hebben gehad, maar het apparaat op het dak was nu een rammelende bonk roest.

Voor de douane wachtte een menigte en Victor bekeek de vervallen gebouwen. Ondanks de rijkdommen onder de grond, de onmetelijke hoeveelheden olie, goud en diamant bleef alles hier achteruit gaan. Alleen de kalasjnikovs van de milities waren goed onderhouden; die glommen in de handen van soldaten die de bezoekers aan hun land met een lege blik in de ogen aanschouwden. Geen van hen leek ouder dan zestien jaar.

De ambtenaar liet Victor zonder vragen gaan; het dollarbiljet in het paspoort werkte. Bij zijn entree in de aankomsthal keek hij om zich heen, de zee van zwarte mensen afspeurend. Hij zocht de vrouw wier glimlach hem al vanaf zijn allereerste herinnering geruststelde. Toen zag Victor haar staan; klein, bescheiden en met de pezige bouw van hemzelf. Victor worstelde zich een weg en omhelsde zijn moeder.

'Hoe was je reis?' vroeg ze hem een ogenblik later.

'Goed. Zullen we meteen gaan?' vroeg hij met een blik op de gewapende jeugd. Ze verlieten het luchtvaartterrein in zijn moeders auto, een wagen die zo oud was dat hij de vorige dictator had overleefd – en die van vandaag regeerde al veertig jaar.

In de straten zag Victor tanks en patrouillerende soldaten. 'Komt er weer oorlog?' vroeg hij. Hij volgde de berichtgeving over dit land bijna dagelijks, maar hij had niets gelezen over een opleving van het gewapend conflict.

'Nee; de rebellen zijn lang geleden verslagen; ze vechten hooguit nog wat schermutselingen uit in de provincie. Dit zijn maniertjes om spanning op te roepen. De bevolking moet het idee houden dat zij haar heerser nodig heeft. Als de dictator verdwijnt, komt er chaos, dat is de boodschap.'

'Alsof dit geen chaos is.' Hij wees naar de verwoeste huizen en autowrakken. Veel mensen liepen met vodden aan het lijf en bedelaars vielen voetgangers lastig met hun verminkingen. In elk ander land was de route van de nationale luchthaven naar de hoofdstad een uithangbord voor toerisme. Hier gold een andere werkelijkheid.

'Ik zie de ellende niet eens meer, tot mijn schande. Te veel armoede is een verdovende cocktail waaruit je moeilijk wakker wordt. Overigens schijnt de dictator de situatie rond deze weg bewust zo te laten; kunnen de hulpverleners gelijk zien waar ze hun geld aan kunnen uitgeven.'

'Als ze twee keer komen, zien ze ook hoe het hier verspild wordt. Wie betaalt al die wapens en uniformen? Oorlogje spelen is duur.'

Zijn moeder wierp hem een blik toe. 'De hulpverlening denkt verder dan alleen aan vandaag of morgen, Victor. Enkel de generatie na ons heeft een kans. Wanneer deze dictator opstapt, is het fundament gelegd voor een nieuw begin.'

Victor weigerde er verder op in te gaan. Hij wilde geen ruzie; niet bij dit weerzien na zo'n lange tijd.

Na enkele uren rammelen over slechte wegen arriveerden ze in een dorpje dat neergekwakt leek op de van droogte gebarsten grond. De huizen waren eenvoudig in elkaar gemetselde gebouwtjes vol gaten en spleten. Naakte kinderen speelden in het stof. Bomen of een andere vorm van beschutting waren nergens te bekennen. De brandende zon stond de hele dag pal boven hun hoofd. Dit was een vluchtelingenkamp, met amper eigen middelen van bestaan. Terugkeren naar de plek van afkomst was voor de bewoners niet toegestaan; buiten de steden woedde een eeuwige oorlog. Voor deze mensen was de toekomst uitzichtloos en de dictator weigerde hulp. Waarom zou hij ook? Alle kosten voor opvang werden betaald door de Verenigde Naties en van elke dollar die het land binnenkwam, verdween een percentage in zijn zakken.

Victor pakte zijn tas uit de kofferbak en volgde zijn moeder naar een van de huisjes. Het begon inmiddels te schemeren en binnen onderscheidde hij met moeite de met matten bedekte vloer en het karige meubilair.

'Doe je kleren uit en trek deze aan,' commandeerde ze en ze hield hem een eenvoudige broek en hemd voor. 'Morgenochtend beginnen we om zeven uur.'

Victor kleedde zich om. Het project waar het dorp tegenwoordig aan werkte, was een omheining, zodat de bescheiden veekudde – magere geiten waarvan de ribben haast door de huid staken – niet langer kon verdwalen. Geen omheining hield echter de stropers tegen die, onder dekking van de nacht, de kostbare beesten meenamen. Victor wist dat hij tijdens zijn verblijf ook wacht zou moeten lopen en hij verheugde zich erop. Samen met een jongen uit het dorp had hij bij een eerder bezoek ook op die manier een nacht onder de sterren doorgebracht, gewapend met een Engels Enfield-geweer dat zo oud en verroest was geweest dat het wapen waarschijnlijk alleen zou knarsen als iemand de trekker overhaalde. Overigens hadden ze geen kogels meegekregen, die nacht. Stropers waren er niet gekomen, maar Victor had de ervaring van zijn leven.

Die avond at hij samen met zijn moeder tussen tientallen dorpsgenoten. In een zwartmetalen pot werd rijst gekookt met een van soja gemaakte brij. Victor en zij waren de enige westerlingen. Aan eten kwam hij amper toe; er kwamen veel mensen langs om handen te schudden of hem simpelweg te verwelkomen met een lach. Al zolang zijn ouders hier woonden, kwam hij een of twee keer per jaar in dit dorp. Victor kende inmiddels vele namen, want niemand vertrok ooit uit deze opslagplaats van menselijk leed.

Zijn moeder kletste met vriendinnen. Hij zag haar lach breder worden toen de gin op tafel kwam die hij meegesmokkeld had. Met nauwelijks verholen gretigheid opende ze de fles. Er gold een speciale belasting voor alcohol in dit land en zijn moeder weigerde de kas van de regering te spekken. Dus ze dronk alleen als hij er was.

'Je moet vaker komen,' smakte ze tevreden, terwijl de eerste gin en tonic sinds maanden het stof wegspoelde. Over de tweede zou ze langer doen, wist Victor, maar de fles zelf overleefde nooit zijn bezoek.

Victor had besloten om deze keer maar kort te blijven. Hij stond te trappelen om te beginnen met zijn eigen onderneming.

'Ik zou wel vaker willen komen, maar de vluchten zijn duur. Tweeduizend euro voor een retour,' zei hij.

'Dat is toch wisselgeld voor iemand zoals jij? Bankiers verdienen bakken vol geld.'

'Helaas ben ik de uitzondering op die regel.'

'Hoezo? Je hebt toch een goede baan?'

'De baan wás goed. Vorige week ben ik ontslagen; ze hadden te veel mensen. Maar gelukkig heb ik al iets nieuws.'

'Vergelijkbaar met dat andere? Geld beleggen van rijkelui?'

'Zoiets ja. Ik begin voor mezelf. Als het goed gaat, open ik over een paar jaar vestigingen over de hele wereld.'

'Interessant,' zei zijn moeder, en ze begon over het gebrek aan zaaigoed voor de oogst. Victor nam het haar niet kwalijk. Sinds hij het zich kon herinneren hadden ze verschillende interesses gehad.

'Hoe gaat het met vader?' vroeg hij.

'Goed, naar omstandigheden,' zei ze, en ze greep nog eens naar de fles.

'Ik zou hem graag willen zien.'

'Dat zei je vorige keer ook. En die keren daarvoor. Al langere tijd probeer ik je duidelijk te maken dat het voor jezelf beter is van niet. Je vader zondert zich al jaren af en wil niemand zien. Hij is ziek, maar weigert behandeling. Wat karakter betreft zijn jullie werkelijk vader en zoon; beiden even eigenwijs. Hij is boos op mij, op zichzelf en op de wereld.'

'Dat is geen reden om hem nooit meer te ontmoeten.' Victor voelde zich boos worden. 'Het is al vier jaar geleden dat ik hem voor het laatst heb gezien. Nu lijkt het alsof hij al dood en begraven is, zonder dat ik afscheid heb kunnen nemen. Hij is hier toch gewoon nog? Ik wil weten dat ik nog een vader heb.'

Hij zag zijn moeder een laatste slok nemen en opstaan. Ze droeg een kleurrijke, maar volledig versleten jurk. De benen daaronder waren zo mager als stokbrood. 'Misschien heb je gelijk. Blijf hier, dan haal ik hem. Maar reken niet op een emotioneel weerzien.'

Na enkele minuten gespannen afwachten, zag Victor een bekende figuur naar hem toe wankelen; zijn moeder een pas daarachter. Hij zag dat ze zijn vader in de rug moest duwen, anders zou hij omdraaien en teruggaan. Victor rende naar hem toe en omhelsde het lichaam, zijn emoties bedwingend. Maar er kwam geen reactie. De armen van zijn vader hingen slap naar beneden en zijn ogen stonden leeg. Ze deden Victor denken aan de soldaten op het vliegveld.

Het was donker geworden in de tropische nacht. Om zijn vader beter te bekijken, maakte Victor zich los en deed een paar stappen terug. Ze waren het nooit ergens over eens geweest. De man was een verstokte communist, en Victor overdreef tegenover hem vaak zijn eigen standpunten om hem uit zijn tent te lokken. Met het verstrijken van de jaren werd het echter steeds moeilijker om samen een gesprek te voeren, ook als het niet over politiek ging. Op de dag dat Victor zijn vader voor het laatst zag, een moment voor het vertrek van zijn ouders naar Afrika, kwam er amper nog een woord uit diens mond en was de man volkomen ontoegankelijk geworden; autistisch haast.

Nu leek zijn conditie verergerd. Bezorgd staarde Victor zijn vader aan, zich afvragend wat er geworden was van deze fysieke en intellectuele reus, die vroeger respect afdwong met zijn stemgeluid en zijn compromisloze afwijzing van elke vorm van kapitalisme, maar die ook zijn enige zoon innig kon omhelzen, hem aanmoedigde met voetbal, en die zomaar kon lachen om niets. Nu leek een zuchtje wind hem weg te kunnen blazen als een dor, zielloos blaadje. Zonder een woord te zeggen draaide zijn vader zich om en liep terug de duisternis in.

Victor liet hem gaan. Zijn moeder leidde hem naar de tafel en gaf hem een stevige slok gin, die hij in één keer achterover sloeg.

'Ik heb je gewaarschuwd. Het is beter de illusie te koesteren en herinneringen in stand te houden dan zoiets te zien. Lichamelijk is je vader gezond, maar hij is letterlijk in oorlog met zichzelf. Hij vreet zichzelf op in zelfverwijt.' Victor schonk zich bij, maar mengde de gin dit keer met water. Hij was aangeslagen, maar wilde niet gelijk dronken worden. Dat zou waarschijnlijk thuis in Rietschoten gebeuren; uit het zicht van iedereen.

'Ik begrijp er weinig van. Waarom is hij in oorlog met zichzelf?'

Zijn moeder streek door de grijze slierten van haar haar. 'Sommige dingen mag een kind eigenlijk niet weten. Maar je bent intussen oud genoeg en ik weet dat je me altijd met vragen zult lastigvallen. In de jaren na de val van de Berlijnse muur veranderde je vader. Hij bleef radicaal in zijn opvattingen, maar de communisten bleken net zulke schoften te zijn als de fascisten. Aan geen enkele kant van het conflict bestond een limiet aan het lijden dat de ene mens bereid was de andere aan te doen. Je vader begon de mensheid te beschouwen als plaag, een virus dat bezig is de aarde in hoog tempo te vernietigen.

Weet je, Victor, alles wat de mens doet, alle vooruitgang en prestaties en alle monumenten die hij opricht, zijn enkel en alleen voor eigen glorie bedoeld. De natuur niet, die zoekt altijd naar evenwicht, een systeem van wederzijdse afhankelijkheid. Voedselketens zijn nodig voor de instandhouding van de soort. Wreed, soms, maar eerlijk en voorspelbaar. Geen enkele andere soort eigent zich méér toe dan waar hij recht op heeft. Maar wij... De mens voegt niets toe. We onttrekken alleen aan wat we vinden. God stuurde ooit een zondvloed om ons te straffen, maar zelfs daar hebben we de hogere macht niet meer voor nodig. Als gevolg van het broeikaseffect breken we onze eigen dijken door en hier,' en ze wees naar de dorre woestijn om hen heen, 'gaat alles kapot door erosie en overbebouwing.'

'Wat heeft dat met vader te maken?'

'Je vader worstelt met de gedachte dat hij zelf óók mens is en aan dit gegeven niets kan veranderen,' glimlachte zijn moeder. 'Om kort te gaan, hij neemt het zichzelf kwalijk dat hij bestaat.'

'Maar dat is waanzin!'

'Waanzin? Misschien. Het gebeurt vaker bij mensen die vast komen te zitten in het net van hun eigen ideologie. In elk geval verdrijft deze ziekte elke capaciteit voor gevoel of het tonen van emotie. Al jaren weet je vader niet meer wat te denken of hoe te doen. Om die reden besloot ik hem mee te nemen naar Afrika. De dictator kunnen we niet verdrijven, maar door met vluchtelingen te werken, bieden we hoop. En hoop doet leven.'

Victor dacht hierover na. 'Ik wil hem nog eens zien,' besloot hij. 'Ik wil naast hem zitten en zijn hand vasthouden. Ik wil dat hij weet dat ik er ben. Ook al zegt hij niets tegen me.'

'Wat je ook doet, het maakt geen verschil. Hij is te ver weg. Waarom jezelf kwellen?'

'Om dezelfde reden dat jullie hier zijn. Jij kan het lot van de mensen hier niet veranderen. Hooguit verzachten. Ik wil mijn vader vertellen dat hij niet alleen is.'

Haar gelaatstrekken ontspanden zich; diepe rimpels kromden samen in een lach. Ze pakte zijn hand.

'In dat geval is er nog hoop.'

'Grappig dat je die woorden gebruikt. De laatste persoon die dat tegen me zei, was een meisje. Of eigenlijk, een vrouw,' zei hij, terugdenkend aan Jessica's keurige mantelpak en opgestoken kapsel.

'Een vrouw? Nou, dat is interessant! Vertel me alles.'

Enkele minuten later rondde hij zijn beschrijving af. 'Ze reist de hele wereld af, dus een relatie met haar is eigenlijk onmogelijk. En ik geloof niet dat Jessica mij heel erg zag zitten. We hadden weinig gemeen, zei ze.'

'Zei ze dat? Wacht maar af. Het geluk is ongrijpbaar en als Jessica je leuk vindt, laat ze dat op een bepaald moment wel blijken. En anders heeft het niet zo mogen zijn.'

De dag daarop, na een ochtend gaten graven in de verbrokkelde aarde, ging Victor op zoek naar zijn vader. Hij vond hem in de latrine waar een groep werkers bezig was met het uitdiepen van kuilen. Victor keek even toe hoe zijn vader zwoegde, tot aan de knieën in stinkende urine. Even later trok hij zelf een paar laarzen aan, pakte een schop en hielp mee. Zijn vader toonde geen reactie.

Die namiddag ging Victor naast hem zitten en samen staarden ze naar de ronde, rode bal die langzaam daalde boven het trooteloze landschap. Victors arm- en beenspieren schreeuwden om verkoeling, maar een bad of douche was er niet in het dorp, en bovendien: hij wilde hier nu niet weg.

'Vader?' probeerde hij een enkele keer, maar de man naast hem gaf geen antwoord. Toen zijn moeder hem voor het avondeten kwam halen, legde Victor een hand op zijn schouder. 'Tot morgen.'

Die avond liep hij wacht langs de grenzen van het dorp, samen met een jongen die gekleed was in een spijkerbroek en hemd die duidelijk betere tijden hadden gekend. Het geweer van vorig jaar werd blijkbaar niet meer gebruikt, want hun patrouille was ongewapend. Victor vroeg zich af wat ze verondersteld werden te doen als ze op stropers zouden stuiten. Hard weglopen, of de twintig geiten beschermen door met stenen te gooien? De stropers droegen machinegeweren en machetes waarmee ze ledematen afhakten van iedereen die in de weg stond. Hij verdrong de gedachte.

Na de hitte van de dag was de temperatuur aangenaam en Victor genoot van de Afrikaanse stilte. Na een uur lopen in het duister ging zijn metgezel op een paar stenen zitten en haalde een oud exemplaar van *Time Magazine* uit zijn tas. Zichzelf met een lantaarn bijlichtend begon hij te lezen. Bill Gates stond op de voorkant, zag Victor.

'Dus je spreekt Engels?' vroeg hij na enkele minuten, om maar iets te zeggen. De jongen keek op. Sinds het begin van hun wandeling hadden ze geen woord gewisseld. Victor kende wel zijn naam, Winston, maar wist verder niets over hem.

De vraag leek Winston te storen. 'Natuurlijk.' Hij knikte naar het tijdschrift. 'Anders kon ik dit toch niet lezen?'

'Juist,' zei Victor, zich een stomkop voelend.

'Volgens mij denken jullie mensen uit het Westen allemaal dat Afrikanen achterlijk zijn. Maar niet ver van hier is een bar met satelliettelevisie. Mijn vrienden en ik volgen al het nieuws en de Europese voetbalcompetities. Ik ben een supporter van Manchester United. Wayne Rooney is beter dan Van Basten ooit was.'

'Je weet het ongetwijfeld beter dan ik. Zit je hier ergens op school?'

'Ja. Ze leren ons alleen compleet de verkeerde dingen.'

'Hoezo?'

Winston legde zijn *Time Magazine* neer. 'Niemand in dit land geeft een donder om geschiedenis, aardrijkskunde of economie.'

'Waarom niet?'

'Omdat we daar niet van leren rijk te worden, en dat is het enige waar het in deze wereld om gaat.'

De jongen sloeg boos zijn hand tegen het papieren hoofd van Bill Gates. 'Wat ze zouden móéten doen, is ons stage laten lopen bij iemand zoals hij! Iemand die weet hoe je een bedrijf opbouwt en die nooit opgeeft tot het doel is bereikt. Ik zou er alles voor over hebben om een paar maanden met een superondernemer mee te kunnen lopen. Het probleem is dat zulke mensen net zo ver van ons verwijderd zijn als het mannetje op de maan. Wij moeten leven van een dollar per dag en zien alleen misdadigers als rolmodellen. De goeden en slimmeriken zijn allang vertrokken.'

Na deze uitval verzandde het gesprek en Winston keerde terug naar het artikel over zijn held. Victor dacht terug aan Rietschoten. Ook daar waren veel kinderen in de leeftijd van Winston, zo rond de achttien. Zij waren opgegroeid in welvaart, en de verschillen tussen hun probleemloze levens en dat in een Afrikaans vluchtelingenkamp waren niet te vergelijken, maar voor ieder kind bleef dit een belangrijke periode. Een tijd waarin keuzes gemaakt moesten worden die de rest van hun leven en carrière zouden bepalen.

Veel van de miljonairs die hij in Rietschoten gesproken had, klaagden over het gebrek aan rolmodellen. In het dorp waren een paar goed gepubliceerde incidenten geweest van scholieren die zich te buiten gingen aan alcohol, marihuana en pretpillen die je gedurende een paar uur het idee gaven dat je het centrum was van het universum maar die in werkelijkheid de hersens kookten. Ongetwijfeld zouden de ouders in Rietschoten een stage met iemand als Bill Gates aanmoedigen. En zij konden het betalen. Stuk voor stuk waren het superrijken.

Ergens diep in Victors hoofd klikte iets. Hij dacht aan Wiliam Scarboroughs theorie over investeren in jong talent en aan het vinden van investeerders. Een idee vormde zich. Verbindingen werden gelegd; opeens spoot de adrenaline door zijn aderen. Met een ruk draaide hij zich naar Winston om.

'Hoe zou je het vinden om bij een jonge ondernemer stage te lopen? Iemand die niet of nog niet beroemd is, maar die wel alles in zich heeft om een grote te worden. Streng geselecteerd; letterlijk een man of vrouw uit duizenden.'

'Dat zou ik fantastisch vinden, man. Maar doe geen moeite. In dit land is de toekomst al lang geleden de nek omgedraaid. Wij zijn een volk van zombies.'

Winston boog zich naar voren tot Victor het zuur van zijn zweet rook. Beschenen door het licht van de lamp keken ze elkaar aan. 'Mijn vader, oom en ik hebben een plan. Staatsgreep. Wij en tientallen anderen in het kamp, waaronder enkele gedeserteerde soldaten. Niemand hier heeft een stuiver voor wapens, dus trekken we met ploegen en hakmessen naar het paleis.'

Dus deze jongen ging het opnemen tegen machinegeweren met alleen een roestige hooivork in zijn hand. Geen goed plan. Victor dacht na. Winston en zijn groep waren absoluut geen partij voor de gouvernementele veiligheidsdienst. Een revolutie uitgevoerd met landbouwwerktuigen was een wanhoopsdaad, een provocatie die slechts een bloedbad zou uitlokken. Erger nog, het neerslaan van de opstand zou de dictator de legitimatie geven om nog jarenlang op het pluche te blijven zitten.

'Je hebt meer aan goede scholen, Winston. En leraren.'

'Die komen hier niet. Alle goede mensen zitten in het buitenland.'

'Dan moeten we ze terughalen.'

Ze praatten er de hele nacht over en kwamen tot een soort overeenstemming. De volgende ochtend liftte Victor op een vrachtwagen naar de hoofdstad. Daar, op het dak van het duurste hotel, stond een van de weinige basisstations voor mobiele telefonie. Dit was niet toevallig een favoriete plek van de dictator. De hele bovenste etage was voor hem ingericht en er gingen weken voorbij dat de man het hotel niet uitkwam. Er gingen geruchten over jonge jongens en meisjes die door veiligheidsdiensten geronseld werden en naar boven gestuurd. Er keerde nooit iemand terug.

Voor de gelegenheid had Victor zijn Westerse kleren weer aangetrokken en na een korte ondervraging liet de bewaking hem door. De receptie stond vol gewapende soldaten maar aan de bar was het rustig. Victor ging apart zitten en belde het nummer van De Eendenhorst. William nam op. Waarschijnlijk dankzij al die antennes was de verbinding glashelder.

'Ik heb een manier gevonden om de inleg voor het fonds te vergroten. Volgens mij kan dit niet mislukken.'

'Laat horen.'

'Niet zo snel. Ik overweeg voor mezelf een fonds te beginnen en alleen het vooruitzicht op megacompensatie kan me eventueel tot andere gedachten brengen. Hoeveel verdient werken bij jou?'

'Een half procent per jaar van alles wat IMPERIUMBOUWER ophaalt. En dat is echt niet slecht. Zelf krijg ik twee procent.'

Victor trok een zuur gezicht. Zijn vaste salaris bij Acorn Brothers was vijftigduizend euro per jaar. Het fonds zou tien miljoen euro moeten ophalen wilde hij er niet op achteruit gaan. 'Te weinig. Ik heb hier in Afrika iets gevonden dat geld kost. Miljoenen euro's.'

Ver weg in Nederland hoorde hij William lachen. 'Om dergelijke bedragen te verdienen zal je als een paard moeten werken. Vergeet slaap de komende maanden. Kom op met je idee.'

'Interessant,' zei William nadat Victor uitgesproken was. 'Ik werk graag met kinderen. We gaan het proberen. Sterker nog, we gaan het dóén. Welkom aan boord. Ik maak de noodzakelijke aanpassingen.'

'Wacht even. Wat verdien ik aan het auteurschap van deze innovatie?' Victor keek om zich heen en zag zich omringd door tekenen van corruptie. De dure, smetteloze auto's voor de hotelingang, de blinkende juwelen; alles hoogstwaarschijnlijk met ontwikkelingsgeld betaald of anders door smokkel van grondstoffen. Dit land werd geplunderd, maar in het restaurant kon de overgrote meerderheid van de bevolking zich nog geen kop koffie veroorloven.

'Je geeft niet op; dat waardeer ik. Ik zal eerlijk tegen je zijn: mijn doelstelling is om met Imperiumbouwer in Rietschoten honderd miljoen op te halen. Je krijgt een procent extra van alles wat het méér wordt.'

'Honderd miljoen euro? Onmogelijk.'

'Niets is onmogelijk als de wil er is. Kom snel terug, dan praten we verder. Breng Boudewijn Faber mee. Er is genoeg tijd verspild.'

'Ik werk niet langer voor Acorn Brothers.'

'Klopt. Je werkt nu voor mij. Maar neem Boudewijn mee. Vertel hem dat William Scarborough dromen werkelijkheid maakt.' Nogmaals die schaterende lach.

Victor hing op, opgepompt door nieuwe energie en hoop. Er was geen seconde te verliezen. Winston en hijzelf hadden zich een doel gesteld. Hier werd een volk vertrapt en zoals altijd keek de wereld stom toe. Zijn eigen toekomst als imperiumbouwer zou moeten wachten; het zou jaren kosten voordat hij zelf genoeg geld verdiende om flinke bedragen op te hoesten.

Victor dacht terug aan Williams betoog op De Eendenhorst. Met dit telefoongesprek en zijn innovatie was de situatie opeens anders geworden. Plotseling glimlachte hij in het zonlicht. Ze waren nu een team.

8

De tank was diep en breed. Phillipe trappelde met zijn benen maar vond nergens steun. Het hangen aan de scherpe rand putte hem uit. De knokkels van zijn vingers werden wit. Met zijn laatste krachten verzette hij zich tegen het besef dat hij nog maar enkele ogenblikken te leven had. 'Ik dacht... Je vertelde...'

'Dat jij mij zou mogen opvolgen?' John lachte. 'De zoetste maar ook wreedste droom van de mensheid. We bouwen kathedralen, stadions, musea, piramides en concertzalen om dichter bij onze goden te komen, maar de afstand werkelijk overbruggen lukt ons nooit. In hun voetsporen treden is per definitie uitgesloten. Een imperium kan niemand erven. Een imperium bouw je zelf.'

Langzaam schoof John de metalen vergrendeling los. Iets onherstelbaars knapte in Philippes bewustzijn. 'Nee! Jij was mijn vader! Ik was je zoon!'

'Papa heeft een nieuwe zoon. Victor van Zanten is zijn naam.' John smeet het loodzware deksel met zoveel kracht dicht dat Philippe geen tijd meer had om zijn vingers weg te halen.

Oktober

De dag na zijn terugkomst uit Afrika nam Victor Boudewijn Faber mee naar het landgoed en introduceerde zijn oude baas aan zijn nieuwe. Na een rondleiding langs de collectie namen de drie mannen plaats bij de haard. William had inmiddels een espresso-machine geïnstalleerd. De koffie werd echter koud, want onder toeziend oog van Victor bleven Scarborough en Boudewijn als kemphanen argumenten op elkaar afvuren zonder overeenstemming te bereiken. Op een gegeven moment had Boudewijn er genoeg van.

'Uw fonds selecteert ondernemers op basis van persoonlijkheid en karakter. Feitelijk bent u dus geen belegger, maar psycholoog.'

'Dat is niet waar. Ik kijk uiteraard ook naar het ondernemingsplan. Dat moet reëel zijn en uitgangspunten bieden.'

'Dat doen we allemaal. Uw fonds is net als elk ander dat belegt in jonge, snelgroeiende bedrijven. Neem me niet kwalijk dat ik enigszins negatief redeneer, maar ik moet de belangen van mijn klanten beschermen. Ik hoop dat u daarvoor begrip kunt opbrengen.'

'Dat kan ik. Maar daarmee hebt u nog geen gelijk. Mijn fonds is niet als alle andere. IMPERIUMBOUWER is uniek. Andere beleggers keuren eerst een plan goed en laten het daarna uitvoeren door de persoon die ermee kwam. Bij het uitblijven van succes wordt deze figuur algauw ontslagen en wordt het plan aangepast of stopgezet. Beleggers zijn ongeduldig; ze eisen snel resultaat. IMPERIUMBOUWER werkt echter omgekeerd. Wij beginnen met de ondernemer, zijn idee komt op de tweede plaats. Als ik moet kiezen tussen een gedetailleerd, maar statisch plan waarvan ik weet dat het morgen al achterhaald zal zijn, of een jonge, flexibele persoonlijkheid die zelf de nodige aanpassingen kan maken, kies ik altijd en overal voor het laatste. Talent en ambitie verloochenen zich nooit; de toekomst op papier proberen te voorspellen, mislukt haast altijd. Neem ondernemers als Michael Dell of Bernie Ecclestone. Ook wanneer zij financiering aanvragen voor een project waarmee ze hoegenaamd geen ervaring hebben, struikelen de beleggers over hun voeten om hun de centen aan te bieden. In dergelijke talenten heeft namelijk iedereen vertrouwen. Goed management is belangrijker dan alle plannen bij elkaar geveegd.'

Boudewijn zette zijn bril af en wreef in zijn ogen. 'Dat is correct, maar het blijft een risico. Zoals u zelf zegt: het kan jaren duren voordat er sprake is van werkelijk fenomenaal succes. Die vijftig procent rendement van u is niets anders dan een rekenkundig gemiddelde, gespreid over tien jaar. Voor tussentijdse uitkeringen zal geen geld zijn.'

De bankier pakte zijn bril weer op. 'Vertel mij bijvoorbeeld eens hoe ik het risico voor mijn klanten kan beperken. Hebt u voorbeelden van fondsen die op een dergelijke manier opgezet zijn? Andere banken waarmee we kunnen praten?'

William schudde zijn hoofd. 'Nee. Fondsen zoals dit richt ik al tien jaar op, maar elk fonds wordt separaat beheerd. Mededelingen naar buiten worden niet gedaan. Dat gaat straks overigens ook gelden voor IMPERIUMBOUWER.' Boudewijn stond op en stak een hand uit. 'Bedankt voor de uiteenzetting, meneer Scarborough, maar ik ben bang dat Acorn Brothers u niet van dienst kan zijn. Niet omdat ik geen geloof hecht aan uw theorie, integendeel, maar omdat ik denk dat onze relaties er geen interesse in zullen hebben. Althans, niet zonder referentie of bewijs dat het werkt. Ik raad u aan over een jaar nog eens terug te komen. De markt zit nogal tegen op dit moment, zoals u weet.'

William negeerde de uitgestoken hand. 'Blijf zitten, Boudewijn. Mijn verhaal is nog niet helemaal klaar. Mag ik een onbescheiden vraag stellen? Hoe groot is het marktaandeel van Acorn Brothers in Rietschoten? Hoeveel miljonairs hebben jullie in de boeken?'

De lange directeur verstijfde. Wat William vroeg, was het best bewaarde geheim van de bank. Hij trok zijn hand terug, alsof die besmet kon raken. 'Wat bedoel je?'

'Volgens mijn schatting zijn er in Rietschoten ongeveer twee-honderdvijftig families met een vermogen van vijf miljoen euro of meer. Acorn Brothers heeft er daarvan niet meer dan vijftig als klant. De rest zit met name in België, Luxemburg of Zwitserland. Zijn mijn cijfers bij benadering correct?'

Onhandig ging Boudewijn weer zitten. 'Hoe komt u aan die informatie?'

'Onderzoek en ervaring. Zoals ik zei, ik doe dit werk al tien jaar. Rietschoten is het rijkste dorp van Nederland, maar jullie bank is nog niet zo lang hier gevestigd. Het kost tijd voordat de rijken hun weg vinden naar een nieuw huis. Wel, kloppen mijn cijfers?'

Victor wist dat Scarborough gelijk had. Volgens zijn bronnen telde de regio bijna driehonderd families met meer dan vijf miljoen, waarvan er nog geen veertig hun geld lieten beheren door Acorn Brothers. Hoewel ze slechts een klein percentage van het totaal aantal relaties uitmaakte, was deze groep goed voor zeker de helft van het inkomen van de bank. Het waren de krenten in de pap, de heilige graal voor iedere bankier.

Boudewijn knikte. Zijn onderkin vouwde zich over de knoop van zijn stropdas.

'Goed. Dan heb ik nu het volgende voorstel. Ik introduceer

Acorn Brothers, en jou, Boudewijn, als directeur, aan álle miljonairs in Rietschoten met meer dan vijf miljoen euro besteedbaar vermogen. Alleen diegenen die jij nog niet kent, natuurlijk. Op voorwaarde dat jullie bank meewerkt aan mijn fonds.'

De bankier hapte naar adem en liep nog roder aan dan hij al was. Zijn ogen puilden een beetje uit en hij keek William aan alsof die gek geworden was. Victor vreesde een hartaanval.

William bleef vriendelijk glimlachen. 'Mijn aanbod is serieus, Boudewijn. Alle vette miljonairs op een presenteerblaadje. Sterker nog, ik regel het zo dat ze letterlijk voor je in de rij zullen staan voor een visitekaartje.'

Een diep wantrouwen klonk nu in Boudewijns stem. 'Hoe denkt u dat voor elkaar te krijgen? Sommige families probeer ik al acht jaar te pakken te krijgen, maar geen van hen wil me te woord staan. Hun telefoonnummers zijn strikt geheim en ze reageren op geen enkele uitnodiging.'

De Amerikaan wees naar de schilderijen om hen heen. 'Kunst, Boudewijn. Kunst is de sleutel tot hun hart. Geld niet, want daar hebben ze zelf genoeg van. Helaas is geld het enige wat jij hun kunt aanbieden en daarom ben jij niet interessant voor ze. Kunst is wel interessant. Kunst is emotie. Kunst is beschaving. Er bestaat geen miljonair zonder kunstverzameling. Kunst is blind voor de zonden van de eigenaar. Een Rembrandt fascineert, ook al hangt hij aan de muur van een misdadiger.'

William gooide de koud geworden koffie van zijn gasten weg en schonk nieuwe in. Zelf hield hij het bij mineraalwater. 'Alles hier in huis, van de Van Gogh tot de Mondriaan, van de Rubens tot de Frans Hals en de honderden stukken beneden in de kelder, is afkomstig van de miljonairs uit Rietschoten. Hoe heb ik die mensen, die zo moeilijk bereikbaar zijn, niet alleen persoonlijk leren kennen, maar zelfs weten over te halen mij hun mooiste kunstwerken uit te lenen? Ik, die hier pas enkele maanden geleden ben komen wonen? Omdat mijn landgoed zo mooi is en goed beveiligd? Onzin. Iedere miljonair heeft zijn eigen landgoed en dito beveiliging.'

Victor zag hem comfortabel naar achteren leunen, duidelijk zeer met zichzelf ingenomen.

'Ik begon met de familie van wie ik De Eendenhorst huur. Ik heb de hele inboedel buiten in containers gezet, en hun gezegd dat ik alles weg zou gooien als zij het niet op tijd kwamen ophalen. Daar schrokken ze van en allemaal kwamen ze kijken. Tot hun verrassing vonden ze twee onbekende schilderijen tussen de rotzooi. Geen Mondriaan of Van Gogh natuurlijk, maar interessante doeken, de moeite van het restaureren waard. Voor mij was dit het ideale aanknopingspunt. Ik vertelde ze dat ik zelf kunst verzamel en de trotse eigenaar ben van een Rembrandt.' William wees naar het portret verderop. 'Als vriendendienst bood ik de familie aan hun vondst te laten onderzoeken en de schilderijen zolang op De Eendenhorst te bewaren. Omdat ik toch een speciale bunker liet bouwen, gingen ze akkoord. Mensen zijn bereid alles aan te nemen van een miljonair uit Californië, vooral als die cowboylaarzen en een knots van een ring draagt en met geld smijt.' Hij lachte smakelijk om zijn eigen zelfspot. Boudewijn lachte schuchter mee en Victor zag de spanning tussen hen afnemen.

'Toen we elkaar beter leerden kennen, begonnen we te praten over kunst en het beheer van collecties in het algemeen. De familie staat goed bekend in de regio en veel van hun vrienden hebben omvangrijke verzamelingen. Uniek, kostbaar materiaal. Al snel werden we het eens dat het eigenlijk zonde was dat behalve de eigenaar en diens netwerk niemand ooit deze kunstschatten kan zien. En zo kwamen we op het idee van een tentoonstelling. Een tentoonstelling voor en door de serieuze verzamelaars van Rietschoten. Een exclusief gezelschap dat, gedurende een beperkte periode, nu voor het eerst kan zien wat de ander in huis heeft. De tentoonstelling zou hier op De Eendenhorst gehouden kunnen worden, nadat de renovatie was afgerond. Natuurlijk onder geheimhouding en zonder publiciteit. Een dergelijke collectie trekt immers de aandacht van criminelen.'

Victor zag dat Boudewijn aandachtig luisterde.

'Om het geheel een extra dimensie te geven, besloten we onze doelgroep te vragen ons alleen dát kunststuk uit te lenen waarmee ze een speciale, emotionele band hebben. Een erfstuk, iets van een beroemde schilder of een werk dat men kocht of kreeg om iets te vieren of te herdenken. Kunst is emotie en als men weet wat de ander boeit, als men het verhaal achter bepaald bezit leert kennen, kunnen onderlinge banden ontstaan of, indien ze al bestonden, worden aangehaald en versterkt.' William vouwde zijn handen open en voor de zoveelste keer vond Victor hem op een dominee lijken. Boudewijn keek inmiddels alsof hij de hemelpoort voor zijn ogen open zag gaan.

'Rietschoten is klein en ik heb gemerkt dat maar weinig inwoners hier vrienden hebben. Met name zij die nog niet zo lang geleden in het dorp zijn komen wonen – laat ik hen voor het gemak het "nieuwe geld" noemen – leven nogal langs elkaar heen. Met al die metershoge heggen die iedereen om zijn vrijstaande huis en tuin heeft staan, kan dat ook moeilijk anders. Maar als nu blijkt dat de buurman net als jij sculpturen verzamelt van een bepaalde kunstenaar, of mooi glaswerk heeft? Dat zou toch interessant zijn? In elk geval zou het de aanzet geven tot een goed gesprek, en dat is meer dan de meesten hier ooit gehad hebben.'

Victor zag de directeur instemmend knikken. Boudewijn had hem ooit eens verteld dat hij eigenlijk geen idee had wie zijn buren waren, en zo waren er meer in Rietschoten. Na vijf maanden continue analyse wist Victor dat de miljonairs in Rietschoten er bijna allemaal een extreme mate van privacy op nahielden.

William ging door. 'De familie vond het een fantastisch plan. De Eendenhorst staat al eeuwenlang leeg en het idee dat het landgoed hierdoor haar centrale plaats in de gemeenschap zou terugkrijgen, trok hen aan. Enthousiast over het principe van kunst als bindende factor benaderden ze deze zomer hun netwerk. De respons was overweldigend. Iedereen voelde zich aangesproken als liefhebber en verzamelaar. Zelfs miljonairs die al jaren in volstrekt isolement leefden, kwamen plotseling tevoorschijn.'

Hij glimlachte bij de herinnering. 'De telefoon hield niet meer op met overgaan. Ik heb een secretaresse moeten aannemen om alle aanmeldingen te verwerken. Niet minder dan zeshonderd prominente families zijn hier geweest om een kunstwerk aan te bieden – het merendeel schilderijen, maar er zat ook een flink aantal plastieken tussen. Natuurlijk was men ook nieuwsgierig om het landgoed te zien en kennis te maken met de nieuwe bewoner. De tentoonstelling was voor hen een goed excuus. Gedurende de afgelopen maanden, terwijl de renovatie in volle gang was, heb ik iedereen als een vorst ontvangen, met champagne, zalm en kaviaar. Geen enkel kunststuk is geweigerd en alles van topkwaliteit hangt hierboven. De rest is beneden.'

'Dus die tentoonstelling waarmee je de miljonairs vleide, ga je straks gebruiken om hun het principe van IMPERIUMBOUWER uit te leggen. Briljant.' Boudewijns aanvankelijke twijfels leken definitief plaats te hebben gemaakt voor bewondering.

'Dank je. En dit was slechts het begin, IMPERIUMBOUWER gaat nog veel meer bevatten. Dat zal later allemaal duidelijk worden. Je wilt overigens niet weten met welke prullen sommigen kwamen aanzetten, maar ik ken nu iedere miljonair in Rietschoten persoonlijk, en daar ging het me om. In principe zou ik het fonds bijna zonder hulp van jullie bank kunnen oprichten.'

'Waarom doe je dat dan niet?' vroeg Boudewijn.

William telde op zijn vingers af. 'Ten eerste omdat mensen mij wel hun kunst toevertrouwen, maar niet hun geld. Ten tweede omdat alleen banken toestemming krijgen een beleggingsfonds te beheren. Ten derde omdat ik een bank nodig heb voor het bijhouden van de administratie en assistentie bij aan- en verkoop van aandelen.'

Hij keek Boudewijn uitdagend aan. 'Als je met mij meedoet, bied ik je de kans om tweehonderdvijftig maal voor open doel raak te schieten. Alleen mensen met een minimaal beschikbaar vermogen van vijf miljoen euro komen in aanmerking. De tentoonstelling wordt gehouden op dit landgoed, in een stijlvolle omgeving waar iedereen zich op zijn gemak zal voelen. Heel anders dan die saaie spreekkamers bij jullie.' Victor wist dat dit vooruitzicht Boudewijn zou laten duizelen. Het idee de hele doelgroep in één ruimte verzameld te hebben, was de droom van iedere bankier. Hij zag Boudewijns terughoudendheid wegsmelten.

'Eh... ze zouden hier nooit allemaal in passen,' zei de bankier, verlangend om zich heen kijkend.

William glimlachte. 'Nee, inderdaad niet. De capaciteit van de zaal is groot, maar niet zó groot. Elke avond nodigen we daarom dertig echtparen uit. We combineren de tentoonstelling met informatie over IMPERIUMBOUWER en we houden net zoveel avonden als nodig is. Iedereen komt aan de beurt.'

'Het fonds... ik blijf het riskant vinden,' zei Boudewijn aarzelend. Victor kon hem wel wurgen om zijn voorzichtigheid, maar William boog zich naar hem toe als een onderwijzer die geduld heeft met een lastig kind.

'Je hebt gelijk. IMPERIUMBOUWER ís risicovol en daarom alleen geschikt voor hen die het zich kunnen veroorloven de inleg te verliezen. Daarom bepalen we de minimale inschrijving op honderdduizend euro; een peulenschil voor mensen die zoveel geld hebben. Voor anderen, de minder bedeelden zeg maar, wordt het fonds niet toegankelijk. Hun kunstwerken sturen we terug en zij mogen niet op de tentoonstelling komen.'

William ging overeind zitten terwijl hij op Boudewijn bleef inpraten. 'In de documentatie van IMPERIUMBOUWER worden alle risico's vermeld, zodat hierover later geen misverstanden kunnen ontstaan. De advocaten van Acorn Brothers keuren het prospectus vooraf goed. Daarna zorgt de bank voor de benodigde toestemming van autoriteiten. Alles blijft boven tafel, er komen geen verborgen provisies of trucs. Dit fonds wordt witter dan wit.'

Boudewijn knikte traag. 'Ik neem aan dat je op een hógere inleg rekent? Meer dan honderdduizend euro?'

William lachte. 'Een beduidend hogere inleg. En iedereen zal mee willen doen. Dit wordt de meest exclusieve club van Rietschoten, je zult het zien. Ga je akkoord?'

Victor kende de argumenten waarop de beslissing moest worden genomen en die nu door Boudewijns hoofd gingen. Het fonds was risicovol, maar alle risico's werden vermeld. IMPERIUMBOUWER was geen huisfonds van Acorn Brothers, maar van een ander, een individu met wie de bank geen formele binding had. Acorn Brothers faciliteerde enkel. Iedere deelnemer zou het zich kunnen veroorloven de minimuminleg te verliezen en als men besloot meer te investeren... wel, dat behoorde tot de individuele verantwoordelijkheid. Geen problemen, tot zover. En Boudewijn kon in één klap zijn klantenbestand verveelvoudigen met het beste wat Rietschoten te bieden had. En dat was veel, heel veel. Niet slecht op een moment dat Londen aandrong op verdere reductie van het personeel. Wat had Boudewijn te verliezen? Wat waren zijn bedenkingen?

Victor sloeg hem gespannen gade terwijl hij en William op antwoord wachtten. William Scarborough was een gladde prater, overwoog Victor. Doortrapt ook, want zonder twijfel was het de kleine Amerikaan zelf geweest die de schilderijen in de containers gelegd had op een plaats waar die familie er wel over moest struikelen. De man leek niet het type dat ook maar iets aan het toeval overliet. Victor had daar respect voor. Zelf zou hij precies hetzelfde gedaan hebben. Het was de enige manier om iets blijvends op te bouwen.

Toen zag hij Boudewijn opstaan en voor de tweede keer zijn hand uitsteken. 'Ik ga akkoord. Hoe kan ik anders? Ik ben onder de indruk van je visie en hoe je dit hebt aangepakt.'

William drukte hem de hand. Zijn gezicht straalde van vreugde. 'Dankjewel voor je vertrouwen, Boudewijn. IMPERIUMBOUWER zal een overweldigende indruk op Rietschoten maken.'

Een halfuur later verlieten Victor en Boudewijn het landgoed. De gezwollen directeur borrelde over van enthousiasme. Hij leek zelfs vergeten te zijn dat Victor niet langer voor hem werkte. 'Zelfs als slechts vijftig van de overige tweehonderdvijftig miljonairs klant bij de bank worden, verdubbelen we het budget, Victor. William Scarborough is absoluut briljant. Geniaal! We zullen extra mensen moeten aannemen om de toeloop te verwerken.'

'En personeelszaken in Londen dan?' glimlachte Victor. Boudewijn legde een arm om zijn schouder. 'Personeelszaken kan naar de duivel lopen. Maar zeg dat in godsnaam tegen niemand anders!'

Die middag, toen Victor thuis zat en zich voorbereidde op zijn nieuwe taken, belde Jessica terug vanuit Sjanghai.

'Ik vond het leuk je stem te horen, maar was in vergadering toen je belde. Sorry dat ik zo kortaf was. Hoe maak je het, heb je die cursus nog afgemaakt?'

'Jazeker. Zonder onze discussies werd het alleen snel minder interessant. Ik belde omdat ik je hulp nodig heb.'

'Victor van Zanten die een ander nodig heeft? Er is hoop voor de wereld.'

'De wereld kan heel goed zonder mij, daar kom ik elke dag steeds meer achter. Hoe komt het trouwens dat jij Jessica heet? Dat klinkt niet bepaald Russisch.'

'Is het ook niet. Eigenlijk heet ik Ekaterina Dobrivenko, maar toen mijn vader vijf jaar geleden overleed, heb ik die naam samen met hem begraven.'

'Hoe dat zo?'

'De laatste vijftien jaar van zijn leven was mijn vader de belangrijkste inrichter van tentoonstellingen ter wereld. Elk museum vocht om de eer om hem te contracteren.'

Ze viel even stil. 'Toen ikzelf als conservator begon, begreep hij niet waarom ik principieel weigerde met hem te werken of zelfs maar samen in hetzelfde museum te verschijnen. We kregen ruzie, dreven uit elkaar en deden allebei weinig pogingen de breuk te helen. Twee verschillende, maar ook koppige karakters. Bij hem in de leer gaan, zou dingen makkelijk voor me maken en deuren openen, redeneerde hij. Wat hij er niet bij zei, was dat het hem als vader ook trots zou maken als zijn knappe dochter hem in zijn voetsporen volgde. Dat laatste, over die trots, realiseerde ik me overigens pas toen hij in die kist in Sint-Petersburg lag. Ik wilde het echter op de moeilijke manier doen. Mijn manier.'

Victor grinnikte. 'Dus we hebben wel iets gemeen. Beiden verloochenen we onze ouders. Jij en ik zijn net zo ambitieus.'

'Er is niets mis met ambitie, ook niet als je de wereld wilt verbeteren. En kinderen moeten hun ouders altíjd verloochenen, anders maakt niemand zich ooit los van de wieg.'

Weer zweeg ze even. 'Het is lang geleden dat ik iemand over mijn vader verteld heb. Je hebt een uniek vermogen om onder mijn huid te kruipen, Victor; niemand anders kan dat. Waar heb je mijn hulp bij nodig?'

Hij vertelde haar wat er in de afgelopen dagen gebeurd was.

'Dus William Scarborough wil een fonds oprichten op basis van een theorie over menselijk talent en de invloed daarvan op cultuur en vooruitgang? Met de onbuigzaamheid van Rembrandt als metafoor? Rijke mensen blijven me verbazen. Vooral degenen die niet langer hoeven te werken, ontsporen nogal eens. Plotseling ontdekken ze een artistieke kant aan hun persoonlijkheid en streven ze naar erkenning als filosoof of verzamelaar. William moet een tik van die molen hebben gekregen. Morgan, Mozart en Rembrandt leefden in verschillende eeuwen en hadden niets met elkaar te maken. Hun karakter, leven en vaardigheden weken volledig van elkaar af. Het enige wat die William lijkt te doen, is goochelen met feitjes en wetenswaardigheden om zo overeenkomsten te creëren die er in werkelijkheid nooit zijn geweest.'

'Geef toe dat het een creatieve manier van denken is,' wierp Victor tegen. 'Hij schijnt hier al een flinke tijd mee bezig te zijn.'

'Ik vind het meer een enge manier van denken: alle heil aan het geniale individu, de ontwikkeling van de mens wordt aan genieën als Einstein toegedicht terwijl de invloed van andere factoren onderbelicht blijft. Mijn hele leven bestudeer ik kunstenaars en andere mensen die iets bijzonders hebben voortgebracht en altijd is hun verhaal anders. Vincent van Gogh bijvoorbeeld kon alleen schilderen dankzij morele en financiële steun van zijn broer. Daarnaast speelt toeval een rol. Columbus was nooit van plan Amerika te ontdekken, het doel van zijn reis was bekeerlingen zoeken voor de kerk en tegelijkertijd een westelijke toegang tot Azië te vinden. Isaac Newton kreeg zijn idee over massa en zwaartekracht pas toen er een appel naast hem op de grond viel. Bovendien bloeiden sommige talenten pas op latere leeftijd op. Hoe oud was Henry Ford wel niet toen hij met zijn Model T kwam?'

Victor moest lachen. 'Grappig dat je dat vraagt. Ik heb de biografieën gelezen van de mensen over wie we spraken. Rembrandt, Mozart en Morgan en zo. Fascinerende verhalen, allemaal. Wist je dat Henry Ford drieënendertig was toen hij een ritje maakte in zijn eerste auto? Overigens ging die kapot waar iedereen bij stond, wat een buitengewoon vernederende ervaring voor hem geweest moet zijn. Hij was inderdaad al vijfenveertig toen de T-Ford op de markt verscheen, niet bepaald jong meer, dus.'

'Precies wat ik dacht. William gebruikt de gegevens die hem het beste uitkomen. Ik kan niet geloven dat mensen geld gaan stoppen in een dergelijke onzin. Zeker niet na internet en nu met de schuldencrisis. Beleggers zijn wijzer, tegenwoordig. Daar weet jij toch alles van?'

'Nou, William heeft misschien toch een punt. Ford mag dan pas laat succesvol geworden zijn, hij werd al op zijn achtentwintigste benoemd tot hoofdingenieur bij Thomas Edison, en dat was een zware baan. Toen pas kreeg hij de gelegenheid om aan auto's te prutsen; daarvóór ontbrak het hem aan tijd en geld. En Ford gaf niet op toen het hem tegenzat. De man had ontegenzeggelijk een sterk karakter.'

'Hmm... Maar Williams verhaal klopt ook op andere punten niet,' vond Jessica. Haar telefoonrekening moest intussen flink oplopen, maar de zaak leek haar te intrigeren.

'Zoals?'

'De feiten. Je vertelde dat William nooit risico's neemt. Dat is een leugen. De man neemt zelfs heel grote risico's. Ik acht de kans reëel dat Rietschoten geen geloof zal hechten aan zijn theorie, en dat IMPERIUMBOUWER nooit opgericht wordt. Althans niet in jullie dorp.'

Victor luisterde gefascineerd hoe Jessica zijn eigen twijfels onder woorden bracht. Over dit punt had hij eerder al uren gepiekerd. 'Ga door.'

'Om te beginnen is zijn timing slecht. Je vertelde dat beleggers niet lang geleden op de beurs vermogens hebben verloren en huiverig staan tegenover een nieuw avontuur. Maar nog voordat William iemand in Rietschoten heeft geprobeerd te overtuigen, steekt hij een kapitaal in een landgoed dat niet zijn eigendom is. Wat gebeurt daarmee als IMPERIUMBOUWER geen succes wordt? Dan blijft hij met De Eendenhorst zitten en niemand zal hem ervan af helpen.'

'Je wordt bedankt. Dit is zeer opbeurend, ik kijk ineens met vertrouwen uit naar mijn nieuwe baan.'

'Graag gedaan. Ik moet nu weg, maar bel nog eens op als je tijd hebt. Ik ben benieuwd hoe dit afloopt. De wereld doet niets liever dan haar neus steken in het leven van beroemdheden en het zal me niets verbazen als dát uiteindelijk Williams belangrijkste verkoopargument wordt.'

9

Oktober

Het was laat op de avond toen Bram de Lint de oprijlaan van zijn huis inreed en voor de dubbele garagedeur stopte. Hij stapte uit, viste zijn zwartleren loodgieterstas van de achterbank en liep, kreunend onder het gewicht, naar binnen. Toen hij langs de woonkamer kwam, stak hij zijn hoofd even door de deuropening om zijn vrouw Marieke te begroeten.

'Weer werken vannacht?' vroeg ze, half opkijkend uit haar boek. Hij gromde iets onduidelijks in haar richting en liep door richting de studeerkamer, waar hij zeker nog enkele uren zou verblijven. De tas zat vol documenten die allemaal bestudeerd moesten worden en van commentaar voorzien. Niets kon ooit wachten tot morgen, zelfs niet wanneer je zeventig jaar was en voorzitter van het grootste advocatenkantoor van Nederland.

'Voor ik het vergeet, je moet Jan Overhout terugbellen,' riep Marieke hem na. 'Hij belde een uur geleden en wil je dringend spreken. Hier heb je het nummer.'

Verbaasd liep Bram terug de kamer in om het papiertje van haar aan te nemen. 'Jan Overhout? Wat moet die van mij?'

'Dat zal hij je ongetwijfeld zelf vertellen. Ik ben niet je secretaresse.'

Bram kende Jan Overhout alleen van naam. Een pandjesbaas en winkelier in bekers en medailles die vijf jaar geleden het grootste en lelijkste huis van Rietschoten had laten neerzetten. Egoarchitectuur met wansmaak.

In zijn studeerkamer toetste hij vermoeid het nummer.

'Goed dat ik je even spreek, Bram,' zei een stem met een licht Gronings accent. 'Ik mag toch Bram zeggen? Ik had je gebeld vanwege het fonds van Boudewijn Faber. Je kent Boudewijn, natuurlijk.'

Met moeite hield Bram zijn ergernis in. Onbehouwen kerel! Vandaag had hij zestien uur onafgebroken gewerkt. Hij was met een barstende hoofdpijn thuisgekomen en eigenlijk wilde hij niets liever dan een glas whisky en dan slapen. En nu dit.

'Nee. Wie is Boudewijn Faber?'

'De directeur van Acorn Brothers, Bram. De bank hier.'

'Wel, ik zit bij een andere bank. Luister eens, ik heb het druk en ik...'

'Luister even, Bram. Boudewijn gaat jou binnenkort bellen. Je wordt gevraagd lid te worden van de Raad van Toezicht van een beleggingsfonds. IMPERIUMBOUWER heet het. Het is nieuw. Ikzelf word ook lid en Boudewijn ook. Het is de bedoeling dat jij voorzitter wordt, want Boudewijn...'

'Ik weet nergens van,' protesteerde de advocaat, maar Overhout ging door met hem onderbreken en hem bij de voornaam noemen. Dat waren twee zaken waar Bram absoluut niet tegen kon. Zelfs zijn secretaresse, die hem al twintig jaar kende, bleef 'meneer De Lint' zeggen en dat beviel beide partijen uitstekend. Beschaving, vond Bram, is vanuit een gepaste afstand naar elkaar toe groeien. En mocht dat niet lukken dan hoefde niemand iets van zijn waardigheid op te geven.

'Het is belangrijk dat je meedoet, Bram. William Scarborough, de man die De Eendenhorst heeft opgeknapt, weet niet hoe het werkt hier in Rietschoten. Jij en ik weten dat wel, dus moeten we hem een handje helpen.'

Bram voelde zijn gezicht rood worden. De knokkels van de hand die de telefoonhoorn omvatte, zagen echter spierwit. 'Moet je goed luisteren...'

'William is degene die de tentoonstelling organiseert. Hijzelf heeft een Rembrandt aan de muur hangen. Ga me niet vertellen dat je dat ook niet weet.'

'Dat heb je goed gezien,' knarsetandde Bram. 'Dat wist ik niet.'

'Nou, dan ben je de enige in heel Rietschoten. Praat er met je vrouw over – Marieke. Ik sprak haar vanavond. Jullie hebben ook een schilderij uitgeleend, begreep ik. Een Rubens. Die hangt waarschijnlijk naast mijn Corneille.'

Monter sloot hij het gesprek af. 'Tot ziens op de eerste vergadering, Bram. Ik verheug me op onze samenwerking.' Klik.

Blind van woede stoof Bram de woonkamer in. Marieke zat nog steeds op de bank. Zijn stem sloeg over.

'Wat voor idioot is die Jan Overhout? Waar is onze Rubens?' brulde hij op luidsprekerniveau.

Zij liet haar boek zakken en keek hem verbaasd aan. 'Door de telefoon klonk Jan best aardig. We hebben het over William Scarborough gehad en diens initiatief voor een tentoonstelling. Ik heb William onze Rubens te leen gegeven, een paar maanden geleden al. Hij hing toch maar in de slaapkamer.'

Bram keek haar hijgend aan. Zijn slapen klopten. Hij verzamelde speeksel voor nog een uithaal. 'Dat schilderij hangt al driehonderd jaar in dit huis!'

Hij kon zijn oren niet geloven. Hij keek naar zijn handen, die trilden alsof ze iemand zochten om te wurgen.

Marieke keerde terug naar haar boek. 'Hoog tijd dus dat het eens ergens anders hangt. Maak je geen zorgen. De Eendenhorst is goed beveiligd en na afloop van de tentoonstelling krijgen we het terug. Ergens eind januari, beloofde William.'

Brams mond viel open. Hij begreep er niets meer van. 'Januari? Dat is over drie maanden! Om wat voor tentoonstelling gaat dit precies? Waarom heb je mij niet over de Rubens verteld?'

Met een zucht keek zijn vrouw omhoog. 'Je wilde niet mee toen ik je vroeg. En ik heb je verteld over het schilderij, maar je bent toch nooit geïnteresseerd in wat er in Rietschoten gaande is.'

'Ik ben wél geïnteresseerd in wat er gaande is in Rietschoten!' brulde Bram nog eens op volle sterkte.

'Dat moet je dan iets meer laten zien. Iedereen die ik ken, praat erover. En schreeuw niet zo; je bent hier niet tussen je vrienden.'

Bram mompelde iets onverstaanbaars, draaide zich om en keerde op zijn schreden terug. Zijn behoefte aan een borrel was inmiddels sterk toegenomen.

Weer achter zijn bureau, gezeten onder de portretten van zijn voorvaderen en met een glas Glenfiddich in zijn hand, kalmeerde hij. Hij dronk langzaam van zijn whisky, onverdund zoals altijd. Alcohol was goed voor de bloedvaten. Hij herinnerde zich nu dat Marieke hem inderdaad gevraagd had of ze de Rubens mocht uitlenen. Hij had toegestemd zonder werkelijk naar haar te luisteren. Hij had ook zoveel aan zijn hoofd. Het advies van de dokter om minder te werken negeerde hij al jaren.

Sinds Bram vijftien jaar geleden voorzitter was geworden van Liechtensteijn & Haagelse had hij nauwelijks een minuut meer voor zichzelf gehad. Al zijn energie ging naar het bij elkaar houden van de zes sectiehoofden; allemaal getalenteerd, maar nog koppiger dan ezels. Momenteel was het creëren van consensus moeilijker dan ooit. De zaken gingen slecht en iedereen claimde een uitzonderingspositie. Onderhandelingen verliepen nog stroperiger dan bij de Verenigde Naties. Geen collega was bereid ontslagen te accepteren of zelfs maar een korting op de jaarlijkse bonus. In deze situatie waren Brams talenten broodnodig.

Liechtensteijn & Haagelse zou uiteenvallen zonder hem, dat wist hij zeker. Niemand kon immers wat Bram kon. Binnen het kantoor gold hij als vleesgeworden meester van het compromis, de man die als het moest Petrus en de Duivel ervan zou kunnen overtuigen om hemel en hel te laten fuseren tot een pretpark. Het was vanwege deze gave dat hij destijds gevraagd was, en dit jaar had Bram het record gebroken als langstzittende voorzitter ooit. Niet dat hij trots was op dit wapenfeit. Integendeel, hij voelde zijn brein steeds roestiger worden. Door al die compromissen was het lang geleden dat hijzelf een standpunt had moeten verdedigen in plaats van altijd maar openingen te zoeken in de opinies van anderen.

Hoe had hij kunnen toestaan dat de Rubens het huis verliet? Door zijn drukke werkzaamheden had hij het doek niet eens gemist. Het hing er ook al zo lang. Het schilderij was het belangrijkste erfstuk van zijn familie, een geslacht waarvan de oorsprong in Rietschotens eerste dagen lag.

Niet voor het eerst twijfelde de bejaarde advocaat of hij niet met pensioen had moeten gaan toen de gelegenheid zich voordeed. Vijf jaar geleden, toen de zaken nog goed gingen en hij zijn vijfenzestigste verjaardag vierde met een daverend feest, groeiden de bomen tot in de hemel. Hij en Marieke dansten tot het ochtendgloren, aangemoedigd door handgeklap van honderden mensen. Jongelui met amper haar op hun gezicht konden destijds al na enkele jaren partner worden, en het kantoor werd rijker dan iemand ooit voor mogelijk had gehouden. Achter elk telefoontje ging een megatransactie schuil.

Maar de jaren des overvloeds waren voorbij. Bram was inmiddels ver boven de pensioengerechtigde leeftijd, maar hij moest harder werken dan ooit. Op dit moment afscheid nemen was onmogelijk. Hij was de enige die de tent bij elkaar hield. Zijn gemis aan scherpte baarde hem zorgen. Tegenwoordig staarde een gerimpeld gezicht hem aan wanneer hij in de spiegel keek. Het haar, vroeger zo vol en zo blond, was nu doorschijnend en spierwit. Zijn kaaklijn werd aan het zicht onttrokken door grauwe lappen naar beneden gezakte huid. En Bram was moe, zo moe.

10

November

Victor negeerde de storm die om De Eendenhorst raasde, zoals hij al weken alles en iedereen negeerde die niets met het fonds te maken had. Diep over zijn bureau gebogen controleerde hij de statuten van een vennootschap. Het was kwart over acht 's avonds, maar naast hem wachtten nog vele stapels papier op hun beurt. De stroom hield nooit op. Soms dreigde het hem te veel te worden, maar Victor vond altijd een paar extra uren. Hij rekte zich uit en schonk nog wat koffie bij uit een thermoskan.

Afrika leek ver weg. Hij had zijn vader achtergelaten zoals hij hem vond; alle pogingen om contact te maken waren vruchteloos geweest. Victor dacht er niet langer over na.

Hij keek op. Er werd langdurig op de bel gedrukt. En nog een keer. Er stond iemand aan de poort die blijkbaar weigerde op te geven. Geïrriteerd duwde Victor zijn stoel naar achteren. William zat boven op zijn privé-etage; die liet zich nooit zien wanneer hij thuis was. Het was Victors taak om bezoekers te woord te staan, maar hij verwachtte niemand op dit uur. Hij liep naar de hal en bekeek het schermpje naast de voordeur. De cameralens was beslagen en hij zag enkel schimmige beelden. Dat verbaasde hem niet. Buiten regende het pijpenstelen; de herfst wist niet van ophouden na een zomer die alle records had gebroken. Nogmaals werd er op de bel gedrukt. Victor liep naar de intercom. Wie het ook was, hij zou hem vertellen dat ie moest ophoepelen. Aan deze deur werd niet gekocht.

'Wordt er nog opengedaan, of hoe zit dat?' brulde een Engels-Russische stem door de intercom. Twee minuten later stond Victor in de deuropening te kijken hoe Jessica de taxi betaalde en in de regen haastig de paar meter naar het huis overbrugde. Ze was nog mooier dan hij het zich kon herinneren. Een seconde later kreeg hij een lichte omhelzing en inhaleerde hij haar parfum.

'Een uur geleden ben ik op Schiphol geland,' zei ze toen ze zich van Victor losmaakte. 'Mijn volgende vlucht is pas morgen vroeg en ik dacht aan jou. Ik belde vanochtend het nummer op je kaartje maar iemand bij Acorn Brothers vertelde me dat je nu hier werkt.'

'Eh, dat klopt. Bij de bank ben ik weg,' mompelde Victor en hij vloog naar de garderobe om haar jas op te hangen.

Een kwartier later had hij de haard aangemaakt en zaten ze samen voor het vuur. Victor zette koffie. Iets te eten hoefde ze niet en dat kwam goed uit. Al weken leefde hij op pizza en afhaalchinees en de doos van vanavond was al op.

'Bedankt,' bibberde Jessica, terwijl ze de kop aannam. 'Dat had ik nodig. Ik ben nog niet klaar voor de winter, geloof ik.'

Ze keek om zich heen. 'Dit is een schitterende tempel. Iets dergelijks hadden de Medici's uit Florence ook in gedachten toen ze hun paleizen bouwden. Een huis gewijd aan het talent en de schepping door de mens. Heeft je baas geen butler? Een huis als dit heeft een butler nodig.'

Victor lachte. 'Hier komen alleen maar schoonmakers. William is wat dat betreft nogal zuinig. De renovatie en beveiliging hebben een vermogen gekost en al die kosten moeten door het fonds terugbetaald worden.'

Hij wees naar zijn bureau, dat overladen was met papier. Op de vloer lagen nog meer stapels. 'De schoonmaakploeg werkt eromheen; ze mogen niets aanraken. Dit is waarmee ik mij al weken bezighoud. Aktes van de vereniging van aandeelhouders, statuten, inschrijvingen, verklaringen van goedkeuring, contracten, de precieze rol en verantwoordelijkheid van de Raad van Toezicht et cetera. En dat is nog maar het eerste gedeelte. Ik ben ook begonnen met de prospectus, het document dat strategie, werkwijze, risico en procedures van IMPERIUMBOUWER moet beschrijven. De naam hoeft trouwens niet gedeponeerd te worden. Het wordt een besloten fonds. Slapen doe ik op een opklapbed. Eten doe ik hier. Jij bent de eerste persoon die ik in weken zie.' Zonder onderbreken ratelde Victor deze informatie af, nog altijd niet gelovend dat ze hier naast hem zat.

'Waarom slaap je niet boven?' vroeg ze verbaasd. 'William moet toch genoeg slaapkamers hebben? Dit huis is gigantisch.'

'Dat zijn privévertrekken.'

'Dus jij slaapt op de grond.'

'Ik vind het niet erg. Slaap haal ik later wel in. Wij hanteren een strak schema om op tijd klaar te zijn. De opening is gepland voor 7 december en William besteedt al zijn tijd aan het zoeken naar jonge ondernemers. Hij reist de hele wereld af.'

Hij wees naar een stapel documenten. 'Dat daar is mijn nieuwste project. Van iedereen in Rietschoten met een vermogen van meer dan vijf miljoen euro maak ik een dossier. Behalve leeftijd en bereidheid om risico te lopen, zijn we ook geïnteresseerd in huwelijkse staat en gezinssamenstelling. Zelfs de leeftijd van hun eventuele kinderen is belangrijk. Het luistert allemaal heel nauw.'

'Leeftijd van kinderen?' herhaalde Jessica. 'Wat heeft dat te maken met een beleggingsfonds?'

Hij glimlachte. 'Dat is een verrassing.'

'En hoe kom je aan die informatie? Via jullie bank?'

'Nee. Acorn Brothers heeft mij verboden gebruik te maken van het materiaal dat ik eerder bij hen verzamelde. Alles krijg ik via openbare bronnen: tijdschriften, kamers van koophandel, de effectenbeurs en het bevolkingsregister. Je hebt geen idee hoeveel je over iemands leven te weten kunt komen op basis van wat er opgeslagen is of gepubliceerd. De meeste registers staan op internet, maar het is zoveel werk dat ik William heb gevraagd om iemand extra aan te nemen. Hij vond het echter te duur.'

'Dus jij werkt. Dag en nacht.' Ze bekeek hem. Victor voelde zich ongemakkelijk onder de vorsende blik van haar donkerblauwe ogen. Het gevoel dat hij maanden geleden op de gracht ook had gehad, speelde weer op.

'Je ziet er slecht uit.'

'Dank je. Daarom mijd ik de mensheid. William maakt zelf ook lange uren en Boudewijn Faber werkt minstens zo hard als ik. Binnenkort krijgen we versterking van Jan Overhout en Bram de Lint. Morgen is de eerste vergadering met de Raad van Toezicht. Bram is voorzitter.'

Hij schetste iets over de achtergrond van deze drie personen en waarom ze assistentie hadden aangeboden. Jessica fronste haar wenkbrauwen.

'Hier klopt iets niet. Boudewijn, Bram noch Jan gelooft in de filosofie van IMPERIUMBOUWER. Jij ook niet, als ik je goed begrijp. Maar toch werk jij alsof je leven ervan afhangt. Wat is jouw motivatie?'

'Ik begrijp je niet.'

'Dat is toch simpel? Boudewijn heeft klanten nodig voor zijn bank. Jan is een gepensioneerde winkelier die verder weinig te doen heeft. Bram wordt zo te horen min of meer gedwongen door zijn vrouw. Tot zover alles duidelijk. Maar niemand verbindt zo zijn lot aan dat van William als jij. Waarom werk jij zo hard? Toch niet vanwege dat miserabele percentage dat je geboden is? Een half procent van lucht?'

'Er is me iets anders aangeboden. Iets interessants. Meer kan ik niet zeggen.'

'Maar wat gebeurt er als IMPERIUMBOUWER geen succes wordt?' drong Jessica aan. 'Dan heb je maanden gewerkt zonder salaris.'

Het antwoord verbaasde hemzelf. Niet zozeer wat hij precies zei, maar het vertrouwen waarmee hij het uitsprak. Plotseling begreep Victor waar William op doelde toen hij predikte over de dwang van de wil. Zelfs voor hen die niet gek of geniaal waren, bestond de mogelijkheid de eigen werkelijkheid te creëren.

'Jessica, IMPERIUMBOUWER wordt een gigant. Rietschoten heeft geen idee van wat het te wachten staat.'

Op dat moment kwam William onverwachts de kamer in. Victor stelde Jessica aan hem voor. Ze vertelde over haar beroep, freelance-adviseur van musea over het beheer en bruikleen van collecties en de inrichting van exposities.

'In dat geval moet je míjn collectie zien!' riep Wiliam uit en hij nam haar galant aan zijn arm.

Voor elk schilderij stopte William voor een verhaal of een briljante anekdote en Victor ergerde zich wezenloos toen hij hoorde dat Jessica als een verliefd wicht giechelde om elke grap. Op een gegeven moment verdween het duo naar beneden. Richting kelder waarschijnlijk, voor nog meer kunst en grootspraak. Het duurde zo lang dat Victor vreesde dat zijn baas bezig was haar te verleiden. Even ging zijn fantasie met hem aan de haal en hij stelde zich voor hoe Jessica hijgend toeliet dat Scarborough zijn kleine handen over haar borsten liet glijden en de ongetwijfeld prachtige lingerie van haar lichaam stroopte. Jezus, misschien zaten ze nu wel midden in een uitgebreide wippartij geleund tegen een Rodin of zo. Victor voelde dat het bloed in zijn aderen begon te koken, en koortsachtig zocht hij een reden of excuus om ook de trap af te dalen, met een van de smeedijzeren poken uit de open haard in de hand. Pas toen hij bedacht dat er overal camera's hingen en dat de beveiligingsman in Londen kon meekijken, bedaarde hij. Hij had wel wat beters om zich druk over te maken. Nog wat ongemakkelijk zette hij zich aan zijn bureau om tussendoor wat papierwerk af te handelen.

Pas na twee uur kwam het stel terug, zij met een blos op de wangen en hij met een vette grijns op zijn gezicht. William nam meteen afscheid; hij moest een paar dringende zaken in het buitenland afhandelen, vertelde hij. Enkele minuten later had hij De Eendenhorst verlaten.

'Een ding is zeker,' zei Jessica toen ze alleen waren. 'William weet bijna evenveel van kunst als ik.' Victor zag haar narillen. Wat er ook was gebeurd daarbeneden, de ervaring had indruk gemaakt.

'William laat niet zomaar een schilderij zien; hij vertelt erover alsof hij de kunstenaar zelf is en laat je het werk beleven zoals de schepper ervan het oorspronkelijk bedoelde. Hij kruipt als het ware in diens huid. Werkelijk heel bijzonder.'

Maar Victor had even genoeg gehoord over de geniale William en zijn briljante ideeën. Zelfs Imperiumbouwer kon hem vanavond gestolen worden. Hij piekerde zich suf hoe hij ervoor kon zorgen dat Jessica haar vliegtuig niet ging halen. Victor wilde de Russin koste wat kost op het landgoed houden, haar een diner aanbieden met veel wijn en steeds minder kleren aan; alle taxi's in Rietschoten reserveren zodat er niet één meer beschikbaar zou zijn om haar naar haar vliegtuig te brengen; de luchthaven bellen dat er een bom verstopt was; alles zou hij doen om dit verrukkelijke wezen niet nogmaals uit zijn leven te laten verdwijnen. Maar toen Jessica na een laatste kop koffie haar jas aantrok en hem haar wang aanbood voor een zedige kus, nam Victor zo normaal mogelijk afscheid. Hij wuifde haar na, en zag dat de taxi tien meter verderop plotseling weer stopte. Jessica's raampje zakte naar beneden en ze wenkte hem. De plassen ontwijkend holde hij naar haar toe.

'Weet je,' zei Jessica alsof ze hem een buitengewoon vertrouwelijk geheim toevertrouwde, 'William heeft er duidelijk geen benul van hoe je schilderijen moet presenteren. Periodes hangen bij hem dwars door elkaar en sommige combinaties trokken blaren op mijn netvlies. Binnenkort heb ik ruimte in mijn schema. Zou je het goed vinden als ik terugkom en de zaak enigszins herschik? Ik beloof dat ik niet in de weg zal lopen.'

Hij keek in haar ogen en kon slechts zwijgend toestemmen. De taxi trok op en verdween in de donkere nacht. Zijn kletsnatte overhemd negerend danste Victor door de regen terug naar binnen.

Winston had een boodschap ingesproken op zijn mobiel. Het was de eerste keer dat de jonge Afrikaan iets van zich liet horen. Victor besloot hem later terug te bellen. Iets wat Jessica had gezegd, knaagde in zijn achterhoofd: 'Niemand verbindt zijn lot zo aan dat van William als jij.'

Victor liep aarzelend naar de voet van de trap. In al die weken dat hij hier woonde, was hij nooit verder dan de begane grond gekomen. Dit was de enige weg die naar boven leidde. De lift stopte alleen in de kelder. Hij staarde omhoog. William was op weg naar Azië en werd pas over enkele dagen terug verwacht.

Wat wist hij eigenlijk van William Scarborough, behalve dat de man charmant was en een goed verhaal kon vertellen? Voordat Victor zijn toekomst in Williams handen legde, zijn lot aan hem verbond, had hij informatie nodig. Zo veel mogelijk. Er stond te veel op het spel om iets aan het toeval over te laten. Hij sloop de trap op. Boven was niets bijzonders te zien. Alleen een lange gang waarop zo te zien verschillende kamers uitkwamen. Victor liep naar de eerste kamer waarvan de deur openstond. Voorzichtig ging hij naar binnen. Het was een bescheiden vertrek, dat duidelijk alleen gebruikt werd om te slapen. Er stonden slechts een bed, een kast, een stoel en een tafel van eenvoudige makelij. Victor vond wat kleren, een paar gepoetste laarzen en toiletartikelen. Verder niets. Geen pracht en praal in de privévertrekken van de kasteelheer van De Eendenhorst. Er hing geen enkel schilderij. Zelfs geen kalender. Dit was de cel van een kloosterling. De andere kamers op de etage waren leeg. Victor besteedde nog een uur om de rest van het huis te doorzoeken, maar uiteindelijk leverde zijn onderzoek niets op. Op de begane grond en kelder na stond De Eendenhorst leeg.

In verwarring liep hij terug naar beneden. William woonde al vijf maanden in dit huis, lang genoeg om iets van zijn persoonlijkheid achter te laten, maar er was geen snippertje papier, boek, foto of herinnering van hem te vinden. Hij dacht na in de stilte van het enorme huis. De Amerikaan dronk nooit iets sterkers dan mineraalwater, zelfs geen koffie of thee, liet nooit een emotionele kant zien en leefde als een monnik omringd door de schatten van anderen. Hij leek een oprecht gebrek aan ego te hebben. Maar Victor kon het niet geloven. Hij herinnerde zich hoe Boudewijn zich als een slang had laten bezweren door de gouden bergen die Scarborough hem voortoverde en dacht terug aan hoe zelfs Jessica eerder vanavond nauwelijks weerstand kon bieden aan zijn charmes. Nee, Scarboroughs bescheidenheid was vals, een uitgekiende strategie om alles van Rietschoten te vragen zonder zelf iets terug te hoeven geven. Victor ging achter zijn computer zitten en stuurde een lange e-mail naar Bram de Lint.

Een piep klonk in zijn binnenzak en William Scarborough, die wegens de storm vertraging had en op Schiphol in een bar mineraalwater zat te drinken, haalde zijn telefoon tevoorschijn. Een sms-bericht informeerde hem dat op De Eendenhorst de connectie tussen twee elektronische cellen verbroken was. Iemand bevond zich op zijn etage. Glimlachend stopte hij het toestel terug. Ongetwijfeld was het Victor, die meer over zijn baas probeerde te weten te komen. Dat was geen probleem; integendeel. Nieuwsgierigheid was onderdeel van het proces. William had niet anders verwacht. Het gedrag van al zijn assistenten was immers voorspelbaar?

11

November

Bram de Lints voorzittersstem riep de aanwezigen tot de orde. 'Dit is de eerste gezamenlijke vergadering van de Raad van Toezicht en de directie van IMPERIUMBOUWER, het beleggingsfonds in oprichting. Aanwezig zijn William Scarborough en Victor van Zanten, respectievelijk directeur en adjunct-directeur. Tevens aanwezig zijn ondergetekende, Boudewijn Faber en Jan Overhout. Notulist is Victor.'

Bram raadpleegde zijn agenda. De bejaarde advocaat leek enigszins onwennig, vond Victor, maar misschien kwam dat doordat de vergadering rondom de open haard plaatsvond en niet aan een conferentietafel.

'Eerste punt. Een overzicht van de voorbereidingen tot nu toe.' Bram keek naar Victor. 'Wellicht dat jij ons hierover kunt inlichten?'

'Jazeker,' zei Victor. Hij schraapte zijn keel. 'Alle potentiële beleggers zijn in kaart gebracht en nader geanalyseerd. Mensen met een vermogen van minder dan vijf miljoen euro, ongetrouwd, gescheiden of zonder kinderen in de door ons vooraf bepaalde leeftijdscategorie tussen achttien en vijfentwintig jaar vallen af. Zij ontvangen geen uitnodiging en hun kunstwerken zijn geretourneerd. Verder...'

'Sorry,' onderbrak Jan Overhout hem, 'waarom mogen ongetrouwde en gescheiden mensen zonder kinderen tussen de achttien en vijfentwintig niet meedoen?'

Victor keek naar William. Antwoorden inzake strategie zouden van hem komen, hadden ze vooraf afgesproken.

'Dat heeft te maken met de specifieke eigenschappen van het fonds,' zei de Amerikaan vlot. 'Tijdens de eerste bijeenkomst zal dit duidelijk worden.'

Hij gebaarde Victor door te gaan, maar Jan nam hier geen genoegen mee. De man had een vlezig gezicht dat rood boven het overhemd opzwol. 'Wij zijn niet zomaar iedereen, wij zijn de Raad van Toezicht. Hierover heb ik niets gelezen.'

Bram de Lint knikte. 'Jan heeft gelijk. Wij moeten weten wat er gaande is. Anders zijn wij slechts rekwisieten voor het toneel.'

William glimlachte alsof die gedachte hem amuseerde. 'De gezinssamenstelling of huwelijkse staat van investeerders heeft niets te maken met de voorwaarden, condities of het risico van het fonds, en dát zijn de zaken die de Raad aangaan. Een dergelijke segmentatie is heel gewoon. Voor Victor en mij is het een methode om de opbrengst te vergroten. Weliswaar verliezen we hierdoor ongeveer honderd namen, maar we houden er nog genoeg over.' Hij wenkte naar Victor. 'Ga verder.'

Boudewijn keek teleurgesteld; ongetwijfeld omdat hij als directeur van Acorn heel wat minder mogelijke klanten bleek te gaan ontmoeten dan hij had gehoopt.

'We houden honderdtachtig miljonairs over,' zei Victor tot niemand in het bijzonder. 'Met partner.'

Hij wees naar de kartonnen dozen die in een hoek stonden opgestapeld. 'De uitnodigingen zijn klaar. We hebben ze laten maken door een lokaal ontwerper. Namen, adressen en titels zijn op aanspreekvorm en spelling gecontroleerd. Een kalligrafe uit Den Haag heeft de enveloppen en kaarten beschreven met Oost-Indische inkt en alles wordt morgen per koerier bezorgd. Op basis van dertig paren per avond organiseren we zes avonden. De opening is vastgesteld op 7 december.'

'En die mensen passen hier allemaal in?' vroeg Jan, om zich heen kijkend.

'Ja, geen probleem. We verwijderen het meubilair en er komen theaterstoelen in het midden. Voor de haard wordt een podium geplaatst waar wij met ons vijven komen te zitten. En de collectie wordt natuurlijk elke avond aangepast.'

Dit verbaasde de heren van de Raad. De collectie werd elke avond aangepast? Victor lachte. Ere wie ere toekomt. Het was een van Williams slimste ideeën.

'Elke ochtend bekijken we wie er die avond komt. Van elk paar hebben wij een schilderij in huis en dat hangen we op. De topstukken, de Rembrandt, Rubens, Mondriaan en Van Gogh worden niet weggehaald en blijven alle avonden hangen op een eigen, vaste plek. Wat er verder hangt, is dus van de gasten zelf, dertig schilderijen in totaal. Op die manier creëren wij een positieve emotie van herkenning, een beetje thuiskomen. Vergeet niet dat de mensen hun kunstwerk al vijf maanden niet gezien hebben. Dat is de reden dat William oorspronkelijk vroeg om kunst met een speciale band. Hij wilde ze laten lijden.'

Jan en Bram knikten, beiden waarschijnlijk denkend aan de lege plek aan hun eigen muur.

'De schilderijen van de rijksten hangen we naast een meesterwerk; die krijgen een ereplaats. Welk meesterwerk dat precies wordt, hangt af van de kunstenaar en de stijl. Hiervoor hebben we een adviseur aangetrokken. Haar naam is Jessica Dobson en in dit vak is ze wereldberoemd. Ze heeft toegestemd om de zes exposities samen te stellen, op voorwaarde dat ze de vrije hand krijgt.

Niet alleen zal de eigenaar blij zijn met het weerzien van zijn doek, als dat hangt naast een meesterwerk worden hij en zijn vrouw ook nog eens bevestigd in hun goede smaak. Naast een Rembrandt hangt alles mooi.' Victor grinnikte. 'Jessica was gisteravond even hier. Ze vertelde dat ze in de kelder zoveel lelijks had gezien dat ze van plan was gedempt licht te gebruiken.'

Dit bracht gelach bij iedereen.

'Slim,' stemde Jan in. Hij keek tevreden. Victor wist dat de gepensioneerde winkelier als rijkste man van het dorp er nu op rekende dat zijn Corneille een prominente plek vlak naast de Rembrandt zou krijgen.

'Bedankt, Victor,' zei Bram en hij verlegde zijn aandacht naar William. 'Over het volgende punt hebben wij enig vooroverleg gehad. We weten dat jij niet lang geleden hier bent komen wonen en fantastisch werk verricht hebt met het landgoed. We weten ook dat je gepassioneerd bent over talent, kunst, het fonds IMPERIUM-BOUWER en de verbindingen daartussen. Maar je persoonlijke achtergrond blijft onbekend en die leegte willen we vanavond graag invullen. Per slot van rekening vragen we Rietschoten om haar vertrouwen. En haar geld.'

Victor haalde in stilte opgelucht adem. De oude advocaat had zijn e-mail blijkbaar gelezen.

'Dat je zelf vermogend bent, weten we inmiddels. Je bankreferenties zijn in orde. Maar kun je iets over jezelf vertellen? Welke opleiding je hebt gevolgd bijvoorbeeld, en welke ervaring je hebt op het gebied van beleggingsfondsen?' Even bleef het stil, in afwachting van het antwoord.

'Nee,' zei William rustig.

'Kun je dat herhalen, alsjeblieft?'

'Nee, dat wil ik niet,' zei William nogmaals, alsof dit de gewoonste zaak van de wereld was. Verblufte blikken alom. De Amerikaan leunde achterover in zijn stoel en sloeg zijn armen over elkaar.

'Mijn verleden is niet relevant voor de Raad van Toezicht. Enkel het rendement van IMPERIUMBOUWER en mijn rol als oprichter en directeur zijn dat. Beoordeel mij op mijn prestaties – nergens anders op.'

Dit vond zelfs Boudewijn, die zijn eigen carrière aan het fonds verbonden had, te ver gaan. 'Maar je moet toch kunnen aantonen dat je met dergelijke projecten ervaring hebt?'

William haalde zijn schouders op. 'Dat heb ik al gedaan. Alle voorbereidingen zijn voltooid. De documentatie is goedgekeurd en de benodigde vergunningen zijn ontvangen. Het enige wat nog plaats moet vinden, is de laatste selectie van ondernemers en ook die is zo goed als klaar. Er bestaat geen reden om aan mijn kwaliteiten te twijfelen.'

'We twijfelen niet aan je kwaliteiten, we willen alleen graag weten hoe en waar je die verkregen hebt,' merkte Jan scherp op. Deze opmerking werd genegeerd. Victor zag Bram iets in het oor van zijn twee collega's fluisteren. Beiden knikten. De oude advocaat keerde naar William terug.

'Je wilt dus geen enkele informatie over jezelf geven? Denk goed na over je antwoord, want dit creëert een nieuwe situatie. Een die wij niet voorzien hadden.'

William knikte, zich op het oog van geen probleem bewust. 'Klopt. Overigens is daar niets vreemds aan. Miljoenen mensen beleggen in fondsen waarvan ze de persoon van de beheerder nooit leren kennen. Het is de prestatie die bepaalt; niet de persoonlijkheid.'

'Juist,' zei Bram. 'Excuseer ons, wil je?' Hij stond op en ging Jan en Boudewijn voor naar de hal. Daar, met de deur dicht, ging het er heftig aan toe. Victor hoorde hun opgewonden stemmen. Hij kon er geen woord van verstaan, maar dat was ook niet nodig. Zijn eigen standpunt werd, wist hij, vertegenwoordigd door Bram. Na enkele minuten kwam het drietal terug. Bram nam het woord.

'De Raad is het niet met je eens. De persoon van de beheerder is wel degelijk van belang en als over hem niets bekend is bij het publiek, moet hij in elk geval bekend zijn bij de bank die het fonds ondersteunt. Boudewijn echter heeft ook geen informatie over je.'

'Zelf wil je ondernemers selecteren op basis van persoonlijkheid en karakter,' voegde Jan daaraan toe, 'maar die luxe gun je de mensen in Rietschoten blijkbaar niet.'

William zweeg.

'Wat doe je als we weigeren op deze basis door te gaan?' vroeg Bram, die vriendelijk bleef glimlachen. Victor was trots op hem. Er zat staal in deze oude heer.

Een even vriendelijke glimlach kwam retour. 'Dan vertrek ik uit Rietschoten. IMPERIUMBOUWER gaat niet door.'

'Je zou ontzettend veel verliezen,' gaf Bram hem ter overweging. 'Alleen al het geld dat je in De Eendenhorst gestoken hebt.'

'Dat is mijn probleem. Ik heb genoeg om het te kunnen betalen. Iets als dit gebeurt slechts hoogst incidenteel. Ik begin gewoon ergens anders opnieuw.'

'Het gebeurt je slechts incidenteel dat een fonds vóór zijn oprichting wordt afgelast? Je hebt dit dus eerder gedaan?'

'Fondsen opgezet en landgoederen gerenoveerd? Zeker. Beide doe ik al tien jaar.'

'Hij geeft dus wél informatie...,' hoorde Victor Boudewijn voor zich uit prevelen. De bankier stond duidelijk doodsangsten uit. Stel je voor dat William zou opstappen! Niet voor niets was Project Hemelpoort de naam die Acorn Brothers voor dit fonds gekozen had. Een van Victors vroegere collega's, Julius van Maaren, had hem verteld dat, op basis van wat hier stond te gebeuren, Londen het budget van de vestiging had verdubbeld. Personeelszaken was het zwijgen opgelegd. George Finton scheen te schuimbekken van woede.

'Fondsen met dezelfde formule?' vroeg Bram door.

'Fondsen met precies dezelfde formule.'

'En het succes?'

'Dat heb ik al gezegd. Vijftig procent rendement over een looptijd van tien jaar.'

'Juist,' zei Bram. 'Ben je bereid referenties te geven? Ons in contact te brengen met mensen met wie je eerder hebt gewerkt? Advocaten, notarissen, bankiers?'

'Nee,' zei William en hij knikte naar Boudewijn. 'Daar hebben jij en ik het eerder over gehad.'

'Klopt!' straalde de rood aangelopen directeur, alsof William hiermee een belangrijk punt maakte.

Bram leek te aarzelen. 'William, wij hebben zojuist op de gang een pittige discussie gevoerd. De conclusie daarvan was dat als we met elkaar door willen gaan, jij ons als Raad van Toezicht geen andere keus laat dan jou een reeks beperkingen op te leggen als beheerder van het fonds. Tot nader order mag je namens IMPERIUMBOUWER geen geld uitgeven of anderszins toezeggingen doen. Het geld van Rietschoten mag alleen maar geïnvesteerd worden in door de Raad van Toezicht vooraf goedgekeurde ondernemers. Jouw bonus en die van Victor zullen hiervan afhankelijk zijn.'

De glimlach verdween van Williams gezicht. 'En als ik weiger?'

Bram hief zijn handen ten hemel. 'Dan gaan we naar huis en proberen nog iets van de avond te maken. Dat zal niet makkelijk zijn, want het is al laat. Ons voorstel is een compromis. Ik raad je aan het te accepteren.'

De Amerikaan knarsetandde. 'Ik accepteer, maar onder protest. Deze maatregelen gaan veel te ver. Ik word volledig in mijn bewegingsvrijheid beperkt.'

'Dat was ook de bedoeling,' antwoordde Bram droog. 'Maar vergeet niet: het was je eigen beslissing.'

Victor schreef op hoe zijn voorstel werd geaccepteerd.

Later die avond explodeerde hij tijdens een telefoongesprek met Jessica. Ze zat in een hotelkamer in Wenen en hoorde Victors opgewonden verhaal slaperig aan.

'Je had het moeten zien! De grote William Scarborough, de man die zich spiegelt aan Morgan, Mozart en Rembrandt; de filosoof, historicus en investeerder die urenlang kan preken over doorzettingsvermogen, talent en onwrikbare wil, gaf op bij het eerste zuchtje tegenwind. Bram nam hem de teugels van zijn eigen fonds uit handen nog voordat IMPERIUMBOUWER zelfs maar is opgericht!'

'Mmm...' peinsde Jessica. 'William kennende moet hij daarvoor een reden hebben.'

'Heb ik ook bedacht. Er is maar één conclusie mogelijk. William heeft iets te verbergen. Anders zou hij niet koste wat kost de discussie over zijn persoonlijke verleden uit de weg gaan. Hoogst waarschijnlijk gaat het om iets afgrijselijks.'

'Mogelijk,' hoorde hij haar gapen door de telefoon. 'Maar waarom bel je mij hierover op? Wat heb ik ermee te maken?'

'Niets,' krabbelde Victor terug. 'Helemaal niets, natuurlijk. Ik dacht, eh...'

'Je belt me midden in de nacht. Ik sliep. Er is zeker niemand anders met wie je dit kunt delen?'

'Nee... Nu kruip je onder mijn huid, Jessica. Dat is niet eerlijk.'

'Touché. We werken allebei te hard om vriendschappen te onderhouden. Wat dat betreft kiezen we beiden voor de eenzaamheid van prestatie. Welterusten, Victor. En reserveer een goed hotel in Rietschoten voor me. Ik slaap niet in een opklapbed.'

12

December

Bram de Lint miste zijn Rubens. Het schilderij was niet eens zo groot, ongeveer dertig bij veertig centimeter. Toen hij en Marieke in het voorouderlijk huis gingen wonen, nu tientallen jaren geleden, was de restauratie ervan een van zijn eerste prioriteiten geweest. Nadat het vuil van generaties verwijderd was en een nieuwe vernislaag aangebracht, sprongen de kleuren weer als nieuw tevoorschijn. De gebruinde lijfjes van drie engeltjes, het wit van de vleugels op hun rug, het blauw op de achtergrond en de bloemenpracht rechtsonder, het spetterde allemaal van het doek. Het was pure magie. Een kunstwerk dat iedereen die het zag, betoverde. Er bleek zelfs een vierde engeltje te zijn, iets wat tot dan toe niemand had gezien.

Na de schoonmaak hing het schilderij decennialang in zijn studeerkamer, maar op een gegeven moment, niemand wist precies meer waarom, was het naar de slaapkamer verhuisd. Bram keek er eigenlijk al jaren niet meer naar om. Maar nu het niet meer in huis hing, besefte hij hoe belangrijk het voor hem was. Voor de advocaat symboliseerde de Rubens de werkelijke waarden van het leven: eenvoud, schoonheid en de onschuld van het pasgeboren kind.

Niet dat Bram het zich kon veroorloven daar vaak bij stil te staan. Zijn werk slokte hem deze dagen meer dan ooit op. Het mes lag op tafel bij Liechtensteijn & Haagelse. Vergeet die bonus; elke sectie van het advocatenkantoor moest inleveren. Ontslagen konden niet langer worden uitgesloten en alle partners vochten om lijfsbehoud. Er vonden voortdurend onderhandelingen plaats, die vaak tot diep in de nacht duurden.

Maar nu, eenmaal uitgeput in bed kon Bram de slaap niet vatten. Hij staarde in het donker voor zich uit. Er was iets mis, en dat had alles te maken met die lege plek op de muur tegenover hem. Twijfels dwarrelden door zijn hoofd. De Rubens was op elke veiling vele miljoenen euro's waard. Driehonderd jaar geleden, in 1703 om precies te zijn, had een van zijn voorvaderen het schilderij gekregen uit handen van Prinses Maria Louise van Hessel-Kassel. Het was een symbolisch geschenk geweest uit dankbaarheid: toen haar echtgenoot Prins Johan Willem Friso was overleden, had de toenmalige Abraham de Lint geholpen de erfenis veilig te stellen. Het beheer over Rietschoten was het werkelijke geschenk geweest, en de dynastie had zich daarmee in gang gezet. Nog altijd woonde Bram in het huis dat zijn stamvader destijds had laten bouwen.

En nu hing de Rubens voor het eerst in al die eeuwen ergens anders. Het was verkeerd. Zou William hem tegenhouden als hij het terug wilde halen? Wie garandeerde hem dat William er niet zelf mee vandoor ging? Wie was William Scarborough eigenlijk en waarom ontweek hij hun vragen? Bram sliep slecht, de laatste tijd. Antwoorden kwamen er niet, maar als hij eerlijk was, ondernam hij ook geen pogingen om die te verkrijgen.

De volgende ochtend in zijn auto ging de telefoon.

'De Lint,' riep hij humeurig richting het microfoontje dat bevestigd was aan de binnenspiegel. Hij voelde zich geradbraakt. Geen aspirine hielp tegen de hoofdpijn die met doffe slagen onder zijn schedel klopte.

'Goedemorgen, meneer De Lint. Dit is Victor van Zanten.'

'Goedemorgen, Victor. Wat kan ik voor je doen?'

'Mij een paar minuten van uw tijd geven, als het kan. Volgens de secretaresse bent u op dit moment onderweg naar Den Haag?'

'Klopt. Maar ik sta in de file. Zeg het maar.'

'Ik wilde u bedanken dat u me hebt willen helpen, gisteravond. Al denk ik dat het misschien niet voldoende is om William beperkingen op te leggen. Er moet meer gebeuren om informatie over hem boven water te krijgen.'

Kijk eens aan, dacht Bram. Een bondgenoot. 'Ga verder.'

'Ik zou het niet leuk vinden als William in een later stadium iemand anders blijkt te zijn dan wij nu allemaal denken. Met name omdat ik weet wat hij met het fonds van plan is. De belangen zijn groot. Wellicht groter dan u denkt.'

'Wat zijn die plannen met het fonds dan?' Dit was de gelegenheid om meer te weten te komen, realiseerde de oude advocaat zich.

'Ik mag niets zeggen. Ik heb geheimhouding beloofd. Maar ik kan u wel vertellen dat William met Imperiumbouwer veel geld gaat ophalen. In al zijn calculaties is een getal verwerkt met negen cijfers. Honderd miljoen euro.'

Bram schudde zijn hoofd in verwarring. 'Dat begrijp ik niet. Daar begrijp ik niets van. Op zoveel had niemand van ons gerekend. Maar – zelfs als het waar is, waarom bel je mij op als je eigenlijk niets mag vertellen?'

'Ik bel omdat ik het me niet kan permitteren fouten te maken. Niet met zoveel geld van anderen op het spel. Ik bel omdat ik op het punt sta mijn toekomst aan William toe te vertrouwen. Ik bel omdat het belangrijk is dat William Scarborough nagetrokken wordt. Ik wil weten of zijn naam en vingerafdrukken ergens in de wereld geregistreerd staan. Ik wil weten of er ooit fraude of wanbeheer gepleegd is met een vergelijkbaar fonds. Ik wil weten of die Zwitserse bank van hem bereid is om meer over William Scarborough te vertellen dan enkel hoeveel geld hij heeft. Ik vertrouw William niet verder dan dat ik hem zie.'

Bram hoorde Victor zwaar ademhalen.

'Vandaag is het 1 december. We hebben nog zes dagen tot de opening. Als ik voor die tijd geen bevredigende antwoorden krijg, neem ik ontslag als assistent-fondsbeheerder en moet William maar op zoek gaan naar een ander. Ik werk niet voor iemand die verstoppertje speelt. Kent u mensen die mij kunnen helpen? Iemand bij de politie wellicht?'

Bram dacht snel na. Wat hij hoorde, beviel hem. En de commissaris in Rietschoten was een vriend. 'Achterhalen of William geregistreerd staat is eenvoudig. Een telex naar interpol sturen is voldoende. Maar hoe komen we aan zijn vingerafdrukken?'

'Simpel. William drinkt elke ochtend een paar glazen mineraalwater. Het lijkt wel alsof hij niets anders drinkt. Als ik nu zo'n glas in een plastic zakje wikkel en bij u aflever? Daarop moeten voldoende afdrukken staan.'

'Een prima plan, maar breng het niet naar mij. Breng het naar commissaris Sanders van de regiopolitie Rietschoten. Het bureau ligt tegenover de kerk; je kent het wel. Ik bel hem op dat hij je kan verwachten. Hoe eerder je het bij hem afgeeft, hoe beter.'

'Doe ik. Bedankt, meneer De Lint.'

'Nee, jij bedankt. Hier had ik zelf aan moeten denken.'

Bram verbrak de verbinding en belde Sanders. Meteen nadat hij die had ingelicht, toetste hij het nummer van Lodewijk van Ballegooy. Lodewijk was zijn beste vriend. De combinatie was enigszins ongebruikelijk, want Lodewijk was lang, extravert en sportief. Bram daarentegen was klein en gesloten en al vanaf zijn vroegste jeugd een ramp met een bal. Hun verschillen vormden echter geen belemmering voor een hechte vriendschap die al meer dan vijftig jaar standhield. Ze hadden samen op de universiteit gezeten en waren daar de drijvende kracht geweest achter de toneelclub. Het feit dat beiden pas op latere leeftijd vader waren geworden, versterkte de band alleen maar.

Na zijn studie had Lodewijk de apotheek van zijn familie overgenomen en die uitgebouwd tot de grootste van de provincie. Het succes was met name te danken aan Lodewijks unieke interesse in mensen. Lodewijk kende iedereen en iedereen kende Lodewijk. Daarom had Bram hem nu nodig. Het was tijd voor een klein marktonderzoek.

Zijn vriend zat midden in een inventarisatie van een van zijn vestigingen. De advocaat verspeelde daarom geen tijd met beleefdheden.

'Je bent bekend met die tentoonstelling die binnenkort op De Eendenhorst wordt gehouden?'

'Moeilijk daar niet bekend mee te zijn; Rietschoten praat over weinig anders. Velen waren teleurgesteld dat ze geen uitnodiging kregen. De gelukkigen zijn buiten zichzelf van vreugde. De dames winkelen allemaal voor iets nieuws. De heren moeten in pak, helaas. Ik haat die stropdas.'

Bram fronste. Meestal was het uiterst moeilijk om de mensen in Rietschoten ergens voor in beweging te krijgen. 'Buiten zichzelf van vreugde? Dus jij denkt dat iedereen komt?'

De apotheker lachte. 'Wat denk je zelf, Bram? Natuurlijk wil iedereen het grootste landgoed van Rietschoten vanbinnen zien nu het klaar is. En iedereen is nieuwsgierig naar wat de anderen aan de muur hebben hangen en hoe hun eigen schilderij daar tussen past.'

'Hebben jullie iets gegeven?'

'Ik niet; Yvonne. Zij heeft de Frans Hals gedoneerd, het schilderij dat ik heb gekocht ter gelegenheid van mijn jubileum. Zonder het te vragen, natuurlijk. Ik mis het, tot mijn verbazing. Geloof jij daarin, Bram? Kun je heimwee hebben naar een schilderij?'

Absoluut, dacht Bram bij zichzelf. 'Alleen als je bang bent het niet terug te krijgen, Lodewijk,' antwoordde hij. 'Maar dat is niet de reden dat ik bel. De tentoonstelling wordt gecombineerd met de introductie van een fonds, een beleggingsfonds dat investeert in jong talent. Ben jij geïnteresseerd?'

'Moeilijk om daarover iets te zeggen zonder meer te weten. Jij bent voorzitter? Zeg het maar. Is het risicovol?'

'Ik bemoei me niet met beheer,' loog Bram. 'Ik ben alleen maar voorzitter van de Raad van Toezicht. Maar het fonds is inderdaad risicovol en het rendement onzeker. Ook geldt er een minimale inleg van honderdduizend euro.'

Lodewijk floot. 'In dat geval moet ik waarschijnlijk afhaken,' zei hij. 'Mijn computers worden volgend jaar aan elkaar geknoopt en dat kost handenvol geld. Ook de studie van de kinderen kost elk jaar meer. Vind je het erg als ik niet meedoe?'

Absoluut niet, dacht de advocaat, maar dat kon hij moeilijk hardop zeggen. 'Daar heb ik geen oordeel over, Lodewijk, dat moet je zelf weten. Denk je dat anderen wel zullen participeren?'

Lodewijk dacht na. 'De meesten niet, om eerlijk te zijn. Een groot aantal van hen heeft recentelijk zo veel verloren dat ze nog altijd huiverig zijn voor de beurs. En als jij zegt dat het risicovol is...'

'Bijzonder risicovol,' benadrukte Bram nogmaals.

'Dan denk ik niet dat veel mensen hier hun geld in zullen stoppen. Hoeveel uitnodigingen hebben jullie verstuurd?'

'Honderdtachtig. Op hoeveel zou het fonds kunnen rekenen? Aan totale inleg, bedoel ik?' Gespannen wachtte de oude advocaat het antwoord af. Niemand kende Rietschoten beter dan Lodewijk. Zijn vriend kon de uitslag van de gemeenteraadsverkiezingen tot op een kwart zetel nauwkeurig voorspellen.

'Eens kijken... Ik schat dat de helft geïnteresseerd zal zijn, maar dat uiteindelijk slechts een derde meedoet. De meesten zullen niet meer dan het minimum inleggen. Later kopen ze wellicht bij, als het fonds het goed blijkt te doen. Klinkt dat logisch? Het is moeilijk een voorspelling te doen zonder details.'

'Dat klinkt zeer logisch, Lodewijk. Precies wat ik nodig had. Dankjewel.'

'Overigens, Bram? Als je bang bent je Rubens niet terug te krijgen... Ik heb de beveiliging van De Eendenhorst laten doorlichten. Die Frans Hals van mij is nogal kostbaar en ik wilde er zeker van zijn dat het op het landgoed veilig hing. Ongetwijfeld heb jij hetzelfde gedaan voor jouw schilderij.'

Bram kon zichzelf wel voor zijn kop slaan. Voor de tweede keer die dag vervloekte hij zijn eigen nonchalance. 'Ik word oud!' klonk het hol in zijn hoofd.

'Helaas niet. Stom. Maar ik ben blij dat in elk geval een van ons zijn hersens gebruikt. Wat was het resultaat?'

'Heel positief, eigenlijk. Risk Management Consultancy is goudgerand en de verzekeringsmaatschappij heeft de beveiliging getest. Alle mogelijke risico's zijn in de polis gedekt; van brand en diefstal tot terrorisme en komeetinslag. Dat schilderij hangt daar veiliger dan bij mij thuis.'

'Dat geldt dan ook voor ons. Een dief haalt het zo uit de slaapkamer. De ladder ligt in de schuur. Nogmaals dank.'

Bram verbrak de verbinding en begon te rekenen terwijl de file langzaam in beweging kwam. Als Lodewijk gelijk had, zou Imperiumbouwer op ongeveer zes miljoen euro kunnen rekenen. Hooguit tien, als cowboys zoals Jan Overhout meer geld wilden inzetten in dit casino van twijfelachtig allooi. Opgelucht vervolgde Bram zijn weg, zijn slechte humeur helemaal opgeklaard. Tien miljoen was niet veel geld in Rietschoten. De helft van de genodigden kon dit bedrag ophoesten zonder er een boterham minder om te eten. Hij begreep niet hoe William Scarborough aan honderd miljoen dacht te komen. Victor moest zich een nul vergist hebben. Bram zette de radio aan, vond de klassieke zender en begon luid met een opera mee te neuriën. Wat je je allemaal in je hoofd haalt tijdens een slapeloze nacht!

13

December

William stond voor een van de ramen en staarde naar buiten. In een onafgebroken stroom zag hij de auto's door het nachtelijke duister naar het landhuis rijden, als muizen onweerstaanbaar aangetrokken door de geur van kaas. Dit was zijn publiek. Hij was tevreden over alle voorbereidingen; ze hadden hard gewerkt. Maar dit moment, enkele minuten voor het begin, wilde William alleen beleven.

Hij wreef over zijn maagstreek. De hele dag had hij niet kunnen eten. William meende dat iedere artiest, al deed die hetzelfde kunstje voor de honderdste keer, een soortgelijke spanning moest kunnen oproepen om scherp te zijn. Wel, hij stond op scherp en verheugde zich bijzonder op de komende voorstelling.

Hij keek om zich heen en zag dat alles goed was. Zestig lege stoelen wachtten op mensen die later die avond enthousiast en langdurig voor hem zouden applaudisseren. Ook de zwijgende meesters Rembrandt, Ford en Walton hingen op de juiste posities klaar. Het borstbeeld van Morgan was voor de gelegenheid in de was gezet en glom. William grinnikte. Hij was in hart en nieren een showman.

'God, ik bén goed. De beste ter wereld. En dit zou weleens groter kunnen worden dan ooit,' zei hij tegen zichzelf. Hij oefende zijn glimlach nog eens.

Bram trommelde op het stuur van zijn auto. De rij voor hem vorderde tergend langzaam. Hij had lang gewacht op dit moment, de avond van 7 december. Met moeite verbeet hij zijn ongeduld. Naarmate de tijd vorderde was het verlangen om de Rubens terug te zien bijna ondraaglijk geworden. Vanaf de plek waar hij stond, kon Bram de lichten van het landgoed zien schijnen als bakens in de donkere zee van bomen. Ze leken hem te roepen.

Een voor een, en pas na een strenge veiligheidscontrole door twee overijverige agenten bij het toegangshek, werden de wagens toegelaten tot De Eendenhorst.

'Dit is een kunsttentoonstelling, geen luchtmachtbasis, verdomme!' snauwde Bram hen toe. Hij negeerde de afkeurende blik van Marieke naast hem. Eenmaal binnen reed Bram tussen rijen branende fakkels de oprijlaan op, die naar een parkeerplaats leidde. Hij bekeek de andere gasten. De meeste mannen waren jonger; niet ouder dan zestig, schatte hij. Hun vrouwen hadden zonder uitzondering erg hun best op hun uiterlijk gedaan en zagen er nog jeugdiger uit. Met het klimmen van zijn eigen jaren viel het schatten van leeftijden hem steeds moeilijker. Blauw en paars waren blijkbaar de kleuren voor deze herfst maar zijn gevoel voor mode was legendarisch slecht. Parfum hing in de koele lucht.

Binnen klonk het geroezemoes van stemmen en Bram moest meteen bij binnenkomst handen schudden en wangen kussen. Het was kwart voor acht, een kwartier voor de officiële opening, maar de zestig genodigden leken er allemaal al te zijn. Een knap meisje nam hun jassen aan en bracht die naar een aparte garderobe. Obers in smoking schonken koffie en presenteerden Belgische bonbons. Er klonk muziek, Mozart, vanzelfsprekend. *Don Giovanni*. In de zaal zag Bram dat al het meubilair verwijderd was en vervangen door theaterstoelen, die in de richting wezen van het podium dat voor de haard was geïnstalleerd. Daarop stonden een tafel en een houten spreekgestoelte. Het borstbeeld van Morgan en de portretten van Ford en Walton waren vanuit de zaal niet zichtbaar; geen spot lichtte hen uit. De andere kunststukken, eenendertig schilderijen in totaal, waren wel verlicht. Het was de enige verlichting in de ruimte en het effect was werkelijk verbluffend. Kunst stond hier letterlijk in het brandpunt. De rest bleef duister.

Hoewel ze zeer verschillend waren en soms met elkaar contrasteerden, hingen alle schilderijen in harmonie, alsof de kunstenaars het samen oorspronkelijk zo bedoeld hadden. Jessica Dobson had een wonder verricht. In elke hoek hing een meesterwerk, maar de Rembrandt had de ereplaats. Het portret was op een ezel in de serre geplaatst, zodat het leek alsof de artiest nog bezig was er de laatste hand aan te leggen. Aan weerskanten stonden twee andere ezels: op de ene stond een Franse impressionist en op de andere, ongetwijfeld tot diens enorme tevredenheid, de Corneille van Jan Overhout. Ook hier had Jessica haar best gedaan. Een speciale lamp lichtte de schaduwen van de Rembrandt uit en dempte tegelijkertijd de felle kleuren van het Cobraschilderij. Het resultaat was zowel verrassend als provocatief.

De genodigden liepen druk pratend door elkaar of schuifelden langs de muren. Waar tussen de schilderijen nog ruimte was, waren foto's van het landgoed opgehangen van zowel voor, tijdens als na de verbouwing. Iedereen leek enthousiast over het resultaat. Nog blijer werd men bij de ontdekking van het eigen kunstwerk en hoe mooi het hing tussen al die andere. De meesten bleven dicht bij hun eigendom staan en raakten in gesprek met buren. Introducties vonden spontaan plaats. Over en weer werden bewonderende opmerkingen gemaakt. Bram negeerde echter alles en iedereen om zich heen. Hij was Marieke bijna meteen na binnenkomst kwijtgeraakt maar dat interesseerde hem op dit moment niet. Voor hem hing zijn Rubens, in perfecte staat. Tranen sprongen hem in de ogen en het liefst had hij de engeltjes gelijk van de wand getild en ze mee naar huis genomen.

'Vind je het mooi?' hoorde hij iemand vragen.

'Pardon?' Hij draaide zich om. Achter hem stond een vrouw met diep gegroefde lijnen in haar gezicht. Ze was oud, maar haar ogen glansden. Bram wist dat hij haar kende, maar kwam niet gelijk op de naam. Het was in elk geval iemand die hij lang niet gezien had. Ze wees naar het schilderij naast de Rubens. Het leek een portret van vijf mensen, alleen waren de hoofden veel te groot geschilderd in verhouding tot de lichamen. De kleurencombinaties waren bizar. Eén hoofd was geel, een ander paars. Vormen van ledematen hadden geen enkele relatie met de menselijke anatomie. Bram had nog nooit zoiets lelijks gezien. Hij kon zich niet voorstellen dat iemand dit mooi vond. Waarom hing een dergelijk gedrocht naast zijn Rubens? Zijn buurvrouw keek er echter naar alsof dit het mooiste schilderij in de zaal was.

'Camilla heeft het geschilderd,' legde ze uit. 'Onze dochter. Het moet een familieportret voorstellen, want dit was zoals ze ons zag. Ze heeft de aura van ons gezin uitgebeeld, snapt u? Camilla studeerde kunstgeschiedenis in Londen en had een geheel eigen stijl. Drie jaar geleden is ze overleden. Een hartaanval, zeiden de doktoren, maar wij wisten beter. Een overdosis. Na zoveel jaar verslaving gaf haar lichaam het op. Haar geest was al veel eerder gebroken.'

Ze wees naar een figuur op het doek. 'Dat ben ik!' zei ze blij.

Bram kromp ineen toen hij gifgroen gecombineerd zag met knalgeel. Hij wist niet op welke drug Camilla dit gemaakt had, maar het moest zwaar spul zijn geweest. Haar moeder dacht hier duidelijk heel anders over.

'Camilla kon fantastisch schilderen wanneer ze uit de kliniek kwam. We hebben alles geprobeerd om haar te genezen, maar het heeft niet mogen baten. Gelukkig hebben we nog een zoon en dochter en zij maken het goed. Volgend jaar gaan ze allebei naar de universiteit.'

Bram knikte. Hij wist uit eigen ervaring dat de zorg om kinderen nooit overging, ook al verlieten ze het huis. Hij en Marieke hadden een zoon. Adriaan was dit jaar begonnen in Leiden. De advocaat begreep nu ook waarom hij de vrouw niet eerder had herkend. Het verlies van haar dochter had haar jaren ouder gemaakt. Francesca de Bruin woonde al decennialang in Rietschoten en iedereen wist welke tragedie de familie getroffen had. Er waren meer ouders wier kinderen ontspoorden of niet goed terecht dreigden te komen. Hier in de zaal kende hij zeker drie stellen die zich grote zorgen maakten.

'Het is een schitterend schilderij, Francesca,' zei Bram zacht.

Ze straalde bij het compliment. 'We zijn blij dat iedereen het nu kan zien. Mijn man en ik zijn nog steeds zó trots op haar. Op deze manier blijft Camilla toch een beetje bij ons.'

De bijeenkomst begon op tijd en de genodigden gingen zitten. Samen met de drie leden van de Raad van Toezicht nam Victor achter de podiumtafel plaats. Hij keek over het roezemoezende publiek uit. Een geschat collectief vermogen van drie miljard euro staarde verwachtingsvol terug. Iedereen die hier vanavond aanwezig was, kende hij met naam en toenaam. Hun geschiedenis zou hij in een litanie kunnen opzeggen. Nu de zestig rijken met hun schilderij herenigd waren en ze in hun angsten gerust gesteld, kon de werkelijke agenda van de avond beginnen: de aanval op hun bankrekeningen.

William was voor de gelegenheid gekleed in een donkerblauw pak met goudkleurige das. Victor zag hem naar het spreekgestoelte lopen en wilde hem het seintje geven dat alles klaar was, maar toen rinkelde zijn mobiele telefoon. Hij worstelde om de zak van zijn colbert open te krijgen. In een reflex klapte het telefoontje open en hij zette het tegen zijn oor.

Hij herkende de stem uit Afrika pas na enkele seconden. Winston ratelde opgewonden zijn verhaal af.

'Victor, mijn vrienden en familie wachten niet langer! We gaan terug naar ons oorspronkelijke plan, en dat is actie! De nachtmerrie heeft lang genoeg geduurd. Dat waar jij en ik die avond over spraken, gebeurt toch niet...'

Victor moest de jongen onderbreken. 'Winston, dit is een slecht moment. Ik bel je terug...'

'Victor, luister! Niet ophangen...'

Hij klapte het telefoontje dicht en zette het uit, zich pijnlijk bewust van de tientallen ogen die hun afkeurende blik op hem richtten. Hij knikte naar William. Een technicus achter in de zaal doofde langzaam de lampen totdat slechts een enkele volgspot op William gericht stond. Alleen de Rembrandt bleef in gedempte kleuren zichtbaar. Mozart ebde weg. Stilte.

Geruisloos zakte vanuit het plafond een scherm naar beneden. Een beamer zoemde en Rembrandts zelfportret sprong tevoorschijn. Langzaam, aarzelend haast, begon William te spreken. Victor kende elk woord. Samen hadden ze vele avonden geoefend. De eerste speech zou doorslaggevend zijn, daar waren ze het over eens geweest. Zelf hoefde Victor niets te doen maar hij was nerveus en zijn maag kromp samen van spanning. Na maanden voorbereiding was het grote moment nu daar. Showtime!

Geconcentreerd luisterde hij, net als de rest van de zaal.

'Al zolang zij bestaat, is de mensheid gefascineerd door talent. Of het nu gaat om schilders of componisten, dichters of sporters, artiesten of wetenschappers, talent wordt geroemd om haar vermogen te inspireren en te ontroeren, zelfs te verbijsteren met prestaties en vaardigheden die ver boven het dagelijks gemiddelde uitstijgen.'

William hield een seconde stil. 'Ik presenteer u het beste wat de mensheid ooit heeft voortgebracht.'

Op het scherm verschenen dia's van beroemdheden uit de geschiedenis. Eerst de oudheid: Confucius, Plato, Aristoteles en Socrates. Daarna de late middeleeuwen, de renaissance en de gouden eeuw: Erasmus, Shakespeare, Leonardo da Vinci, Copernicus, Michelangelo en Rembrandt. Uit de achttiende en negentiende eeuw kwamen Mozart, Van Gogh, Goethe, Dickens, Renoir, Tolstoj en Monet voorbij, en het laatste deel van de reeks liet Matisse, Marie Curie, Freud, Einstein, Picasso, Hemingway, Horowitz, Callas, Sinatra, de Beatles, Cruijff, Kasparov en Tiger Woods zien. Tot hilariteit van de zaal eindigde de serie met een babyfoto van een snoezig meisje, stralend van gezondheid, met krullend haar en een jurkje aan waarop in roze letters 'Het genie van deze eeuw?' geborduurd stond. De allerlaatste dia was een compilatiefoto van het Concertgebouw, het Rijksmuseum en de Amsterdamse Effectenbeurs ineengeschoven.

'Wij kennen allemaal hun namen en prestaties. Decennia, eeuwen, zelfs millennia na hun dood trekken hun leven en werk steeds weer nieuwe generaties bewonderaars. Om deze genieën te eren en dichter bij hen te kunnen komen, bouwen wij musea, bibliotheken, stadions en concertzalen. Iedereen wil genieten van talent, of het nu muziek is, een standbeeld of een schilderij. Het leven van begaafden is levende geschiedenis, een bron die nooit verveelt of ophoudt te bestaan. Maar helaas bestaat er geen roem zonder prijs. Om nog enigszins een eigen leven te kunnen leiden, zijn veel beroemdheden gedwongen zich af te schermen. Voor normale stervelingen zijn genieën niet benaderbaar.'

William onderbrak het tempo even. 'Dit laatste hopen wij overigens voor u te veranderen, maar daarover later meer. Dames en heren, het fonds dat wij vanavond introduceren, IMPERIUMBOUWER geheten, concentreert zich op deze talentvolle medemens. Het fonds gaat echter niet investeren in schilders, artiesten of sporters, maar in een andere groep die minstens zo getalenteerd is. Ook hun namen zijn beroemd, alleen nooit eerder in dezelfde adem genoemd – een nalatigheid die IMPERIUMBOUWER zal corrigeren. Waar wij ons op gaan richten zijn de ondernemers. Mensen die, beginnend met niets, met eigen handen een imperium uit de grond stampen en onze levens verrijken, niet alleen met innovatieve producten, maar ook met hun eigen dynamische voorbeeld. Ik vraag uw aandacht voor de imperiumbouwers. Eerst een historisch overzicht.'

Wederom spuwde de beamer een serie portretten uit en William dreunde de bijbehorende namen op.

'John Rockefeller. Andrew Carnegie. Esteé Lauder. Anthony Fokker. Bill Gates. Giorgio Armani. Freddy Heineken. Akito Morita. Michael Dell. Richard Branson. Ralph Lauren. Sandy Weill. Rupert Murdoch. John de Mol. Allemaal iconen van hun tijd; groter dan groot. Ik geef u nog drie voorbeelden.'

De beamer doofde en Ford, Morgan en Walton kwamen tevoorschijn. William ging naast de kunstwerken staan en vertelde kort iets over hun leven en werk. De zaal was onder de indruk, zag Victor. En bleef muisstil.

'Hoewel zij onderwerp waren van afgunst, bewondering en jaloezie, hadden deze drie wat betreft contact met de buitenwereld net zo goed op een andere planeet kunnen wonen. Maar in hun beginjaren was dat anders. Toen ze nog jong waren, telde elke cent. Ook al was je naam John Pierpont Morgan, wanneer je hulp kreeg aangeboden, nam je die met beide handen aan. Om vervolgens op eigen kracht groot te worden. En dat principe, dames en heren, wordt precies de missie van IMPERIUMBOUWER. Wij gaan de nieuwste generatie superondernemers opzoeken en investeren in hun toekomst. Oorspronkelijk talent, gedreven individuen die zich in eigen land al bewezen hebben.'

William gaf een teken en op het scherm verscheen een reeks foto's van De Eendenhorst in verschillende stadia, van de bouwval zoals hij die oorspronkelijk aangetroffen had tot nu. De laatste dia was exemplarisch voor Williams genialiteit. Gefotografeerd tegen een achtergrond van eeuwenoude bomen vol kleurrijk herfstblad, stond het landgoed fier, modern gerenoveerd op basis van het originele ontwerp van de oorspronkelijke architect. De Eendenhorst van vandaag combineerde de kracht van een eigentijdse visie met traditie; het resultaat van talent en inzet. En een onbeperkt budget, natuurlijk. Het landgoed leek de filosofie van IMPERIUMBOUWER te symboliseren. Beide werden als het ware één.

Wederom werd de spot op William gericht. Hij keek zijn publiek als in extase aan.

'Maar IMPERIUMBOUWER doet meer dan alleen het beleggen van

uw geld. Het fonds neemt niet alleen een belang in de bedrijven van haar doelgroep, we ontvangen ook nog iets anders van de betrokken persoonlijkheden. Namelijk een stukje van hun kostbaarste bezit: zijn of haar tijd.'

Hij wees naar de laatste dia, die op het scherm was blijven staan. 'De Eendenhorst is voor tien jaar gehuurd, maar vanavond hoop ik met de eigenaren, hier aanwezig, te praten over een verlenging van de termijn. Of, en dat zou nog beter zijn, verkoop van het landgoed aan het fonds. Mijn wens is namelijk dat De Eendenhorst een verzamelplaats wordt voor degenen in wie wij investeren. Een pleisterplaats van talent, durf en wilskracht. Het kloppende hart van IMPERIUMBOUWER.'

William stapte achter het spreekgestoelte vandaan en begon langs de podiumrand te lopen. Victor zag dat hij oogcontact zocht met het publiek; zestig paar ogen volgden hem bij elke stap.

'De ondernemers met wie wij in zee gaan, verplichten zich om minimaal twee weken per jaar hier door te brengen. Een compleet pakket van luxueuze faciliteiten, zoals onbeperkte toegang tot tennisbanen, fitnessclubs en golfclubs in de nabijheid zullen dit verblijf veraangenamen. Voor u als belegger staan de deuren van De Eendenhorst open om deze mensen te ontmoeten. U kunt advies aan hen vragen of zomaar ervaringen met hen uitwisselen. Als het klikt, kunt u ze uitnodigen voor zakelijke ontvangsten of een privédiner. U bent volledig vrij in uw omgang met hen.'

Hij stak een waarschuwende vinger omhoog. 'Bedenk dat dit beroemdheden zijn in hun eigen land. Mensen die op het punt staan de rest van de wereld te veroveren. Maar: het zijn ook ondernemers die grote waardering zullen hebben voor het feit dat het úw investering is, die mede een basis legt voor hun toekomst. En daarom vinden zij het niet erg om een paar dagen per jaar in uw midden door te brengen. Integendeel zelfs.'

William keerde terug naar het spreekgestoelte. 'Wat IMPERIUMBOUWER uniek maakt, is deze persoonlijke relatie. Een relatie die alleen maar dieper en veelomvattender wordt naarmate u elkaar beter leert kennen. Het ondernemerssucces wordt uw succes.

Maar waarom is ons fonds interessant voor hén, voor deze unieke persoonlijkheden waar de hele beleggingswereld al achteraan loopt? Waarom willen ze zaken doen met ons en niet met anderen?

Wat, denkt u, is daarvan de reden?'

Hij keek de zaal in. Het bleef stil.

'Omdat wij niet verkopen als er eens een minder kwartaal is. Omdat wij niet verkopen en winst nemen, als het onverwachts beter gaat. Omdat wij, zolang we tevreden zijn over de ondernemer, in principe nooit verkopen.'

William pauzeerde weer even om de aanwezigen dit te laten verwerken. 'Onze band is voor levenslang en dat maakt IMPERIUM-BOUWER een aantrekkelijke partner. En waarom ook niet? Rome is ook niet in één generatie neergezet. Een imperium opbouwen kost tijd en wij, de vroege investeerders, gaan dit hele proces samen meemaken. Tot de absolute top bereikt is!'

Victor zag dat William zweette door de intensiteit van zijn betoog en de hitte van de lamp.

'In deze snelle, vluchtige tijden is een dergelijke aanpak eigenlijk ondenkbaar. Beleggers zijn gericht op snelle scores. Een snel resultaat, een snelle bonus en dan door naar de volgende, snelle transactie. Maar wij, vanwege ons persoonlijke en besloten karakter, kunnen het ons met IMPERIUMBOUWER gelukkig wél veroorloven ons te richten op de lange termijn. En er het nodige voor terug-vragen, natuurlijk...'

'Hoe snel kunt u deze ondernemers aanleveren?' werd hij onderbroken door een vraag achterin. De zaal explodeerde van de lach. Ook Victor en de anderen op het podium grinnikten geamuseerd. De technicus lichtte de vragensteller uit.

'Binnenkort heb ik namelijk een nieuwjaarsreceptie, en daar komen al mijn klanten,' verduidelijkte de man, die gekleed was in een donkerbruin pak. Hij leek opeens verlegen door de aandacht voor zijn persoon.

William wachtte tot het rumoer wegstierf. Een glimlach speelde om zijn mond.

'Met de meesten hebben we inmiddels een overeenkomst gesloten. Begin volgend jaar komen ze naar Rietschoten. Als het fonds groot genoeg wordt, natuurlijk. Want als er te weinig geld is, komt er helemaal niemand.'

De vragensteller was importeur van zeer luxe personenauto's, wist Victor, en was goed voor een half miljard euro. Het impressionistische werk naast de Rembrandt was zijn eigendom, en God alleen wist hoeveel meer schilderijen de man nog had hangen in zijn protserige huis.

'U kunt uw ondernemer krijgen, mits uw inleg groot genoeg is,' hoorde hij William zeggen. 'We raden u echter wel aan om vooraf het prospectus dat u vanavond meekrijgt, zorgvuldig door te lezen.'

De man knikte en begon druk te praten met zijn vrouw, een blondine die zo te zien de nodige plastische chirurgie achter de rug had.

'Wordt van tevoren bekend om welke ondernemers het gaat? Kunnen we voorkeuren uitspreken?' vroeg een ander. Mensen begonnen nu door elkaar heen te praten en William moest zijn stem verheffen om boven het rumoer uit te komen.

'Dat kan helaas niet. Hun identiteit moet geheim blijven totdat het fonds zijn aankopen op de beurs heeft afgerond. Dat doen we om voorafgaande speculatie te voorkomen.'

'Maar u kunt zelf wel eerder die aandelen kopen?' klonk het wantrouwend.

'Nee, wees daar niet bang voor. Handel voor eigen rekening is verboden voor de directie en de Raad van Toezicht. Dat valt onder de regels rond misbruik van voorwetenschap.'

'De ondernemer schiet er toch niets mee op als het fonds aandelen op de beurs inkoopt?' wierp iemand tegen.

'U hebt bijna gelijk. De ondernemer krijgt weliswaar niet direct geld van het fonds, maar wel een partner die op de lange termijn meedenkt en handelt. Daar is meer behoefte aan dan alleen financiering. Te veel geld kan ook een belasting zijn,' en William gaf voorbeelden van landen en bedrijven die failliet waren gegaan door een overvloedig aanbod van kapitaal.

'De roebelcrisis van 1998 is mede ontstaan doordat beleggers te veel geld in Russische obligaties pompten. De wereldwijde glasvezelsector ging ten onder omdat investeerders ondernemingen dwongen de oceaanbodem vol te leggen met kabel, zonder dat hun klanten daarom vroegen.'

Er kwamen meer vragen maar William vroeg zijn publiek om geduld. 'Dames en heren, er is een aspect van IMPERIUMBOUWER dat ik u nog onthouden heb, misschien wel het belangrijkste aspect van allemaal. Namelijk... uw kinderen.'

Deze woorden brachten de stilte terug en wederom werd het licht gedempt. William leek van de aandacht te genieten en hij vergrootte de spanning door net iets langer te wachten dan noodzakelijk was. Victor zat op het puntje van zijn stoel. Wat nu ging komen, was zijn idee geweest; de inspiratie uit Afrika.

'Zoals ik zei, zijn alle ondernemers streng geselecteerd. Alleen diegenen van onbesproken gedrag en reputatie, succes en gedrevenheid komen voor het fonds in aanmerking. Behalve het plezier van twee weken aanwezigheid in Rietschoten, kunnen deze ondernemers daarnaast vanwege een heel andere dimensie belangrijk voor u zijn.

Net zoals Morgan, Mozart en Rembrandt leerlingen opnamen om de jeugd het vak te leren, zal iedere ondernemer drie stageplaatsen creëren. En dan praat ik niet over baantjes op de boekhouding of ergens anoniem in de verkoop. Het gaat om stageplaatsen dicht bij de man of vrouw zelf. Stageplaatsen waar keihard gewerkt moet worden voor een bescheiden salaris. Stageplaatsen die tot vaste banen kunnen uitgroeien bij gebleken geschiktheid en motivatie. Stageplaatsen die een levenslange indruk zullen maken. Stageplaatsen die enkel en alleen open staan voor kinderen van investeerders. Uw kinderen,' voegde William daar enigszins overbodig aan toe.

Er brak een pandemonium uit. Iedereen praatte door elkaar. Ogen schitterden. Monden vielen open. Rendement maken en beroemde ondernemers ontmoeten klonk al interessant, maar om hun kinderen, allen in de kwetsbare leeftijd, voor een dergelijk individu te laten werken, dat... wel, dat was onweerstaanbaar. Veel van de zestig aanwezigen hadden problemen met de opvoeding, wist Victor. Hij had immers maanden besteed aan de bestudering van hun levens. De jeugd van tegenwoordig was lui, ongedisciplineerd en leek nergens om te geven. Veel kinderen uit succesvolle gezinnen liepen zelfs een achterstand op omdat ze langer afhankelijk van hun ouders bleven dan die zelf ooit van de hunne geweest waren. Het was een paradox die niemand in de zaal verwacht had en waar niemand vrede mee had.

Een ander probleem was het vinden van acceptabele rolmodellen. Of beter gezegd: het gebrek daaraan. Niemand in Rietschoten had de hoop dat hun kinderen hen in alles zouden volgen, maar wat de buitenwereld aan voorbeelden aanbood, joeg zowel vaders als moeders de gordijnen in. De zogenaamde 'sterren' van vandaag – popmuzikanten, acteurs en sporthelden – waren bijna allemaal waardeloos en gevaarlijk tegelijkertijd. Ze zopen zonder remming of gebruikten drugs, en smeten met geld. Beroemdheden kregen kinderen bij verschillende partners en bleven niet bij elkaar. Het scheidings-, verslavings- en zelfmoordpercentage onder deze groep lag hoger dan in een willekeurige achterbuurt.

Politici waren niet veel beter. Die hingen aan hun eigen baantjes. Eenmaal door verkiezingen buiten hun ivoren torens geworpen, presteerden ze weinig meer. En na de schandalen bij Enron, Ahold en Worldcom lagen bestuursleden van multinationals al helemaal uit de gratie. Die bleven zelfs graaien nadat ze waren ontslagen.

Zo bekeken waren jonge ondernemers zo gek niet, hoorde Victor in de zaal gezegd worden. Stelen kon deze groep niet, want ze zou enkel stelen van zichzelf. En, zoals William fijntjes aangaf, het scheidingspercentage lag laag. Voor overspel of slippertjes had niemand immers tijd. Een stage als deze kon precies de juiste afronding van de opvoeding zijn. Het laatste stukje karakter dat er ingestampt moest worden voordat het kind zelfstandig op de wereld kon worden losgelaten. En de ouders verdienden er ook nog aan! William stond het tevreden te bekijken.

Bram boog zich over naar Victor. 'Dit was wat je niet mocht verklappen?'

Victor knikte. 'Ja. Wat vind je ervan?'

Voordat de oude advocaat kon antwoorden, stond Jan Overhout op en liep naar het spreekgestoelte. William maakte ruimte en de zaal viel stil. Hoewel zijn aardappelvormige lijf er niet op duidde, was Jan een levende legende. Zijn levensverhaal had in verschillende kranten gestaan en er gingen zelfs geruchten over een film. Op zeventienjarige leeftijd was Jan begonnen met het op kleine schaal fabriceren van bekers en medailles. In het door de oorlog verarmde Nederland vlogen de blikken dingen als warme broodjes over de toonbank. Maar niet lang nadat hij zijn eigen catalogus op de markt had gebracht, stond de jonge ondernemer op de rand van faillissement. Al zijn geld zat in voorraden en debiteuren, en de huur kon niet langer betaald worden. Jan greep in, sloot vestigingen en ontsloeg mensen, waaronder veel familieleden, en produceerde enkel nog op bestelling. Elke gulden werd vervolgens gebruikt voor de aanschaf van baksteen. Wat begon als een paranoïde poging om elk risico van uitsluiting door pandjesbazen te voorkomen, werd een levenslange passie voor onroerend goed. Vijftig jaar later was Jan Overhout, de boerenzoon uit Windum, niet alleen monopolist op het gebied van bekers en medailles, hij was ook eigenaar van menig provinciale winkelstraat.

Niemand wist hoeveel hij precies bezat maar dat hij miljardair was, betwijfelde niemand. En nu stond deze gigant voor hen, als eenvoudig mens.

'Ik sta hier niet als ondernemer of als lid van de Raad van Toezicht,' begon Jan, die zijn Groningse accent nooit helemaal verloren had. 'Ik spreek hier als vader van twee zoons. Over de risico's van IMPERIUMBOUWER moet u zelf een beslissing nemen; het is zeker geen eenvoudige investering. Op sommige ondernemers zullen we verlies maken; op andere hopelijk winst. Wat mij heeft doen besluiten met dit fonds mee te doen, is de mogelijkheid mijn zoons kennis te laten maken met de wereld om hen heen. Een wereld die snel verandert, agressiever wordt en kleiner. Een wereld waarin karakter, talent en moed nodig zijn om te overleven.'

Hij wees op zichzelf. 'Hoewel mijn bedrijf me verder heeft gebracht dan ik ooit heb durven dromen, ben ik altijd in Nederland gebleven. Nooit heb ik de moed gehad de stad of het buitenland op te zoeken. Mijn zoons zullen dat wél doen; samen gaan ze de wereld veroveren. Om hen een dergelijke stap te kunnen laten maken, stop ik een miljoen euro in IMPERIUMBOUWER. Ik beschouw dit als een investering, want het komt hun toekomst ten goede. Ik dank u voor uw aandacht.'

De winkelier stapte weer van het podium, de zaal verbijsterd achterlatend. Een miljoen euro! Na enig aarzelen klonk handgeklap en terwijl Jan terugkeerde naar zijn plaats werd hij begeleid door luid applaus. Kalk dwarrelde van het plafond naar beneden en Jan kleurde achtereenvolgens bleek en rood toen hij een grijns van verstandhouding uitwisselde met de tafel.

Victor wist hiervan. Het was een poging een ondergrens voor inschrijvingen te bepalen, zonder dat dit verplicht werd gesteld. Maar toen kondigde de grootste verrassing van de avond zich aan.

Francesca de Bruin, moeder van de overleden Camilla, besprak iets met haar man en stond op. Het werd abrupt stil. Francesca werd met respect bejegend in Rietschoten; een kind verliezen was immers het ergste wat een ouder kon overkomen. De spot werd op haar gericht en deed de lijnen in haar gezicht extra uitkomen. Het leek even alsof het hele universum zich concentreerde op deze vrouw. Haar stem klonk hoog en kwetsbaar. Victor luisterde gespannen en zat letterlijk op het puntje van zijn stoel.

'Henk en ik zijn het eens met wat William Scarborough en Jan Overhout gezegd hebben. Onze jeugd heeft voorbeelden nodig. Voorbeelden die bescherming bieden tegen verleiding en verveling. Voorbeelden die het bouwen van karakter mogelijk maken. Dit fonds, IMPERIUMBOUWER, lijkt hiervoor een goede mogelijkheid te bieden.' Ze haalde diep adem, en haar stem sloeg over en weerkaatste tegen de muren. 'Om die reden stoppen wij twéé miljoen euro in het fonds. Eén voor ieder kind dat we nog hebben. Op voorwaarde dat beiden een stageplaats krijgen, natuurlijk.'

Wankelend ging Francesca weer zitten en ze pakte de hand van haar echtgenoot vast. Die sloeg een arm om haar heen. Beiden hadden tranen in hun ogen. Het applaus was nu zo oorverdovend dat lampen heen en weer slingerden en schilderijen trilden aan hun koorden. Sommigen stampten met hun voeten op de vloer.

Victor boog zich over naar Bram. 'William kan zijn schatting verdubbelen,' riep hij boven het lawaai uit, wijzend naar de man achter het spreekgestoelte. De Amerikaan staarde glazig voor zich uit, als in onbesef welke krachten hier waren losgelaten. 'IMPERIUMBOUWER is nu gezegend door de hoogste autoriteit van het dorp.'

'Dat kan zo zijn,' antwoordde de advocaat, blijkbaar tot zijn positieven komend, 'maar dat betekent niet dat hij onbeperkt zijn gang kan gaan. Niet onder mijn toezicht in elk geval.' Hij gebaarde Victor mee te komen. Vervolgens stond hij op en tikte William op de schouder. 'We beleggen een vergadering. Nu!' Bram negeerde de verbaasde blikken van het publiek en ging de anderen voor naar een bijkeuken die gebruikt werd voor opslag van drank en etenswaren. Er was net genoeg ruimte voor iedereen. Hij gooide de deur dicht en draaide zich om. Zijn ogen vlamden.

'Hier wordt een hype gecreëerd! Dit moet ophouden, anders neem ik vanavond nog ontslag.'

'In godsnaam, Bram, niet nog een keer!' riep Boudewijn uit. 'Je kunt toch niet moeilijk blijven doen?' De reactie van de bankier was begrijpelijk. Die avond had de hemelpoort zich voor hem geopend. Allerlei mensen die hij gedroomd had ooit te mogen ontmoeten, stonden hem nu te woord. Stapels visitekaartjes had Boudewijn al afgegeven. De lijst van Rietschoters die door Acorn Brothers gebeld wilden worden, groeide met de minuut, had hij Victor eerder toevertrouwd.

'Van iedereen hier zou juist jij beter moeten weten,' beet Bram hem toe. 'Hier wordt een hype gecreëerd, zeg ik je. Een hype waarbij het geluk en de opvoeding van onze kinderen als inzet gebruikt wordt. Wij van de Raad van Toezicht staan volledig buitenspel.' Duidelijk met moeite hield hij zich in. 'De mensen worden onder druk gezet om lid te worden van een club waar ze beroemde ondernemers kunnen ontmoeten bij wie hun kinderen stage lopen. Maar de prijs, een miljoen euro of meer, staat in geen verhouding tot de opbrengst of het risico. Dit is geen beleggingsfonds, dit is een circus! En het ergste is,' richtte hij zich sarcastisch tot Jan Overhout, 'dat sommigen van ons zich laten gebruiken om het vuurtje hoger op te stoken.'

De winkelier kleurde nogmaals, van woede dit keer. 'Dat pik ik niet, Bram,' zei hij moeilijk. 'Dat pik ik van niemand.' Bram haalde zijn schouders op alsof de Groninger lucht voor hem was. Even leek het erop dat de situatie in een ouderwets handgemeen zou uitmonden, maar William kwam tussenbeide.

'Imperiumbouwer is geen hype, Bram. Onze genodigden zijn heel goed in staat hun eigen afweging te maken. Niemand wordt ergens toe gedwongen. De Raad van Toezicht heeft overigens niets te maken met de afweging tussen risico en rendement. Dat zijn zaken voor de beleggers zelf.'

De oude advocaat schudde zijn hoofd. 'En toch vertrouw ik het niet.' Hij stak een vinger uit. 'Deze hele opzet is verdacht! Niemand weet wie jij bent of waar je vandaan komt, maar de verwachtingen die hier geschapen worden, zijn...'

'Als je mij niet vertrouwt, bel de politie. Trek me na! Bel de wereld op over mij.'

'Heb ik al gedaan,' antwoordde Bram droog.

Een stilte viel.

'Wat heb je gedaan?' vroegen Boudewijn en Jan, beide ongelovig. Bram knikte naar William. 'Hem nagetrokken. Wereldwijd. Naam, signalement en vingerafdrukken. De hele riedel.'

'En? Iets gevonden?' vroeg Jan gespannen. Met enig genoegen stelde Victor vast, dat de winkelier zich blijkbaar nu pas realiseerde dat hij voor het oog van iedereen een miljoen euro en de opleiding van zijn kinderen in handen had gegeven van een vreemdeling.

'Nee. De naam leverde niets op; vingerafdrukken ook niet. Een politieteam is hier een week lang mee bezig geweest. Voor zover bekend, is er nergens in de wereld fraude of wanbeheer gepleegd met een vergelijkbaar fonds.'

Eerder die dag had Victor samen met Bram commissaris Sanders gebeld en Victor was intens blij met het nieuws geweest. Het noodzakelijke vooronderzoek was daarmee gedaan. William was schoon. Alle seinen stonden op groen.

Hij zag Boudewijn Faber een zucht van verlichting slaken. William keek alsof hij niet anders had verwacht.

'Ze hebben overal navraag gedaan,' lichtte Bram toe, alsof hij behoefte had zich te verdedigen. 'Tot in donker Afrika aan toe, hoewel ik betwijfel of jij daar ooit geweest bent, William. Weinig landgoederen om mooi weer mee te spelen.'

'Geen Morgan, Mozart of Rembrandt, bedoel je,' zei Victor geamuseerd.

'Geen miljonairs met schilderijen,' grapte Jan.

'Geen met visitekaartjes zwaaiende bankiers,' zei Boudewijn met een scheef lachje.

'En het mooiste; geen Raad van Toezicht!' riep William uit en dit vooruitzicht trok hem blijkbaar zo aan dat hij begon te bulderen van de lach. Hij stak Bram en de anderen daarmee aan en de vijf mannen schaterden het uit in de kleine bijkeuken. Het beeld was dan ook bespottelijk! De Amerikaan, zoals altijd keurig gekleed, met glimmende laarzen gehurkt in een Afrikaans hutje om het evangelie van Imperiumbouwer te prediken. Alsof de mensen daar niets anders aan hun hoofd hadden! Zijn fonds was een luxeproduct voor mensen zonder werkelijke problemen.

'Dat is allemaal heel leuk,' zei Bram, zich de tranen uit de ogen wrijvend. 'Maar ik blijf erbij dat rond Imperiumbouwer een hype dreigt te ontstaan. Wat vanavond gebeurde, mag niet nogmaals gebeuren.'

Ook William was weer serieus. 'Vind je dat werkelijk? En wat kunnen we daaraan doen?'

'Geen publieke toezeggingen meer,' zei Bram, weinig subtiel refererend aan Jans optreden van zo-even. 'Niemand vertelt een ander of hij meedoet, en zo ja, met hoeveel. Iedereen moet zonder druk zijn eigen afweging kunnen maken.'

De Amerikaan knikte. 'Daar ga ik mee akkoord, maar weet je zeker dat er daarnaast geen andere voorwaarden gelden? Ik wil doorgaan met mijn fonds zonder jouw hete adem in mijn nek te voelen.'

Victor had dit eerder met Bram besproken. De door Victor voorgestelde beperkingen bleven van kracht, daaraan veranderde de uitkomst van het politieonderzoek niets. En zelfs als IMPERIUM-BOUWER meer zou ophalen dan verwacht – en daar zag het nu zeker naar uit – dan nog kon William op geen enkele wijze aan het geld komen. De man leek schoon te zijn. Zelfs INTERPOL en de SEC hadden nooit van hem gehoord.

'Geen additionele voorwaarden,' zei Bram.

Terwijl de anderen naar de zaal terugkeerden, excuseerde William zich en glipte de trap op. Voor alle zekerheid draaide hij de deur van zijn kamer achter zich op slot. Hij ging aan het eenvoudige bureau zitten en keek op zijn horloge. Het was negen uur 's avonds, dus zes uur eerder in Latijns-Amerika. De beurzen daar waren nog open. Hij haalde zijn mobiele telefoon tevoorschijn en toetste een nummer in. Bij de bank in Buenos Aires ging de telefoon over. William maakte zich bekend en vroeg naar een aandelenhandelaar. '*Holà, señor?*' Hij vermeldde zijn bankrekeningnummer en code. 'Verdubbel al mijn eerdere aankopen, zonder de aandacht te trekken. Je hebt tot 1 januari. Dan moet alles afgerond zijn.'

William liet identieke instructies achter bij nog veertien effectenmakelaars, over de hele wereld verspreid. Daarna leunde hij tevreden naar achteren. Misbruik van voorwetenschap is de meest profitabele vorm van beleggen die er bestaat. William kon het weten. Al tien jaar deed hij niets anders.

Die avond moest Bram vele vragen beantwoorden over het fonds en zijn directeur. Bovenal waren de zestig genodigden geïnteresseerd in het gerucht dat William Scarborough door de politie was nagetrokken. Bram legde uit dat er weliswaar geen negatieve, maar ook geen positieve feiten over de man aan het licht gekomen waren. William Scarborough was een mysterie en zou dat waarschijnlijk ook altijd blijven. Om de mensen gerust te stellen, vertelde hij over de restricties die waren ingevoerd. Geen cent kon de rekening verlaten zonder zijn voorafgaande goedkeuring en daarmee verbond Bram feitelijk zijn eigen reputatie aan die van het fonds; iets wat hij zich maar al te goed realiseerde. Alle aanwezigen leken hier genoegen mee te nemen en vielen aan op de bar.

Bram verdacht Boudewijn Faber ervan het gerucht van zijn interventie te hebben verspreid om een goed gevoel rond IMPERIUMBOUWER te creëren. Hij zag de bankier zich door de zaal bewegen als een man met een missie. Met een stralende glimlach op het rood aangelopen gelaat en een stapeltje visitekaartjes in de aanslag, fladderde de boomlange man als een vlinder van groep tot groep; in iedere miljonair leek hij een sappige stamper te zien die door Acorn Brothers zo snel mogelijk leeggezogen diende te worden. Tientallen miljonairs, voorheen onbereikbaar, verdrongen zich om hem zodra hij vertelde dat de bank een financieringsarrangement aanbood voor investeringen in het fonds. Williams profetie dat ze ooit nog eens in de rij voor hem zouden staan, kwam daarmee uit en Boudewijn was nog nooit zo gelukkig geweest.

'Kan ik nog iets voor jou betekenen? Onze leningen waren nog nooit zó goedkoop. Voor jou maak ik een speciaal prijsje,' vroeg Boudewijn in het voorbijgaan aan Bram, maar die liep door naar zijn Rubens. Behalve hijzelf had niemand nog oog voor de kunst aan de muren.

Het was twee uur 's nachts toen Bram uitgeput weer buiten stond. Marieke haalde de wagen en hij zakte naast haar op het leer. Vlak voordat hij zijn portier dicht sloeg, duwde iemand hem een prospectus in handen. Op de kaft was Rembrandts zelfportret afgedrukt. Aan de binnenkant stond in goud-gekrulde letters het motto van IMPERIUMBOUWER. Het was een citaat van Beethoven, het talent dat zich zo van de daken schreeuwde: 'Vorst! Wat u bent, bent u door toeval en geboorte. Wat ik ben, ben ik door mezelf. Er zijn duizenden vorsten maar er is slechts één Beethoven!'

Bram vond een inlegvel dat hij niet eerder gezien had. Meer uit automatisme dan nieuwsgierigheid knipte hij het lampje aan en begon te lezen. Algauw verdween elke behoefte aan slaap. Dit waren de kleine lettertjes van het fonds, voorwaarden voor toegang tot De Eendenhorst alsmede regels rond de verkrijging van stageplaatsen. Slechts honderd gezinnen kregen toegang. Meer niet, anders ging het exclusieve karakter van het landgoed verloren. En omdat IMPERIUMBOUWER maar in tien ondernemers tegelijk ging investeren, anders werd het onoverzichtelijk, kwamen er in totaal maar dertig stageplaatsen beschikbaar.

Bram huiverde toen hij verder las. Toewijzing zou enkel geschieden op basis van hoogte van inschrijving. Alleen de dertig grootste beleggers in het fonds konden op deze wijze een stageplaats kopen. Op vergelijkbare wijze kregen alleen de grootste honderd toegang tot De Eendenhorst. Als een gezin stageplaatsen wenste te verwerven voor twee of meer kinderen, dan moest men evenveel keren inschrijven. Aan het aantal inschrijvingen werd geen beperking gesteld. Eén inschrijving per kind. Toegang tot het landgoed was alleen mogelijk voor het gezin zelf: man, vrouw en kind of kinderen. Introducties waren niet toegestaan.

De overige voorwaarden leken Bram vrij standaard. Over de uitslag kon niet worden gecorrespondeerd en aan het prospectus konden geen rechten worden ontleend. Mensen die zich inschreven, zagen af van de mogelijkheid van beroep of teruggave van ingelegde gelden. Geen garantie werd gegeven, of aansprakelijkheid aanvaard, dat ondernemers werkelijk zouden komen, ooit rijk en beroemd waren of zouden worden et cetera, et cetera. Pikant was wel dat communicatie met de pers of andere media verboden was op straffe van het verbeurd verklaren van aandelen en verkregen rechten. IMPERIUMBOUWER moest geheim blijven, was de ongeschreven boodschap. Alleen dan konden ondernemers zich thuis voelen tussen hun nieuwe vrienden. Een notaris in Den Haag ging het proces begeleiden en zou de uitslag op 2 januari bekendmaken. De inschrijving sloot op 25 december om twaalf uur 's middags precies. Bram keek verbaasd bij het zien van deze datum. Eerste kerstdag?

Alle inschrijvingen waren onherroepelijk en konden niet tussentijds worden gewijzigd. Deelnemers die buiten de top honderd vielen, kregen hun geld niet terug maar profiteerden wel van mogelijke waardestijgingen en hadden recht op dividend, mits dit werd uitgekeerd. Ook hadden ze stemrecht en toegang tot de jaarlijkse vergadering van aandeelhouders, net als bij elk ander willekeurig fonds.

Bram kreunde en liet het prospectus in zijn schoot zakken. De zestig van deze avond wilden geen gewoon fonds. Ze wilden iets spannends. Iets exclusiefs. Toegang tot een besloten landgoed. Vriendschap met beroemde ondernemers. Een levensbepalende stage voor hun kinderen. Voor geen van de aanwezigen was een miljoen euro een onoverkomelijk bedrag. En als het geld niet meteen beschikbaar was, kon men het zeker lenen. Boudewijn en zijn bankiers kregen het nog druk, de komende weken.

Niet voor de eerste keer vervloekte Bram William Scarborough en de enorme verwachtingen die hij had gewekt. En nog eens honderdvijftig miljonairs gingen deze boodschap horen! Allemaal met kinderen in een kwetsbare leeftijd. Kinderen die ze het beste gunden van de hele wereld. Kinderen voor wier toekomst men bereid was fortuinen uit te geven. Tegen de tijd dat alle honderdtachtig kandidaten de poorten van De Eendenhorst gepasseerd waren, zou men in staat zijn elkaar het hoofd in te slaan voor een stageplaats of toegangsbewijs. Er was geen twijfel mogelijk: zo hoog mogelijk inschrijven was de enig winnende strategie. Bram sloot de ogen. Dus toch een hype. Hij had het bij het rechte eind gehad, maar wat schoot hij daar nu mee op? Zijn eigen wapens had hij enkele uren eerder zelf ingeleverd.

Het regende die nacht en het vroor aan de grond, dus de weg was glad. Marieke reed voorzichtig en zonder haast. Ze zweeg. Bram had een vermoeden waar haar gedachten op dit moment waren. Hun eigen zoon Adriaan was inmiddels twintig geworden en het werd tijd dat hij ging studeren. De keuze voor rechten lag voor de hand; dat was immers de studie die Bram zelf had gedaan en waarmee Adriaan later alle kanten uit zou kunnen. Rechten had echter niet Adriaans passie of zelfs maar zijn interesse. Intelligent maar gevoelig, was de jongen onzeker over de toekomst. Marieke had er al eerder op aangedrongen dat hun zoon in deze fase van zijn leven advies zou krijgen bij het maken van belangrijke keuzes.

Bram was pas laat vader geworden. Hoewel hij dol was op Adriaan en diens geboorte nog steeds als een soort wonder beschouwde, zag hij de jongen weinig. Doordeweeks was er werk en in het
weekeinde een continue stroom van sociale verplichtingen. Hij en
Marieke hadden er regelmatig ruzie over.

Bram werd plotseling bang dat deze avond hem geld zou kosten.
Veel geld. Een miljoen euro voor een stageplaats. Behalve William
vervloekte hij nu ook Jan Overhout en Francesca de Bruin. Waarom hadden die twee hun mond niet gehouden?

14

December

De volgende avond verliep nog aarzelend, maar de bijeenkomsten daarna ontwikkelden zich tot orgastische feesten die zich tot diep in de nacht uitstrekten. De gangmakers waren de gasten zelf, die van geen ophouden wilden weten. Elke avond stortte Victor zich in het gedruis, er tegelijkertijd op toeziend dat alles ordelijk verliep. Hij verkeerde in een voortdurende staat van opwinding. Dit ging al zijn verwachtingen te boven. Bier, champagne en wijn vloeiden in ruime hoeveelheden. De gastronomische buffetten die William na afloop van zijn presentatie liet aanrukken, gingen tot de laatste kruimel op.

De avonden bewogen zich min of meer in een voorspelbare volgorde. Eerst kwamen de zestig genodigden binnen, afwachtend maar hoopvol gestemd. Ze bewonderden het landgoed en hun eigen kunstwerk en begroetten vrienden en kennissen. Over de inhoud van de toespraak was men al eerder ingelicht, dus hun aandacht was met name gericht op Williams kwaliteiten als spreker. De kleine Amerikaan stelde niet teleur en bleek een begaafd entertainer. Kritische vragen of opmerkingen bleven uit; die waren al eerder weggefilterd. Iedere bezoeker wist welke bedragen Jan en Francesca hadden toegezegd. Ze waren ook bekend met de uitslag van het politieonderzoek en Brams belofte goed op de ingelegde gelden te passen.

Na afloop van Williams presentatie klonk er dan ook altijd luid en enthousiast applaus, waarna de feestelijkheden begonnen. Later, wanneer de groep kleiner geworden was, verplaatste het hele gezelschap zich naar boven en deelde William cognac, whisky en sigaren uit. In een als bibliotheek ingerichte ruimte met diepe fauteuils en een knapperend haardvuur ging hij door met vertellen over beroemdheden en hun vele overeenkomsten. Zijn kennis over dit onderwerp was werkelijk onuitputtelijk en hij sprak over ieder van hen alsof hij ze persoonlijk kende. Zelfs Victor, die altijd een zekere twijfel bleef houden jegens William als persoon, kon niet anders dan geboeid luisteren.

Elke dag moesten de schoonmakers harder werken om het landgoed op tijd klaar te krijgen voor de volgende groep. Op sommige ochtenden gebeurde het zelfs dat ploegen buiten moesten blijven wachten tot de laatste gasten het huis verlieten; wankelend hun afscheidsgroet schreeuwend naar hun nieuwe vriend en leider, William Scarborough.

Victor kwam amper aan slapen toe, en hij wás al uitgeput vanwege de langdurige voorbereiding. Maar elke ochtend, enkele uren nadat hij De Eendenhorst had verlaten, keerde hij terug om Jessica te helpen met het herschikken van de collectie. Gezeten op een stoel in een hoek van de zaal keek Victor toe hoe de Russin, als een generaal op het slagveld, een groep verhuizers nauwgezette instructies gaf om de dertig kunstwerken van de vorige avond voorzichtig van de muur te halen en naar de kelder te brengen. Aan de hand van een lijst controleerde Victor vervolgens of de juiste nieuwe doeken naar boven werden gehaald en voor Jessica's voeten op de vloer werden uitgespreid. Het was Jessica's taak om elk schilderij vervolgens een passende plaats te geven.

Een of twee keer deed Victor een suggestie, maar haar ijzige blik maakte duidelijk dat zijn mening niet gewenst was. Ze praatten dan ook niet tijdens deze sessies, die vaak meerdere uren duurden. Jessica was maniakaal veeleisend en leek in beslag genomen te worden door de kleinste details. Victor kon enkel afgepeigerd wachten tot haar schepping voltooid was. Van hem verwachtte William vervolgens elke middag een statusrapport. Zodra dit klaar was dook hij onder de lakens voor nog enkele uren slaap.

Op de ochtend na de vierde lange avond liepen Victor en Jessica samen naar de wachtende taxi. Met gesloten ogen lag hij voor lijk in de kussens. Nog drie bijeenkomsten; dan waren ze klaar.

'Hoe gaat het eigenlijk met jullie fonds?' vroeg Jessica.

Hij opende een ooglid. Alle eerdere dromen over romantiek waren vervlogen. Hij beschikte niet eens over de energie om met twee ogen naar de Russin te kijken.

'Goed.'

'Geloven de mensen erin?'

'Waarin?'

'De filosofie. Williams theorie over talent waarin de mensen gevraagd wordt te investeren. Dat waar je zelf eerder geen vertrouwen in had.'

'O dat.' Een diepe zucht volgde. 'IMPERIUMBOUWER gaat al lang niet meer over geld. Het gaat over snobisme bij ouders en de toekomst van hun kinderen. De voorbeelden die ze van ondernemers kunnen krijgen.' Hij legde uit wat er in het prospectus stond.

'Oh? En geloven ze daarin?'

'Ook dat is de vraag niet. Feit is dat ze erin wíllen geloven. William is briljant in het creëren van perceptie.'

'Ik heb hem eerder horen spreken. Mag ik een avond bijwonen?'

'De bijeenkomsten zijn besloten, maar de laatste avond kan ik je wel binnensmokkelen. Als je belooft geen tegenwerpingen te maken. William is gevoelig voor elke vorm van kritiek.'

Die nacht hing Victor naast Boudewijn aan de bar. Van uitputting kon hij amper nog staan, en zijn voormalige baas was er niet veel beter aan toe. De bankier schonk zich nog een whisky in. Victor hield het bij rode wijn. Ook deze avond beloofde het weer krankzinnig laat te worden. Buiten wachtten taxi's op diegenen die niet meer konden rijden, maar hoewel de overgrote meerderheid van het gezelschap inmiddels beschonken was, maakte geen van de aanwezigen aanstalten om naar huis te gaan. Dit feest was leuker dan ze ooit in Rietschoten hadden meegemaakt.

'Hoe denk jij dat hun kinderen zullen reageren?' vroeg Boudewijn, het uitgelaten gezelschap om hen heen observerend.

'Voorspelbaar,' zei Victor, die hier over had nagedacht. 'Er zijn vier groepen. De ambitieuzen en slimmeriken zullen deze kans met twee handen aangrijpen. Waarom tijd verspillen met studeren als je in één klap dicht bij de macht kunt kruipen? Binnen de kortste keren maakt deze groep zich bij de ondernemer onmisbaar, en de weg daarna gaat alleen maar omhoog.'

'En de minder begaafden?'

'Groep twee. De minder begaafden hebben een probleem. Ouders zullen druk op hen uitoefenen om hard te werken en succesvol te worden. De stage kost immers een miljoen euro en, belangrijker nog, is voor vader en moeder een mogelijkheid om te zien wat hun kind werkelijk in huis heeft. Voor de minst getalenteerden is de stage een ramp, want het ontbreekt hun aan een excuus of de kracht zich ertegen te verzetten. Zij die feitelijk het meest hulp nodig hebben, profiteren het minst, zoals meestal gebeurt wanneer goedwillenden ingrijpen in het leven van anderen.'

Victor dacht terug aan Afrika. Hij moest Winston terugbellen. Dringend. Morgen, beloofde hij zichzelf.

'Hoe dan ook, voor deze groep wordt de stage haast gegarandeerd een mislukking. Het is een interessante, maar onafwendbare paradox.'

Boudewijn knikte en dronk uit zijn glas. IJsblokjes rinkelden.

'Er zijn nog twee andere groepen,' bracht Victor hem in herinnering.

'O ja. Welke precies?'

'Ten eerste de protestgeneratie.' Victor pakte een vaas bloemen die op de bar stond en hield die schuin boven zijn hoofd, zodat er een scheut water over zijn haar liep. Vervolgens modelleerde hij met enkele handbewegingen zijn kapsel tot een hanenkam om.

Jan Overhout was intussen bij hen komen staan. Ook hij had een glas in zijn hand en was duidelijk niet meer helder van geest. 'Wazzijn jullie aan het doen?' grinnikte hij.

'Rollenspel,' antwoordde Victor. 'Jullie zijn mijn rijke Rietschotense ouders. Ik ben een punker die op het rechte pad geholpen moet worden. Dus jullie willen dat ik bij een of andere ondernemer in het buitenland stage ga lopen?'

'Ja, dat klopt, mijn zoon,' zei Boudewijn. Hij leek plezier te hebben in Victors spontane actie met de vaas.

'De voordelen zijn toch duidelijk? Je leert er karakter door en...' begon Jan, maar de bankier schopte hem hard tegen de schenen.

'Je zult er ongelofelijk veel plezier hebben,' ging Boudewijn verder, Jans beteuterde gezicht negerend. 'Iedereen wil immers onderdeel zijn van succes.'

'Dus ik hoef niet meer naar school?' vroeg Victor.

'Nee. Fantastisch, toch?'

'En wat voor werk moet ik doen?'

'Dat weten we nog niet,' aarzelde de bankier. 'Wat de ondernemer je vraagt om te doen.'

'Krijg ik een salaris?'

'Ja.'

'Hoeveel?'

'Ook dat is nog onduidelijk. Maar als je tekortkomt, krijg je van ons extra,' zei Boudewijn onmiddellijk toen Victor wantrouwig begon te kijken.

'En jullie blijven in Nederland? Ik kan daar verder mijn eigen gang gaan? Doen wat ik wil?'

'Ja. Zolang je die stageplaats maar niet verliest. Papa en mama hebben er veel centjes voor moeten betalen.'

'Dus ik zal ver weg zijn van mijn ouders, hoef niet langer naar school, krijg extra geld en heb volledige vrijheid zolang ik aan de minimumeisen voldoe.'

Boudewijn en Jan keken elkaar ongemakkelijk aan. Victor toastte zo hard met hen beiden dat de glazen kraakten.

'Cool! Hartelijk dank. Ik kan niet wachten tot het vliegtuig vertrekt.'

Alle drie barstten ze in lachen uit.

'En de laatste groep?' vroeg Boudewijn.

'Dat zijn de werkelijk gevaarlijken, al zullen het er niet veel zijn: de seksueel-opportunisten. Zij zullen de ondernemer verleiden en hem later voor de rechtbank slepen wegens misbruik.'

Jan schudde zijn hoofd. 'Dat is cynisch, Victor. Daar ben je te jong voor.'

'Niks cynisch. Welkom in de wereld van vandaag.'

In honderdtachtig families in Rietschoten kwamen de traditionele voorbereidingen voor Kerstmis onder druk te staan. Terwijl andere gezinnen zorgeloos bomen naar binnen sleepten, bestellingen plaatsten bij traiteurs en cadeaus kochten voor elkaar, waren de genodigden van William Scarborough in de greep van een groot verlangen, een hoop die niets te maken had met vrede op aarde. Er moesten beslissingen worden genomen en de tijd drong. Naarmate 25 december dichterbij kwam, werd Victor steeds meer overspoeld met verzoeken om extra informatie. Uiteindelijk kwam alles neer op de beantwoording van één vraag: met hoeveel schrijven we in?

Vrouwen bleken het fanatiekst, bang als ze waren om buiten de groep te vallen. De gedachte dat ze nooit meer toegang tot De Eendenhorst zouden hebben, terwijl hun vriendinnen met beroemdheden zouden staan keuvelen, was een nachtmerrie die geen werkelijkheid mocht worden. Dus als er echt geen geld was voor een stageplaats, moest er ten minste geld komen voor een plaats tussen de top honderd, zo meenden de echtgenotes.

Voor Victor waren het zware dagen. Een krankzinnige hoofdpijn, ongevoelig voor aspirine, beukte continu pal achter zijn ogen en maakte rationeel denken haast onmogelijk. Het was het gevolg van maanden onafgebroken werk en te weinig slaap. Net als eerder bij Acorn Brothers telefoneerde Victor urenlang met de miljonairs van Rietschoten, gezeten aan zijn bureau en omringd door stapels papier. Het verschil was alleen dat zij hém nu belden, en dat ze met 'nee' geen genoegen namen. In de hoop een schatting van hem te krijgen, werd Victor verbaal achtervolgd, in een hoek gedrukt en aan de praat gehouden. Aan iedereen vertelde hij hetzelfde verhaal, doorlopend over zijn slapen wrijvend om de druk te verminderen.

'Mevrouw Bastiaanse, het enige wat ik u kan zeggen, is dat zo hoog mogelijk inschrijven u de beste kansen biedt.'

'Victor, ik heb jou geholpen, nu moet je mij helpen. Charles en ik willen twee stageplaatsen. Uitkomen op nummer eenendertig of lager is voor ons onacceptabel. Noem mij het bedrag waardoor we daar zeker van kunnen zijn. Als het moet, maken we het vandaag nog over. Zonodig verpanden we een Van Gogh.'

'Exact een bedrag voorspellen is onmogelijk. Dat weten we pas begin volgend jaar.'

'Maar je kan toch een tip geven, wat advies onder de tafel aan een vriendin?'

'Mevrouw Bastiaanse, zoals u zijn er honderdtachtig. Ik kan geen uitzondering maken.'

'Je bent een klootzak, Victor.'

'Het spijt me, mevrouw Bastiaanse, maar ik stel niet langer prijs op dit gesprek.'

Victor sliep nog steeds op het opklapbed, werkte zestien uur per dag, probeerde zo gezond mogelijk te leven, maar zag nooit een ziel. Op een gegeven moment hield hij op zich te scheren.

'Kom, dames!' schreeuwde hij voor zich uit toen de eenzaamheid hem te veel werd. 'Verkoop die cabrio, koop minder schoenen, schuif die blinkende juwelen naar de kringloop, en stop al jullie centen in het fonds IMPERIUMBOUWER. Het is voor uw eigen kinderen. Jezus zou het ook doen.'

Mannen concentreerden zich meer op cijfers. Tijdens hun dagelijks overleg vertelde Boudewijn dat alle honderdtachtig miljonairs hem inmiddels een bezoek gebracht hadden en dat niemand het pand aan de Kastanjelaan had verlaten zonder offerte op zak voor een hypotheek of een andere vorm van lening. Acorn Brothers bood grote bedragen zonder moeilijk te doen, en Boudewijn en zijn team werkten dag en nacht. De kassa rinkelde en Wilbur-Karp in Londen juichte, zo vernam Victor. George Finton had, geheel tegen zijn natuur in, moeten toestemmen dat er twintig man extra personeel werd aangetrokken.

William leek zich deze periode prima te vermaken. Na afloop van de bijeenkomsten was hij overstelpt met uitnodigingen voor lunches, diners en privébijeenkomsten waar hij als eregast werd gepresenteerd.

Zonder twijfel was de oprichter van het fonds op dit moment de machtigste persoon van het dorp. William nam zo veel mogelijk uitnodigingen aan, werd overal ontvangen en liet de lopende zaken aan Victor over. Vanzelfsprekend maakte de Amerikaan van de gelegenheid gebruik om het evangelie van IMPERIUMBOUWER te prediken aan hen die twijfelden, en het vuur bij bekeerlingen nog hoger op te stoken. Volgens velen had de man, met zijn passie en overredingskracht, veel weg van een predikant; de gouden bisschopsring aan zijn vinger versterkte dit beeld alleen maar. Behalve als belegger, historicus en verzamelaar, werd de directeur van het fonds nu ook gezien als autoriteit op het gebied van kinderopvoeding. Zijn adviezen op al deze gebieden werden actief gezocht en uitgevoerd. Victor lachte zich slap toen hij het hoorde. Volgens hem had William nog nooit in zijn leven een luier verwisseld.

'Waar ben je?' vroeg hij Jessica op een avond enkele dagen voor Kerstmis. De Russin had Rietschoten na de laatste bijeenkomst verlaten maar ze belden elkaar nu regelmatig. Jessica stuurde hem haar schema vooruit zodat Victor niet op verkeerde momenten kon storen.

'In Rio. Gisteravond aangekomen.'

'Klinkt beter dan Rietschoten. Hoe was je dag?'

'Zelfde als altijd,' hoorde hij haar gapen. 'Luchthaven, taxi, hotel, museum. De verwachtingen hier zijn hooggespannen; ze vieren een of ander jubileum. Ik zal hard moeten werken, maar dat vind ik alleen maar prettig. Uitdagingen als deze brengen het beste in mij boven.'

'Nog plannen voor kerst?'

'Werk, werk en nog eens werk. De tentoonstelling opent volgende week en we zijn pas net begonnen. Iedereen holt in blinde paniek door elkaar.'

'Ik zou graag met jou kerst willen vieren. Maar ook ik heb absoluut geen tijd. Ik verdrink.'

'Hier hetzelfde. Hoe gaat het met William? Hij was fascinerend, die avond. De man is een groot artiest. Een kunstenaar met woorden.'

Ze vindt hem interessanter dan mij, dacht Victor met een zuur gevoel in zijn maag. De dagen en nachten vergleden terwijl hij opgesloten zat in De Eendenhorst. Er was niets veranderd. William verwachtte elke avond een statusrapport en overdag werd Victor overspoeld door vragen en wensen van het publiek. Slaap was luxe. Zijn hoofdpijn had inmiddels gezelschap gekregen van maagzuur. Niet zo gek dat de charismatische Amerikaan daar gunstig bij afstak.

'William Scarborough is een compromisloze klootzak,' antwoordde hij uit de grond van zijn hart.

'Dat zijn artiesten altijd. Het hoort bij hun imago.'

'Wist je dat we niet eens kerstversiering hebben, hier op het landgoed? William vertelde me ooit dat hij Jezus een slappeling vindt. Die liet zich kruisigen door de Romeinen en keerde hun de andere wang toe, terwijl hij terug had moeten vechten. Jezus was duidelijk geen imperiumbouwer. Nee, dan Petrus. Die heeft in zijn eentje de katholieke kerk uit de grond gestampt; de meest succesvolle en langdurige vorm van menselijke organisatie ooit.'

Ik klink nu precies als William zelf, drong het tot Victor door; een gedachte die hem beangstigde, maar ook, om een of andere reden, aantrok.

'Hoe gaat het met de inschrijvingen?'

'Nog te vroeg om iets over te zeggen. Maar we zijn optimistisch en gaan voor goud. In dit dorp schrijven we geschiedenis.'

'Geeft het geen enorme bevrediging om scheppend bezig te zijn? Iets te bouwen dat er daarvoor niet was? Dit fonds lijkt me iets waar jij je hele ziel en zaligheid in kunt gooien.'

'Absoluut. Reuze opwindend. Cool,' antwoordde Victor mat. Enkele minuten later hing hij op. Hij staarde naar de donkere bomen die buiten heen en weer zwaaiden in de wind. 'Maar liever had ik dat we samen waren,' sprak hij tot de telefoon, waarna hij zuchtend weer aan het werk ging.

Kerstochtend was koud en grijs; een typisch Hollandse winterdag. Victor bleef thuis en belde de notaris. Die had bij hoge uitzondering en tegen een nog uitzonderlijker tarief, toegestemd deze dag de deur van zijn kantoor te openen, maar niet langer dan tot twaalf uur, het moment dat de inschrijving sloot. Notaris Oosterom was pertinent geweest. De familielunch ging boven alles. Het kantoor had slechts enkele inschrijvingen ontvangen, zo vertelde hij maar het was nog vroeg. Pas negen uur. Victor was afgepeigerd door het werk van de afgelopen maanden. Hij beloofde later op de dag terug te bellen en sloot zich op in zijn appartement; zonder kerstboom maar met een gevulde ijskast. Hij was tevreden met de gang van zaken tot nu toe. De champagne stond koud. Voor later.

Tevredenheid was op dat moment in huize Faber ver te zoeken. Sinds de voorbereidingen van het fonds waren begonnen, was Boudewijn geen avond thuis geweest en de emoties van zijn vrouw Sylvia waren steeds hoger opgelopen. Toen Boudewijn diep in de kerstnacht thuiskwam van een zoveelste martelende dag op de bank, vond hij een briefje op hun bed. Zijn vrouw was naar Madrid gevlogen. Sylvia prefereerde het gezelschap van haar moeder, een dementerende bejaarde die niet eens zou beseffen dat haar dochter er was, boven dat van een man die enkel zijn eigen doelen nastreefde, had ze geschreven in agressieve hanenpoten.

Al wekenlang leefde Boudewijn op koffie, pillen en tien afspraken per dag. Haar nareizen was onmogelijk. Volgend jaar zal ik het goed maken, nam hij zich voor en viel zonder zijn kleren uit te doen neer op de dekens. Ze moest niet zeuren, vond hij. Door hem werd Acorn Brothers de grootste bank van Rietschoten en daar profiteerde ook Sylvia van. Hij zou haar een glimmer geven en daarmee was de kous af. Met die gedachte viel hij in slaap.

Voor Bram de Lint betekende de ochtend van 25 december het moment dat hij, met enorme tegenzin, het familiekapitaal op het spel ging zetten. Alleen gezeten in zijn studeerkamer vulde hij het inschrijvingsformulier in. Eenmaal ondertekend stopte Bram het in de fax. Een paar toetsen later was het weg. Het apparaat spuugde de bevestiging uit en in afgrijzen bekeek Bram nogmaals het bedrag dat hij in donkerblauwe inkt zelf boven de streep had gezet. Vijf miljoen euro. Marieke liet hem geen andere keus. Adriaan moest en zou verzekerd worden van een stageplaats en het was Brams falen als vader dat dit noodzakelijk gemaakt had.

Hun ruzie duurde al weken. Feitelijk was die gelijk na afloop van de eerste bijeenkomst op De Eendenhorst begonnen en nooit opgehouden. Gelukkig was Adriaan deze periode niet thuis geweest maar in Leiden, omdat hij tentamens had.

Eerder die kerstmorgen had Bram met Lodewijk van Ballegooij gebeld voor de laatste marktinformatie en roddels. Zijn vriend schatte de minimale inleg voor een stageplaats nu in op vier miljoen euro. Vijf was echter waarschijnlijker. Niets kon echter met zekerheid worden voorspeld, want pas seconden voor afloop van de termijn zou Rietschoten haar beslissing maken. Voor een plaats bij de top honderd, de toegangskaart tot beroemdheden, moest anderhalf miljoen betaald worden, meende Lodewijk en zelf schreef hij toch ook maar in, met twee miljoen. Die computers voor de apotheek konden blijkbaar wachten. Voor een stageplaats had de apotheker niet genoeg geld; met drie kinderen was dit te duur en hij wilde geen onderscheid maken.

Bram had slechts één kind, maar geen vijf miljoen euro, zo had hij Marieke keer op keer uitgelegd. Het huis waarin ze woonden, was niet zijn eigendom maar van een stichting die het namens de familie beheerde. En het kapitaal dat hij bij Liechtensteijn & Haagelse had opgebouwd, feitelijk hun spaargeld, kwam pas vrij wanneer hij met pensioen ging en daar moesten ze nog jaren van leven.

Natuurlijk was er de Rubens maar die kon niet verkocht worden. Het schilderij was een erfstuk, bestemd voor volgende generaties. Volgende generaties konden prima voor zichzelf zorgen, vond Marieke, en ze maakte duidelijk dat wat haar betreft de engeltjes linea recta naar de veiling konden. Adriaans toekomst was belangrijker dan een paar likken verf op papier, ook al waren dit de verfstreken van een genie.

Toen hun ruzie bleef oplopen, dreigde ze uiteindelijk te vertrekken, liever dan te blijven bij een man die meer in het verleden leefde dan in de toekomst.

Uiteindelijk was Bram, zoals altijd, met een compromis gekomen. De Rubens werd niet verkocht, maar aan de bank verpand in ruil voor een lening. Hiermee ging Marieke akkoord.

Morrend vulde hij nu de akte van lening in en faxte die, samen met het inschrijvingsformulier, naar Acorn Brothers. Originelen zouden per post volgen.

Bram zuchtte diep. Het enige wat deze Kerstmis goedmaakte, was Adriaans reactie geweest toen ze hem vanmorgen bij het ontbijt, met brandende kaarsen, kerstbrood en geurende koffie op een bloedrood tafelkleed, van de stage vertelden. Hun zoon omhelsde zijn beide ouders toen hij hoorde wat zijn cadeau zou worden. Enigszins cynisch bedacht Bram dat het meer uit opluchting leek dan oprechte vreugde. Adriaans vrienden waren immers ook stageplaatsen beloofd en niemand blijft graag achter bij zijn gelijken. Samen met andere verpande schilderijen zou de Rubens na afloop van de tentoonstelling naar Amsterdam worden vervoerd om daar in een kluis van de bank te worden bewaard. Pas als alle rente en aflossingsverplichtingen jegens Acorn Brothers waren voldaan, kreeg Bram zijn erfstuk terug.

Voor Jan Overhout begon deze kerstdag haast als alle andere. Terwijl zijn vrouw Joke zich bezighield met de voorbereidingen van de lunch, handelde Jan de zaken af. Zoals aangekondigd wilde hij twee stageplaatsen kopen voor zijn zoons. De faxen waren echter nog niet verstuurd. De reacties op Francesca en hemzelf, alsmede de bepalingen van het inlegvel, hadden Jan duidelijk gemaakt dat de vraag enorm zou zijn en het aanbod beperkt. Je hoefde bepaald geen Einstein te zijn om de gevolgen te voorspellen. Een miljoen euro was niet genoeg voor een stageplaats, laat staan twee. Jan wilde geen risico lopen met zijn belofte. Daarom wachtte hij tot op het laatste moment. Enkele minuten voor twaalf belde Jan naar Boudewijn Faber voor diens laatste advies. Toen pakte hij zijn pen en ondertekende twee formulieren. Op beide stond een bedrag van zeven miljoen euro. Jan haalde zijn schouders op toen hij aan het geld dacht. Veertien miljoen was niet veel voor hem; drie of vier pandjes in een winkelstraat, en daarvan had hij er genoeg. Honderden zelfs. Zelfs Boudewijn wist niet hoe rijk zijn vriend precies was en dat moest vooral ook zo blijven. Er zijn grenzen aan wat je vertelt aan je bankier; ook al is hij je vriend.

De klok sloeg twaalf uur en Jan drukte op de verzendknop van de fax. Joke wachtte beneden. Hun zoons zaten al aan tafel met dampende schalen voor hun neus. Joke had zich uitgesloofd. Iedereen had honger. Een halfuur later zaten ze echter nog steeds te wachten. In plaats van samen met zijn familie het glas te heffen op de toekomst, drukte de gepensioneerde winkelier steeds bezetener op de knop, zijn hoofd inmiddels rood aangelopen van woede. Alle fax- en telefoonnummers van de notaris waren bezet. Niets of niemand kwam erdoorheen. Het was inmiddels allang twaalf uur geweest en formeel was de inschrijving gesloten. Zijn zonen konden hun levensbepalende stage vergeten.

Na spoedberaad met Bram en Boudewijn rende Jan naar zijn Bentley en spoot naar Den Haag. Voor alle zekerheid belde hij ook zijn advocaat, die al aan tafel zat, en stuurde de man vooruit voor het geval de notaris moeilijk ging doen. Joke en de kinderen bleven achter met een gedekte tafel.

Later in de middag werd Victor gebeld door een uitgeputte medewerker van het notariskantoor. Om twaalf uur precies was de centrale bezweken onder een golf van faxen en telefoontjes. Sinds dat moment kon men enkel nog mondeling de groep mensen te woord staan die hun weg naar het kantoor gevonden hadden, allen om het hardst schreeuwend en smekend van razernij, frustratie en angst. Geen enkele inschrijving kon echter in behandeling worden genomen. De computers werkten niet, en die waren nodig om ontvangstbevestigingen te prepareren en in de administratie te verwerken. De externe IT-hulpdienst was dicht vanwege Kerstmis en vroeg onbeschoft veel geld voor het sturen van een mannetje.

De inwoners van Rietschoten waren niet bereid naar rede te luisteren; sommigen dreigden met juridische stappen. Het aantal advocaten op kantoor overtrof algauw het aantal inschrijvers. Een handgemeen dreigde. Om de situatie op te lossen, ondertekende

Victor een document dat de inschrijvingstermijn verlengde tot middernacht en dat hij een koerier in Den Haag liet bezorgen. Ook zegde hij toe de rekening voor de hulpdienst te betalen. Daarna opende hij de champagne en dronk een glas op het succes. Niet veel later eisten alle eerdere inspanningen hun tol. Victor ging naar bed en sliep drie dagen achter elkaar.

15

Januari

Victor keek naar buiten. Het was de ochtend van 2 januari en de straten van Den Haag zagen nog rood van de resten vuurwerk. Vuilnisophaaldiensten waren druk bezig met het opruimen van de ravage na oudejaarsnacht. Volgens de maatstaven van de stad was het rustig geweest dit jaar. Drie gewonden lagen nog in het ziekenhuis.

In de kamer van notaris Oosterom, een ruimte zonder kunst of andere vorm van aankleding, leek deze werkelijkheid ver weg. Op het bureau stonden twee kartonnen dozen, tot aan de rand gevuld met enveloppen. Tegenover de notaris zaten Bram de Lint, Boudewijn Faber, Jan Overhout, Victor zelf en William Scarborough op een rij. Allemaal wiebelden ze een beetje heen en weer. Zelfs William, normaliter een toonbeeld van rust, leek zenuwachtig.

Oosterom, vroeg kalend en gestoken in een driedelig grijs pak, gaf aan dat de procedure kon beginnen. Een secretaresse verbrak zegels, opende enveloppen en haalde er faxen en brieven uit. De inhoud gaf ze aan de notaris. Hij streepte de afzender van de lijst en gaf het document door aan een tweede medewerker, die de gegevens in de computer invoerde. Het was een tijdrovend, zorgvuldig proces dat in totaal anderhalf uur duurde. Gedurende die tijd werd er niet gepraat of zelfs maar gekucht. Het enige hoorbare geluid was geritsel en getik. Toen alle dozen leeg waren, printte de medewerker een overzicht uit en de notaris begon de inhoud daarvan te vergelijken met de inschrijvingen op zijn bureau. Deze handmatige controle duurde nog eens ruim een uur. Ten slotte vroeg en kreeg Oosterom een uitdraai op officieel briefpapier van het kantoor.

Hij nam het document ter hand en zette zijn bril recht. Zich bewust van het plechtige moment, kuchte de notaris en stak van wal met een serie juridische formaliteiten. Toen kwamen de woorden waarop Victor en de rest zo lang hadden gewacht.

'Officiële en notarieel vastgestelde uitslag van inschrijving in het besloten beleggingsfonds Imperiumbouwer, opgericht en gevestigd te Rietschoten. Totaal ingeschreven en gestort op een geblokkeerde rekening bij de bank Acorn Brothers op naam van mijn kantoor is...' en Oosterom wachtte een seconde voordat hij het bedrag prijsgaf, 'vierhonderdachttien miljoen zevenhonderdachtenvijftigduizend euro en vijftig cent.'

De notaris gaf geen nader commentaar en ging verder. 'Ik begrijp dat voor u de nummers dertig en honderd, in volgorde van hoogte van inschrijving, belangrijk zijn. Inschrijving nummer dertig op de lijst, op een dergelijke manier vastgesteld, is vijf miljoen en driehonderdduizend euro. Nummer honderd is twee miljoen en zevenhonderdduizend euro.' Notaris Oosterom legde het papier voorzichtig neer en verzegelde dit met een donderende klap.

Victor was met stomheid geslagen. Hij kon enkel blijdschap uitstralen en bracht geen woord uit. Datzelfde gold voor William, zag hij. Sprakeloos schudden ze elkaar de hand. Bram daarentegen zat als bevroren op zijn stoel. Vijf miljoen euro was niet genoeg geweest! Zijn belofte aan Adriaan was in één klap waardeloos. Met ingehouden razernij staarde hij naar het team van de overwinnaar. William Scarborough had zijn imperium gevestigd. Hij was God in Rietschoten.

Die avond werd er voor de gelukkige honderd een gala georganiseerd op De Eendenhorst. Victor huurde voor de gelegenheid een smoking. Na een uur stond hij echter alweer buiten, klaar om te vertrekken.

'Ga je nu al?' vroeg Boudewijn die samen met Bram bij de voordeur een sigaar stond te roken. 'Vind je het niet leuk?'

'Nee. Tweehonderd bijen in avondkleding, zwermend rondom koning William, daar hoef ik niet bij te zijn. Tot ziens.'

Maar eenmaal thuis liet de opwinding hem niet los. Hij was nog steeds zo moe als een hond, kon amper helder denken, maar in dit nieuwe jaar leken al zijn dromen uit te gaan komen en hij wilde met iemand praten. Hij pakte de telefoon en belde Jessica, die nog steeds in Rio zat. Gelukkig nam ze op.

'Weet je nog dat je vroeg waarom ik zo hard werkte, wat mijn motivatie was?'

'Ja?'

'Ik kan het je nu zeggen. Zodra die ondernemers naar Rietschoten komen, vertrekt William. Dat doet hij altijd wanneer een fonds eenmaal is opgezet. In de lente begint hij in een ander dorp weer opnieuw. William is een bouwer, geen beheerder.'

'Werkelijk? En wat gebeurt er dan met jou?'

Victor durfde het nog altijd niet te geloven. Een maand nadat hij op De Eendenhorst begonnen was, had zijn baas hem voor een vaderlijk gesprek apart genomen. Na enkele woorden over de noodzaak van overdracht aan de nieuwe generatie, had William hem de sleutels van het landgoed in handen gedrukt. Victor had niet geweten hoe te reageren en had de Amerikaan uiteindelijk innig omhelsd.

'Wanneer William weggaat, volg ik hem op. Ik word de nieuwe directeur van Imperiumbouwer!'

16

Januari

Boudewijn had de verleiding niet kunnen weerstaan om ook dit laatste feest bij te wonen, maar bij het ochtendgloren van de volgende dag stond hij op Schiphol met een ticket naar Madrid in zijn binnenzak. Het grootste succes uit zijn carrière was binnen, maar de bankier vreesde dat hij daar een hoog offer voor zou moeten gaan brengen. Sylvia's furie wachtte in Spanje. Hij had een idioot grote bos rozen bij haar laten bezorgen, met een briefje erbij dat het hem speet en dat hij eraan kwam. Met bibberende knieën en alvast biddend om genade stapte hij het vliegtuig in, een doos met een gouden horloge tegen zijn borst drukkend.

Bram de Lint durfde het nieuws nauwelijks aan zijn zoon en vrouw te vertellen, bang als hij was voor hun reactie. Die viel uiteindelijk mee, hoewel de teleurstelling van hun gezichten droop. 'Je hebt je best gedaan,' luidde het gezamenlijk oordeel, en daarmee was de kous af. Wel had Bram meteen daarna voor het eerst sinds lange tijd een gesprek gevoerd met Adriaan over diens toekomst. Tot beslissingen kwamen ze niet, maar de tijd samen vergoedde veel.

'We bedenken wel iets,' zei de jongen bij het afscheid. 'Voorlopig blijf ik in Leiden.'

Met pijn in het hart zag Bram hem vertrekken, zichzelf verwijtend dat hij nooit de vader kon zijn die Adriaan nodig had.

Niet lang daarna ging de telefoon. Het was William; zijn nemesis.

'Ik zag dat je zoon het niet haalde, gisteren. Dat spijt mij.'

De oude advocaat zocht vergeefs naar sporen van sarcasme of spot in zijn stem. 'Geen medelijden, alsjeblieft. Wij zijn geen vrienden. Nooit geweest ook.'

'Dat is geen reden om elkaar het leven zuur te blijven maken. Kom naar De Eendenhorst. Het echte werk begint nu.'

Het 'echte werk', zag Bram toen hij een uur later door William was binnengelaten, waren vijftien dossiers, elk zeker tien centimeter dik. In elk dossier zat informatie over een ondernemer en diens bedrijf: persoonlijke details, jaarverslagen, bedrijfstak en financiële analyses, krantenknipsels, uittreksels van registers et cetera, et cetera. Het waren indrukwekkende namen, zag Bram. Sommige, zoals Stelios Haji Ioannou, die EasyJet had opgericht, genoten reeds enige bekendheid. Er bestond geen twijfel, dit waren de imperiumbouwers van de toekomst.

Wiliam leek zijn huiswerk goed gedaan te hebben. Alles werd behandeld. Sterke punten, zwakheden, opleiding, familie en vrienden, gezondheid, verslavingen, hobby's, visie, algemene indruk en karakter, Bram kon het zo gek niet verzinnen of het stond erin. Nog nooit had hij dergelijke uitputtende studies gezien.

'Dit zijn onze kandidaten,' zei William, duidelijk met enige trots. 'We hebben dag en nacht aan deze dossiers gewerkt. Victor concentreerde zich op de financiële aspecten, ik nam de zachte kant voor mijn rekening en heb de kandidaten persoonlijk urenlang gesproken, opinies over hen verzameld en conclusies over ze samengevat in een twintig pagina's tellend essay. Met al deze ondernemers heeft het fonds een getekende overeenkomst.'

Hij haalde de lijst met inschrijvingen uit zijn zak. 'Oorspronkelijk dacht ik dat IMPERIUMBOUWER slechts genoeg geld zou ophalen voor tien ondernemers, maar dit enorme succes maakt uitbreiding mogelijk. Gelukkig hebben Victor en ik voor de zekerheid vijftien dossiers geprepareerd. Die extra vijf komen nu goed van pas.'

Hij keek Bram aan. 'Vijf ondernemers erbij betekent vijftien stageplaatsen. In totaal komen er dus vijfenveertig. Op basis daarvan,' William raadpleegde de lijst, 'is ook jouw zoon verzekerd van een plaats. Adriaan staat op nummer achtendertig.'

Bram negeerde het hem aangereikte document. 'En? Verwacht je nu dat ik onmiddellijk toestemming geef? Dat is bespottelijk!'

'Nee, nee,' zei William bezwerend. 'Dat is niet wat ik bedoel. Wat ik voorstel, is dat jij, samen met Victor, deze dossiers doorneemt. Uitputtend. Stel elke vraag die je wilt vragen. Als er problemen zijn, bel je mij onmiddellijk op. Maar je hebt inderdaad gelijk; we kunnen niet verder zonder jouw goedkeuring.'

'Ik keur geen enkele ondernemer goed voor ik die zelf heb gezien,' zei Bram, woest bij de gedachte dat zijn handtekening gekocht kon worden.

'Dat is een beetje het probleem,' zei William, enigszins benauwd kijkend. 'Die mensen zijn zo druk, die komen niet zomaar naar Rietschoten voor een kennismaking. En jou kan ik ook niet vragen in het vliegtuig te stappen en vijftien landen af te reizen. Onze groep is over de hele wereld verspreid, van Seoul tot Kaapstad en van Buenos Aires tot Berlijn.'

Hij glimlachte haast spijtig. 'Verwachting volgt succes op de voet. De mensen hier wachten nu vol spanning op de ondernemers waarvoor ze zoveel geld hebben betaald. Kinderen zien uit naar hun stage; de meesten hebben de opleiding die ze volgden al stop-gezet. En die vijftien ondernemers wachten ook niet oneindig op ons; er zijn meer kapers op de kust. We moeten het ijzer smeden nu het heet is.'

William had een punt, moest Bram toegeven. Daarbij, lieden als Jan Overhout zouden na enkele keren ongeduldig navragen hun aandacht op een ander speeltje richten. Alleen de extreem rijken konden zich dergelijke frivoliteiten permitteren; hijzelf niet. Als een molensteen voelde Bram de schuld van vijf miljoen euro aan zijn nek hangen. Adriaan zou eerst de stage moeten afmaken voor-dat hij zijn investering in IMPERIUMBOUWER kon verkopen en de lening aflossen. Alleen dan kwam de Rubens terug naar huis.

'Ik begrijp wat je bedoelt,' zei hij voorzichtig, bang om zijn gedachten prijs te geven.

'Mijn enige wens is dat jij met Victor deze dossiers bestudeert,' benadrukte William. 'Als jij akkoord gaat, koopt het fonds de betreffende aandelen op de beurs. Onmiddellijk daarna zal Victor afreizen om de vijftien ondernemers te ontmoeten. Van elk gesprek brengt hij aan ons verslag uit.'

Victor was een goede suggestie, vond Bram, die moeite had zo snel toestemming te moeten geven. De assistent had bewezen onaf-hankelijk te kunnen denken en handelen. Het was enkel aan Victor te danken geweest dat William door de politie was doorgelicht. Victor mocht weliswaar nog jong zijn en onervaren, hij hing niet aan Williams broekspijpen zoals half Rietschoten deed tegenwoordig. Hij dacht aan Adriaans teleurstelling en aan de andere 179 families. Hij, Bram de Lint, was verantwoordelijk voor hun belangen. Meer dan vierhonderd miljoen euro had zijn gemeenschap aan IMPERIUMBOUWER toevertrouwd. Een onbegrijpelijk hoog bedrag waarvan de consequenties nog lang niet tot iedereen waren doorgedrongen.

Kon Bram zijn zoon helpen en tegelijkertijd voorzichtig zijn? Was hij nog wel voldoende objectief? Ergens diep in hem brandde de ambitie om Adriaan te helpen, om desnoods over de rug van de hele vervloekte wereld heen op te staan voor zijn eigen vlees en bloed. Het karakter van de bejaarde advocaat was er echter op geconditioneerd een compromis te vinden waarmee alle partijen konden leven. Naar de hel met alles, besloot hij, en hij hakte de knoop door.

'Ik heb een tegenvoorstel. Het fonds mag in de ondernemers investeren die ik op basis van de dossiers bereid ben goed te keuren. Maar als Victor iemand ontmoet in wie hij, om wat voor reden ook, geen vertrouwen heeft, dan verkopen we onmiddellijk diens aandeel. Of we er nu verlies op maken of niet, aan deze regel houden we vast. Datzelfde recht houd ik mijzelf overigens ook voor. En iedere kandidaat moet binnen drie maanden hier in Rietschoten op de stoep gestaan hebben, anders verkoopt het fonds alsnog. Is dat akkoord?'

'Akkoord,' zei William zichtbaar opgelucht, en voor het eerst sinds hun kennismaking schudde Bram de Amerikaan als vriend de hand. Onmiddellijk daarna vertrok William naar Zwitserland. Hij had daar een huis, vertelde hij, waar hij heen ging voor een korte vakantie. Zijn geliefde Rembrandt ging mee; hij was al ingepakt voor transport. De rest van de schilderijen op De Eendenhorst zou na zijn terugkomst aan de Rietschoters geretourneerd worden, over ongeveer twee weken.

Nadat William verdwenen was, keek Bram naar de mappen. 'Aan het werk,' zei hij enkel. In de uren en dagen daarna legde de zeventigjarige advocaat een werklust en doorzettingsvermogen aan den dag die hem zelf nog het meest verbaasde. Bram las alles, controleerde alles en wilde alles weten. Hij ging niet alleen af op het verzamelde materiaal, maar bezocht ook websites en belde vrienden en kennissen in betrokken landen. Als voorzitter van het advocatenkantoor beschikte Bram over een uitgebreid netwerk, en hij vroeg iedereen of ze de kandidaten kenden of er persoonlijk ervaring mee hadden. Feiten moesten minimaal twee keer geverifieerd worden voor ze als waar werden geaccepteerd. Bram wist dat Victor gek van hem werd maar dat kon hem niets schelen. Het enige waar Bram van af moest worden gehouden, was het benaderen van de kandidaten zelf.

'Dat is niet toegestaan,' bracht Victor hem in herinnering.

'Ik begrijp niet waarom,' protesteerde Bram. 'Ik mag mij toch zeker wel introduceren als nieuwe aandeelhouder? Het is niet niks wat wij in deze lieden gaan investeren. Bijna een half miljard euro! Ik wil iedereen eerst spreken voordat ik ze het geld van Rietschoten toevertrouw, al was het maar door de telefoon.'

Victor schudde zijn hoofd. 'William heeft een persoonlijke relatie met deze ondernemers en wil ze zelf aan Rietschoten voorstellen. Er komen nog genoeg mogelijkheden om hen later te ontmoeten.'

Bram mopperde, maar legde zich er uiteindelijk bij neer. 'Zorg wel dat je voldoende tijd met ze hebt,' merkte hij op.

Victor grijnsde. 'Maak je geen zorgen. Als ik het vermoeden heb dat ze informatie achterhouden, zal ik ze langzaam grillen boven een houtskoolvuurtje, net zolang tot ze me alles vertellen. Er staat voor mij net zoveel op het spel als voor jou, Bram. Als er iets misgaat met IMPERIUMBOUWER omdat jij of ik een fout maken, krijgen we heel Rietschoten achter ons aan. Ze zullen ons ophangen, vierendelen en met pek en veren het dorp uitjagen.'

De twee mannen lachten naar elkaar en gingen nog harder aan het werk, gesterkt in het besef van hun lotsverbintenis. Na vijf etmalen onafgebroken doorploeteren waren ze gereed. Alle dossiers waren doorgenomen, ontelbare referenties nagetrokken, registers geraadpleegd en de laatste aantekeningen vergeleken. Ze sloten alles af en belden Zwitserland.

'We zijn klaar,' zei Bram, die van vermoeidheid amper nog kon praten.

'Jullie hebben er de tijd voor genomen,' antwoordde William opgeruimd. 'Wat is het resultaat? Iedereen is goedgekeurd, neem ik aan?'

Bram wreef in zijn ogen. Ze hadden slechts enkele uren per nacht geslapen en al die tijd geleefd op koffie, broodjes en pizza's. Voor de laatste nachten had hij een opklapbed laten neerzetten naast dat van Victor.

'Nee. Twee vallen af. Een wegens diefstal; weliswaar iets wat dateert van lang geleden, maar ik wil geen veroordeelden in onze portfolio. De ander is zonder twijfel briljant, maar hij verkoopt wapens aan ontwikkelingslanden. Dat zijn geen goede rolmodellen.'

'Jammer,' vond William. 'De wapenindustrie vertoont een gezonde groei. Maar ik respecteer je besluit. Er komen dus dertien ondernemers en negenendertig stageplaatsen. Je zoon is veilig.'

'Ja, inderdaad,' zei Bram, alsof dit feit nu pas tot hem doordrong. In werkelijkheid had hij om die reden een derde kandidaat, in wie hij eigenlijk weinig vertrouwen had, alsnog goedgekeurd. Zelfs zijn eigen verantwoordelijkheid kende grenzen.

'Goed. Laat Victor naar Londen gaan. Iemand in de *dealingroom* van Acorn Brothers, Samuel Henderson, zal hem helpen de aandelen te kopen. Vertel Victor dat hij zo snel mogelijk moet vertrekken; hij moet morgenochtend vroeg bij Samuel op de beursvloer staan.'

Victor hing met Jessica aan de lijn. Het was midden in de nacht. Hij was diep in slaap geweest toen ze belde, en hij vocht nu wanhopig om een staat van wakker-zijn te bereiken. De bewusteloosheid bleef hem naar beneden trekken en zijn oogleden weigerden dienst.

Over enkele uren stond de taxi naar Schiphol voor de deur en hij moest zijn koffer nog pakken. Zowel lichaam als geest schreeuwde om rust, maar voor de rest van deze nacht gaf hij het idee van slaap maar op. Bovendien was hij blij om Jessica's stem te horen. Dit is de eerste keer dat zij míj belt, dacht hij hoopvol.

Jessica klonk ongerust. 'Dit zijn exorbitante bedragen, Victor. Bram had gelijk. Imperiumbouwer is een hype.'

'Hoe bedoel je?'

'De mensen hebben te weinig tijd gekregen om een overwogen beslissing te nemen. Deze krankzinnige prijzen zijn puur door het creëren van kunstmatige schaarste ontstaan.'

Victor kreunde inwendig. Haar niet of half beantwoorden was geen optie. Jessica zou op volledige uitleg staan.

'Schaarste en hoge prijzen maken op zichzelf nog geen hype,' legde hij uit. 'Zoiets heet marktwerking.'

'Onzin. Het is een hype wanneer de relatie tussen prijs en de waarde van een goed wegvalt. Iedereen weet dat. In de kunstwereld gebeurt het dagelijks en het is geen prettig gezicht. Particulieren bieden veel te veel voor schilderijen, alleen maar omdat de kunstenaar of periode toevallig in de mode is. Vijf miljoen euro voor een stageplaats is obsceen.'

'Vijf miljoen en driehonderdduizend, om precies te zijn. Maar je hebt geen gelijk. Iedereen van de groep kon zich dit bedrag veroorloven en vierhonderd miljoen is niet veel voor dit soort mensen – hooguit een paar procent van hun collectief vermogen. Alleen al het huizenbezit hier in het dorp is meer waard.'

'Dus als iemand zich het verlies kan veroorloven, vervalt elk recht op bescherming? Ik dacht dat de instorting van de internethype een eind had gemaakt aan *caveat emptor*; de koper moet op zijn tellen passen.'

'IMPERIUMBOUWER heeft niets met internet te maken,' protesteerde Victor vermoeid. Zoals gewoonlijk wist Jessica op precies het verkeerde moment de verkeerde dingen te zeggen. Deze nacht was ze in topvorm.

'Waarom niet?'

'Omdat iedereen van tevoren wist waaraan hij begon. Bij internet waren de banken medeschuldig aan de crash, maar in dit geval valt hun niets te verwijten. Acorn Brothers heeft geen aanbeveling voor ons fonds afgegeven. Ze schreven zelfs geen rapport.'

'Dan kan zo zijn, maar de bank maakte IMPERIUMBOUWER wél mogelijk. Faciliteren staat gelijk aan het accepteren van verantwoordelijkheid.'

Hij zuchtte. 'Jij hebt er blijkbaar goed over nagedacht. Wat had Acorn Brothers dan wel moeten doen? IMPERIUMBOUWER ontraden?'

Hier moest Jessica over nadenken. 'Ontraden gaat inderdaad ver. Wellicht had de bank een onafhankelijke waardering kunnen uitspreken?'

'Een onafhankelijke waardering van wat precies? Een stageplaats bij een getalenteerde ondernemer? Het lidmaatschap van een exclusieve club? Onmogelijk; voor dergelijke zaken bestaan geen universeel geaccepteerde grondslagen. Mensen betalen wat ze ervoor over hebben of zich kunnen veroorloven. Belangrijker is de emotie achter het besluit. Beslissingen als deze zijn per definitie irrationeel. Net als bij de aankoop van kunst.'

'Hmm... misschien had William extra aan de tand gevoeld moeten worden?'

'Terug naar de periode-"William pesten"? Die hebben we achter de rug. William is doorgelicht en in orde bevonden. Bram en ik hebben restricties ingevoerd en zitten op elke cent. Niets verlaat de rekening zonder onze toestemming.'

'Dus het geld van Rietschoten wordt pas besteed wanneer Bram de ondernemers zelf heeft gezien?'

'Ja. Bijna... ongeveer. Niet helemaal.' Victor gaapte, ging overeind zitten en vertelde over de afspraak die ze eerder die week gemaakt hadden. Jessica was er niet gerust op.

'Niemand kent William. Zijn motieven blijven onduidelijk.'

'Is dit je Russische ziel die opspeelt? Ik dacht je zo'n fan van hem was. Een kunstliefhebber als hij kan toch niet slecht zijn? Een briljante geest, een kunstenaar met woorden?'

'Zo bedoelde ik dat niet. Hitler en Stalin hielden ook van kunst, maar dan met name vanwege de symboliek. Diefstal of vernietiging van de kunstvoorwerpen van onderworpenen bevestigt het overwinnaarsregime. Geschiedenis wordt geschreven door de heersende klasse en geschiedenis schrijf je onder meer met kunst.'

Ergens in Victors overbelaste brein ging hem een licht op.

'Jij bent bang dat William er met de collectie vandoor gaat! Maar dat is onzin, William geeft alle schilderijen na zijn vakantie terug.'

'Hoe kun je daar zo zeker van zijn? Tijdens mijn rondleiding kreeg ik sterk de indruk dat hij alles wat daar hing als zijn persoonlijke eigendom beschouwde. Met name die Rubens.'

Victor lachte bij het idee dat zijn baas er met de geliefde engeltjes van Bram de Lint vandoor zou gaan.

'Ik vind het helemaal niet moeilijk om William te begrijpen. Hij ontvangt een bonus van acht miljoen euro voor nog geen halfjaar werk, en is ook nog eens de machtigste man van het dorp. Geld en macht; is dat niet motivatie genoeg?'

'Nee, Victor, want William was al rijk voordat hij in Rietschoten arriveerde en hij verlaat het dorp nog voordat hij werkelijk van zijn positie heeft kunnen genieten. Het gaat lijnrecht tegen zijn eigen theorie in dat echte imperiumbouwers zich alleen terugtrekken uit hun positie wanneer ze daartoe gedwongen worden. Niemand dwingt hem hier. Iemand die zo succesvol is en toch vrijwillig opstapt – ik vind het op zijn minst opmerkelijk.'

Acht uur later stond Victor op de handelsvloer van Acorn Brothers in Londen en vervloekte hij het lot dat hem hier had gebracht. Hij voelde zich als een uitgeknepen citroen en zijn ogen brandden tot diep in zijn achterhoofd.

De vloer was zo groot als een half voetbalveld en de handelaren zaten rij aan rij als kippen op een stok. Het waren er honderden en allemaal schreeuwden, vloekten en smeekten ze in hun telefoons of drukten ze maniakaal op toetsenborden. Het was een hels kabaal. Iedere handelaar had slechts anderhalve meter tot zijn beschikking, die volledig in beslag werd genomen door computers en communicatieapparatuur. Ruimte voor enige persoonlijke aanpassing was er niet.

Dit was het kloppende hart van Acorn Brothers. Hier werd, in opdracht van klanten of voor eigen rekening, elke dag voor miljarden euro's aan aandelen, leningen, obligaties en vreemde valuta verhandeld. Zonder handelsvloer kon geen bank bestaan, want dit was de navelstreng met de financiële markten. Klokken aan de muur gaven de tijd aan in Londen, Moskou, New York en Tokio.

Iedere handelaar had zijn eigen specialisme en concurreerde met collega-specialisten over de hele wereld. Victor zat in het midden van de vloer tussen twee posities geperst. Links van hem zat Samuel Henderson, aandelenhandelaar in opkomende markten: Azië, Latijns-Amerika en Afrika. Rechts klopte een jongen die nauwelijks twintig jaar oud leek in hoog tempo cijferreeksen in zijn computer.

Samuels buik, die ver over zijn broekriem hing, maakte de toch al krappe ruimte nog kleiner. Victor kon geen kant op en moest de zure zweetlucht binnenhappen die Samuel uitwasemde. Naast een flink overgewicht had de Engelsman ook de uitstraling van iemand die eigenlijk op een heel andere plaats zou willen zijn. Toen Victor nog bij de bank werkte, had hij al gehoord over de man. Zijn reputatie was legendarisch, maar er bestond geen roem zonder prijs. De geruchten gingen dat Samuel al jaren genoeg had van de stress en de uren die deze baan met zich meebracht, maar de Engelsman kende geen ander beroep dat, voor iemand met zijn gebrek aan opleiding, zo goed betaalde.

Al lang geleden had de bedrijfsarts Samuel aangeraden iets aan zijn torenhoge bloeddruk te doen. Echter, behalve pilletjes en wat algemene levensstijladviezen, kreeg hij geen steun van Acorn Brothers. Ze keken wel uit om hem alternatief werk aan te bieden; op zijn gebied was de handelaar wereldkampioen en zolang de jaarlijkse bonuslawine over hem werd uitgestort, ging Samuel door, hoge bloeddruk of niet.

Victor voelde zich ongemakkelijk. De dikkerd hield niet van bezoek en liet dit duidelijk blijken. Nieuwelingen liepen maar in de weg. Eerder deze ochtend hadden Victor en Samuel samen de dertien bedrijven doorgenomen waarvan ze de aandelen moesten kopen. Daarmee waren ze nu klaar en het was tijd om te beginnen. Samuel riep zijn systemen op en voerde aankoopgegevens in; die werden via Reuters en Bloomberg naar de verschillende landen gestuurd. Daarna moesten ze wachten of makelaars de stukken konden leveren voor de gevraagde prijs. Samuel begon bescheiden, zag Victor. Zijn eerste ronde was voor tien miljoen euro.

'Waarom zo weinig?' vroeg Victor verbaasd. 'We hebben toch veel meer aandelen nodig?'

Hij was er niet helemaal zeker van of dit een slimme vraag was maar hij kon op dit moment niet helder denken. Het tijdstip, zijn vermoeidheid, het lawaai van de vloer, de lampen, de ontelbare schermen; Victor beleefde het als een werkelijkheid die niet de zijne was.

De handelaar draaide zich om. Hoewel het nog vroeg in de morgen was, parelden er zweetdruppels op zijn voorhoofd. Met samengeknepen ogen keek hij Victor aan, alsof die een hond was wiens blaf hem niet beviel. Zijn stem klonk hortend en stotend, alsof hij door zwaarlijvigheid adem tekortkwam.

'Luister jongen, als wij met die vierhonderd miljoen van jullie de markt opstormen, vliegt de koers omhoog als de piemel van een dominee die voor het eerst een hoerenkast bezoekt. En net als die dominee heb je je zaakje dan niet meer onder controle.'

Hij schudde zijn gezwollen hoofd, dat Victor aan een nijlpaard deed denken. 'Nee, wij beginnen klein en bescheiden en hopelijk heeft niemand ons door tot het moment dat we klaar zijn. Eerlijk gezegd heb ik daar mijn twijfels over; het bedrag dat jullie willen investeren is te groot. Hoeveel moet er precies gekocht worden van elk bedrijf?'

Victor raadpleegde zijn aantekeningen. 'Iets meer dan dertig miljoen euro; driehonderdtweeënnegentig gedeeld door dertien.' Tien miljoen was het fonds kwijt geweest aan bonussen voor William en hemzelf. De rekeningen voor huur, renovatie en beveiliging van De Eendenhorst kwamen op vijftien miljoen. Ook de oprichtings- en promotiekosten van het fonds waren niet gering: zeker vijfhonderd euro per genodigde.

Samuel bestudeerde zijn schermen. Hij had ze in veertien delen opgesplitst zodat hij elk aandeel separaat kon volgen. Het veertiende scherm was voor Wall Street, de moeder aller markten en trendsetter van alle koersbewegingen over de hele wereld.

De handelaar fronste. 'Dertig miljoen is veel voor deze bedrijven. Hun marktkapitalisatie is klein en hun dagelijkse omzetten gering. Wat is je koersdoel voor elk, mijn limiet?'

Victor dacht hierover na. Zijn instructie was eenvoudig: ga naar Londen, koop zo snel mogelijk die aandelen en stap dan in het vliegtuig om alle ondernemers te bezoeken. De haast begreep hij maar al te goed. Bram, William en hijzelf werden al dagen overspoeld met telefoontjes, e-mails en faxen. De miljonairs van Rietschoten dreigden hun geduld te verliezen.

Negenendertig kinderen wachtten op stages die hun leven voorgoed zouden veranderen. Recepties waren verschoven of speciaal georganiseerd om beroemde ondernemers in stijl te kunnen ontvangen. Het dorp maakte zich op voor de grootste gebeurtenis uit zijn historie. Ondanks het verbod op publicitiet hadden sommigen de burgemeester, wethouders en andere hoogwaardigheidsbekleders uitgenodigd. Geruchten deden de ronde over de aanwezigheid van de koningin. Het mocht niet te lang meer duren, of er brak revolutie uit.

'Geen limiet,' besloot Victor. 'En aankomende vrijdag, na sluiting van de beurs, moeten we klaar zijn.' Het was nu woensdagochtend. Samuel kreeg dus slechts drie dagen.

De Engelsman gromde. 'In dat geval moet je er rekening mee houden de hoofdprijs te betalen. In korte tijd zoveel aankopen lokt speculatie uit. Handelaren zullen de koers opdrijven zodra ze merken dat er een grote koper in de markt is. Als wij niet snel krijgen wat we nodig hebben, worden we levend gefileerd.'

Hij reikte naar zijn achterzak en viste daar een gebogen en verkreukeld plastic pasje uit. Het vermeldde zijn naam, maar de foto leek op iemand anders, een man met vele zorgen minder en kilo's lichter. Met tegenzin nam Victor het pasje aan. Het plakte. Samuel knikte ernaar.

'Dat kun je in de kantine gebruiken. Hier op de vloer heb ik niets aan je, dus jij mag voor eten en drinken zorgen. Véél eten en drinken.' Hij wees naar de ronde klokken aan de muur. 'Buenos Aires gaat vanavond om tien uur dicht en vier uur later opent Peking alweer. Reken dus niet op slaap de komende nachten. Als ontbijt wil ik eieren met spek, 's middags pizza en 's avonds hamburgers met patat. Vooral geen sla. En daartussendoor een continue stroom espresso en chocolademuffins. Omdat ik voor jullie werk, betaal jij. Stop het pasje in de automaat en gooi er ponden bij. De kantine is 24 uur per dag geopend en ik heb nog niet gegeten vanmorgen. De uitgang is daar. Succes.'

Samuel draaide zich naar zijn beeldschermen toe en klikte met een gezwollen wijsvinger op zijn muis. Victor kreeg de indruk dat, nu hij zijn instructies ontvangen had, hij voor de handelaar niet langer bestond. Na enige aarzeling stond hij op en liep in de aangegeven richting. Iemand wees hem de weg. De kantine was druk; honderden bankiers en hun medewerkers liepen als mieren in het rond om calorieën te verzamelen voor weer een lange dag. De kantine had zijn eigen Costa-vestiging, waar een lange rij cafeïneverslaafden stond te wachten. Sommige secretaresses bestelden acht soorten koffie op acht pasjes. Victor sloot zich achter een van de rijen aan. Het duurde eindeloos.

Nog altijd was Victor hondsmoe. Met zijn handpalmen wreef hij over zijn ogen om het stekende gevoel tegen te gaan. Dit ging in het geheel niet zoals hij zich had voorgesteld. Er was tot nu toe weinig spannends of glamoureus aan de handelsvloer.

De dagen en nachten daarna bracht Victor bijna evenveel tijd door in de kantine als naast Samuel, ingeklemd in zijn bureaustoel en belaagd door diens zweetwolken. Samuels behoefte aan eten en drinken was onverzadigbaar. Praten deden de twee amper; er viel weinig te zeggen. Af en toe krabbelde Samuel wat cijfers op papier en schoof dat naar hem door maar Victor kon uit het handschrift weinig wijs worden. De handelaar had zelf geen papier nodig; het enige wat hij deed, was met de wereld bellen, e-mails en faxen versturen en aan- en verkoopbevestigingen controleren.

Aan de telefoon bad of smeekte Samuel, om seconden later weer te schreeuwen en te dreigen. Soms, wanneer hij vond dat de markt te snel omhoog ging, verkocht hij een pakket aandelen meteen nadat hij het had gekocht. Als iets hem niet bij de ene makelaar lukte, probeerde hij een andere, beiden listig tegen elkaar uitspelend en bijna altijd zelf winnend. Samuel kende alle trucs en trok de doos wijd open. Victor kreeg bewondering voor deze dikke handelaar die zelf nooit een stap buiten Londen zette, maar zaken deed met de groten der aarde. De Engelsman leek onvermoeibaar. In het donker van de ochtend onderhandelde hij met Azië, overdag sloot hij cricket-weddenschappen af met Afrika en 's nachts wisselde hij vieze moppen uit met Latijns-Amerikaanse collega's. Bovendien hield hij alle sportcompetities bij alsmede de laatste ontwikkelingen rondom David Beckhams haar.

Victor zelf had inmiddels zijn hotel aan Park Lane, dat hij vlak voor zijn vertrek uit Rietschoten via internet had geboekt, verlaten en zijn intrek genomen in een pension aan de overkant. Op die manier vergrootte hij zijn dagelijkse nachtrust van twee tot drie uur. Elk besef van tijd ging langzamerhand voor hem verloren. Het enige wat bleef, was pijn en een algeheel gevoel van ellende. Maar hoewel zijn lichaam en geest om het hardst protesteerden, gaf hij niet toe.

Op de vroege vrijdagochtend was Samuel hooguit iets roder aangelopen dan normaal. Victor functioneerde enkel nog op basisniveau. Als een slaapwandelaar had hij een routine ontwikkeld van zitten naast Samuel en in de kantine op zijn beurt wachten. Buitenlandse gasten kregen geen voorrang hier. De wereld van zakenbankieren bleek een meritocratie waarin mensen worden afgerekend op hoeveel geld ze binnen brengen. Niets anders was belangrijk.

Victor had zijn dieet aangepast en ook hij begon de dag met eieren, spek en koffie. Calorieën en cafeïne waren nodig om dit tempo te overleven. Tegen het middaguur riep Samuel hem bij zich en hij wees naar een verzameling grafieken op de schermen. Victor zag dertien lijnen steil omhoog klimmen. Het deed hem nog het meest denken aan internet, maar dan net vóór de crash.

'Dit zijn de aandelen die we gekocht hebben. Zoals ik voorspelde, zijn alle koersen omhooggevlogen. Weet je zeker dat je op deze manier wilt doorgaan? Op elk van de dertien markten zijn inmiddels weddenschappen gaande wie er het meest voor zijn stukken durft te vragen. Ik heb nog honderd miljoen van jullie geld over. Denk erover na. Ik ga pissen.'

Met moeite verhief Samuel zich uit zijn stoel en hij waggelde weg, een spoor van kruimels achter zich latend.

Victor greep de telefoon. Eerst belde hij William. Die verbleef nog in Zwitserland en reageerde nuchter.

'Dat is niets nieuws. Koersen stijgen altijd wanneer er een grote koper in de markt is. Ik kijk nooit op welk niveau we instappen; op termijn verdient het fonds het meer dan terug. Blijf doorgaan; dit is wat Rietschoten wil.'

Brams advies was voorzichtiger. 'Probeer de prijsstijgingen te stabiliseren. Neem desnoods wat extra tijd en ga na het weekeinde door.'

'Volgende week kan niet,' wierp Victor tegen. 'Dan ben ik in Kaapstad. Eén week vakantie en daarna heb ik mijn eerste afspraak met een ondernemer. Die wijnboer uit Constantia.' Hij hoorde de advocaat zuchten. 'Dit betekent de tweede hype die IMPERIUM-BOUWER veroorzaakt...'

'Ja, dat klopt.'

'Aan de andere kant... er is tóch niemand die aan IMPERIUMBOU-WER wil verdienen. Toegang tot het landgoed en stages vindt men belangrijker. William heeft gelijk, dit is wat de mensen willen.'

Victor belde ook Boudewijn, maar die was nauwelijks geïnteresseerd. De directeur was druk bezig vrede te sluiten met zijn vrouw, vertelde hij. Sylvia had het temperament van een stier die lang in de arena op haar tegenstander heeft moeten wachten. Ze was explosief, wild en lichtgeraakt. Bij wijze van boetedoening had Boudewijn haar moeten beloven een huis te kopen in de heuvels rond Madrid, dicht bij moeder. Verdere onderhandelingen verliepen moeizaam. Sylvia wilde niet terug naar Rietschoten, maar als Boudewijn in Spanje wilde blijven, was hij welkom. Zijn vroegere baas liet aan Victor doorschemeren dat een vervroegd pensioen hem opeens geen slecht idee leek. 'Over een maand ontvang ik mijn bonus. Van dat geld alleen kunnen we hier jaren onbezorgd leven. En ik krijg er eerlijk gezegd langzamerhand ook genoeg van de agenda's van andere mensen te moeten uitvoeren. Het wordt tijd voor onszelf.'

Voordat Victor ophing, hoorde hij gelach op de achtergrond en glasgerinkel. Waar het ook was, het moest een aangename plek zijn waar Boudewijn bezig was zijn huwelijk te redden.

Victor keek over de vloer. Niemand hier had tijd of aandacht voor elkaar. Iedere handelaar vocht voor eigen glorie. Genade of medelijden waren geen acceptabele maatstaven van gedrag; jouw verlies is mijn winst.

De rest van de vrijdag besteedde Victor aan wachten. Als een razende joeg Samuel de laatste miljoenen van IMPERIUMBOUWER erdoorheen en daarbij wenste hij niet gestoord te worden. Na de lunch viel Victors vermoeidheid als een deken over hem heen en zakte in zijn stoel in slaap. Om vier uur, iets voor de sluiting van de Europese markten, werd hij wakker gemaakt door een wild getik. De Engelse handelaar gaf zijn toetsenbord ervan langs. Victor vond hem er opeens slecht uitzien. In plaats van rood zag hij bleek en, wat beangstigender was, zijn eetlust was weg. Een doos pizzapunten stond onaangeroerd op een beeldscherm.

Victor wilde iets zeggen maar Samuel schudde zijn nijlpaardenhoofd. Hij leek geen andere wens te hebben dan een einde te maken aan deze oorlog op dertien fronten. Op zijn instructie haalde Victor een stapel papieren van de printer. De operatie was geslaagd en de kas leeg. Ondanks zijn talenten had Samuel de hoogste prijzen ooit moeten betalen. Alle grafieken wezen nu loodrecht naar de hemel. Victor gaf het pasje terug en begon hem te bedanken, maar Samuel kapte dit af. Hij zette de computers uit en smeet alle papieren en etensresten in twee prullenbakken. Toen hief de Engelsman zijn buik omhoog, veegde het zweet van zijn voorhoofd en ging staan. Victor kreeg een klamme hand. Samuel hijgde meer dan hij sprak. Blijkbaar moest zijn hart als een dolle draaien om de circulatie op gang te houden.

'Zoals ik zei: de hoofdprijs. Je hebt wat je wilde. Succes ermee.'

Samuel pakte zijn tas en waggelde weg. Victor bestudeerde de cijfers. In vergelijking met de koersen op woensdagochtend had het fonds gemiddeld per aandeel het dubbele betaald. Een premie van honderd procent; het viel hem nog mee. Enkel dankzij Samuels vakmanschap was erger voorkomen. Ook Victor pakte zijn spullen en verliet de vloer. Als het aan hem lag, kwam hij hier nooit meer terug.

Eenmaal aangekomen in de lounge van Terminal 4 stortte Victor zich op een bank tussen de andere passagiers en slurpte espresso's om wakker te blijven. Om de goede afloop te vieren, nam hij er een glas cognac bij. Dit moment moest gedeeld worden, vond Victor. Hij belde Jessica.

'Het is gelukt. We hebben de aandelen. De kinderen krijgen hun stage en de ouders hun beroemdheden.'

'Gefeliciteerd. Jullie hebben er hard voor gewerkt.'

'Dat kun je wel zeggen. Maar het was het allemaal waard. Ik geloof echt dat ons fonds een nieuwe dimensie toevoegt aan het leven van mensen en dat het functioneert in harmonie met zijn omgeving. En dat is volgens mij de enige juiste manier. Anders richten we monumenten op voor ons eigen ego, en dat zou al onze inspanningen zinloos maken.'

Nu praat ik als mijn vader vroeger, realiseerde Victor zich, maar hij duwde die gedachte terug. Hij was te moe om zich werkelijk te beseffen wat hij zei. Hij nam nog een slok cognac en voelde de vloeistof warm door zijn keel glijden.

'De grootste bijdrage was overigens van mij afkomstig. Het idee om stageplaatsen voor kinderen te creëren, opende pas écht de harten van Rietschoten. Natuurlijk heeft ook William een rol gespeeld, een grote zelfs, maar ik stak toch de meeste uren in het project. Honderd miljoen is niet eens zoveel nu ik erover nadenk. Ik ben een imperiumbouwer. Ik sta op de top van de wereld!'

'Victor, ik kan je niet goed verstaan. Wáár sta je precies?'

Victor schrok wakker uit de verdoving waarin zijn geest al heel lang ronddwaalde. 'Laat maar, sorry. Ik weet niet meer wat ik wilde zeggen. Mijn hoofd is een moeras. Luister, morgen vlieg ik naar Kaapstad. Eerst een week vakantie, daarna een zakelijke afspraak. Wat zou je ervan vinden met me mee te gaan? Het lekkerste hotel, het mooiste eten. Alle kosten zijn voor het fonds, vanzelfsprekend.'

'Het klink verleidelijk...' hoordde hij Jessica aarzelen, 'maar eigenlijk moet ik werken.'

'Weigeren is verboden. Je spreekt met de toekomstige beheerder van een half miljard euro. Iemand die de lakens uitdeelt in het rijkste dorp van Nederland. Een belangrijk man. Ik sta op je komst.'

'Goed, ik kom. Maar niet om met jou vakantie te vieren. Ik kom vanwege een heel andere reden.'

'Uitstekend!' zei Victor, niet werkelijk geïnteresseerd nu ze eenmaal had toegezegd. Een stewardess in de lounge riep vluchtinformatie om en hij concentreerde zich om op te vangen wat ze zei. Onder geen enkele voorwaarde wilde hij zijn vliegtuig naar Amsterdam missen. Het enige waar hij nu behoefte aan had, was een bed in een donkere kamer.

17

Januari

Het was halftwaalf op zondagochtend toen de Airbus van South African Airways de daling inzette richting de luchthaven van Kaapstad. Victor liet zich met tegenzin door Jessica wakker maken. Sinds hun vertrek uit Amsterdam, nu veertien uur geleden, had hij aan één stuk door geslapen. Zelfs de tussenlanding in Johannesburg was aan hem voorbijgegaan.

Victor zat aan het raam en het uitzicht deed de gedachte aan slaap vergeten. Ze draaiden om de Tafelberg heen en die zag er, met de bruine platte top omringd door blauwe zee, net zo uit als in de vakantiebrochures. Onder aan de berg lagen dorpen tegen de wanden geplakt en hij zag golven met witte koppen breken tegen het strand. Een kustweg kronkelde erlangs en verbond alles met elkaar. Aan de andere kant van de berg lag de stad met haar compacte centrum en hoge gebouwen. Daarachter was de haven en, twintig kilometer verderop, de landingsbaan.

Tien minuten later stonden ze op de grond.

'Dat was fantastisch!' zei Victor tegen Jessica toen ze op hun beurt wachtten om het vliegtuig te verlaten. Buiten op het platform was het warm. Het was zomer in Zuid-Afrika en er stond een lichte wind. Hij zoog de lucht diep zijn longen binnen, maar hield daarmee op toen hij kerosine proefde.

De taxirit naar de stad zou slechts twintig minuten duren. Gelijk na het verlaten van het luchthaventerrein zag Victor vervallen hutjes langs de weg, weggestopt achter traliehekken. De bouwsels waren opgetrokken uit gekromd staal en goedkoop hout. Alle mensen die er rondliepen, waren donker gekleurd.

'De townships,' wees hij.

'Klopt. Een overblijfsel van de apartheid. In de jaren zeventig werd een deel van Kaapstad, het zogeheten District Six waar veel zwarten en gekleurden woonden, door bulldozers platgewalst. De inwoners werden gedwongen hiernaartoe te verhuizen, twintig kilometer landinwaarts zonder enige vorm van publieke voorziening. In die hutjes vooraan wonen werklozen. Daarachter liggen meer normale woningen. De meerderheid van Kaapstad woont trouwens in townships. Economische apartheid bestaat nog altijd, ook al is Nelson Mandela al jaren vrij.'

Victor staarde haar aan. Het was typisch Jessica om met dergelijke details te komen.

'Ik heb ooit een tentoonstelling in Kaapstad ingericht,' gaf ze als uitleg.

Victor keek gefascineerd naar de armoede terwijl ze er met honderd kilometer per uur langs zoefden. Hij was nog niet eerder in Zuid-Afrika geweest. 'Kunnen die mensen niet terug naar de stad?' vroeg hij.

'Jawel, maar de meesten zijn inmiddels hier geworteld. Ze willen niet nogmaals verhuizen.'

Victor had een suite gereserveerd in het Mount Nelson Hotel, een luxe, roze geverfd complex waarvan de tropische tuin omringd werd door een muur; spontaan bezoek door buitenstaanders werd duidelijk niet gestimuleerd. Hun kamer was ruim en comfortabel. Het balkon keek uit over een kortgeknipt gazon met palmbomen. Iets verderop trok de Tafelberg een bruine streep door de horizon. Victor liet zijn koffer vallen en reikte naar Jessica.

'Is dit de beloofde safari?' vroeg ze, hem ontwijkend.

'Ja. Er zijn tijgers gesignaleerd. Laten we dekking zoeken.'

'Sufferd. Er zijn geen tijgers in Afrika.'

'Nu wel. Altijd de gids volgen.'

Haar wijsvinger stopte Victors toenaderingspogingen. 'Regel één in de jungle: ga nooit overhaast te werk. Regel twee: vrouwtjes zijn gevaarlijker dan mannetjes.' Ze liep naar de badkamer terwijl ze de knoopjes van haar overhemd losmaakte. Victor keek haar na en zag nog net een glimp roze huid voordat de deur op een kier ging. 'Ik neem een bad. Zie je later aan de bar.'

Die avond aten ze op het buitenterras onder de sterrenhemel. De nacht was zacht en de temperatuur aangenaam, een erfenis van de dag waarin het kwik boven de dertig graden had gestaan. Een krekelorkest speelde en de lucht rook naar bloemen. Victor vond het allemaal prachtig. Langzaam liet hij de omgeving op zich inwerken. Ik zou hier kunnen wonen, bedacht hij. Een aangenaam klimaat, goed eten, fantastische wijn. Geen stress. Zijn oog viel op Jessica. Ze zag er bepaald opwindend uit in haar donkere zomerjurkje, dat prachtig contrasteerde met haar van nature bleke huid. De kleur van porcelein. Ruslands mooiste dochter. Onbewust keek hij naar haar borsten, die klein waren en puntig.

'Waar denk je aan?' vroeg ze geamuseerd. Hij besefte dat ze zijn blik had gevolgd.

'Dat ik een geluksvogel ben. Ik ben geen man van grote ambities. Nooit geweest ook. Wat ik wil, is mijn eigen toekomst kunnen bepalen. Onafhankelijk zijn van mensen die voor mij beslissingen nemen. En dat is me gelukt. IMPERIUMBOUWER heeft me vrij gemaakt.'

Vrij en onafhankelijk. Victor probeerde de woorden op zijn tong, maar als hij eerlijk was, proefde hij niets. Dat zou later nog komen, nam hij aan. Misschien kwam het doordat Jessica tegenover hem zat. Haar ogen bedwelmden hem. Of was het de wijn? Beide waren donker en betoverend, deze avond. Victor had te veel gedronken en was nog steeds moe.

'Ik zou vooral niet die kant opgaan,' zei Jessica. 'Je berijdt een golf die niet de jouwe is. Het was Williams golf en met zijn succes lift je mee. Overigens is de toekomst niet van jou. De toekomst behoort aan ons allemaal.'

Ze pakte haar glas en dronk hem toe. 'Geniet, maar koester geen illusies. Presentjes als deze worden nooit voor niets weggegeven. Vroeg of laat zal William met zijn prijs komen. Ik kan alleen hopen dat je die zult kunnen betalen.'

Victor begreep haar niet. Jessica sprak alsof hij zijn ziel aan de duivel had verkocht. Hij voelde zich boos worden.

'Wat bedoel je? William heeft aan míj te danken dat het fonds zoveel heeft opgehaald. Zonder mij was IMPERIUMBOUWER op honderd miljoen blijven steken. Als het ooit zover was gekomen.'

Jessica zette haar glas neer. 'Wat ik bedoel? Dat je een omhooggevallen knulletje dreigt te worden dat in zijn eigen sprookjes gelooft. William begon met dit fonds en jij was maar al te blij om op zijn trein te kunnen springen. Als William een kunstenaar is, ben jij de kwast die hij gebruikte om het schilderij te schilderen. En na afloop word jij teruggegooid in de bak terpentine waar je vandaan kwam, nog net zo kleurloos en onaangeraakt door talent als daarvoor.'

Victor wilde woedend opspringen maar bedacht dat ze in een restaurant zaten. Hij zag geïrriteerde blikken om zich heen en dempte zijn stem.

'Dat is niet waar! Het was mijn idee om die stages in het leven te roepen, mijn idee om kinderen erbij te betrekken.'

'O, was dat jouw idee? En hoe kwam je aan die geniale inval, meneer de artiest? Je hebt dat vast ergens gelezen.'

'Nee, dit idee kwam van mezelf. In tegenstelling tot jou verzin ik dingen. Ik beperk me niet tot het rondsleuren met werk van anderen.'

'In mijn discipline sta ik aan de top, Victor, en jou beschouw ik nog altijd als beginneling. Iemand die toevallig over iets groots is gestruikeld en zelf nooit iets origineels heeft gedaan. Vertel, hoe kreeg je je idee?'

'Gewoon, ik...' Victor kreeg het gevoel alsof iemand met enorme kracht op zijn hoofd sloeg. Herinneringen aan de nachtelijke wandeling rondom het vluchtelingenkamp stroomden terug, herinneringen aan beloftes die waren gedaan bij het licht van een zaklamp. En aan Winston, de jonge Afrikaan die hem de afgelopen weken zo vaak had geprobeerd te bereiken.

'Victor, zo bedoelde ik het niet!' hoorde hij Jessica van ver weg zeggen toen hij in zijn stoel onderuitzakte en alles om hem heen begon te draaien. Zijn hart klopte als een bezetene en zweet brak hem overal uit.

'Je wordt lijkbleek! Zie je een geest of zo?'

'Zoiets,' mompelde Victor. Hij kwam overeind en greep naar zijn glas water. Snel nam hij enkele slokken. 'Een herinnering van vroeger. Ik wil er nu niet over praten.'

Later, toen Jessica sliep, liep hij zachtjes hun kamer uit met zijn mobieltje in de hand. Toen hij buiten in de tropische tuin stond, toetste hij het nummer in van het dranklokaal in Afrika waar de televisie stond; de enige plek met telefoonaansluiting in de wijde omgeving en de locatie waar Winston en zijn vrienden hun avonden doorbrachten en voetbal keken. Als Victor Winston wilde bereiken, moest hij hem daar bellen, had de jongen gezegd.

De telefoon ging een oneindig aantal keren over voordat er iemand opnam.

'Hallo?' vroeg een Afrikaanse stem. Het leek een wat oudere man. De verbinding was helder; een verademing in vergelijking met eerdere telefoontjes die hij naar dit land gepleegd had. Victor moest dit nummer ook bellen om zijn moeder te spreken, en dan was het geluid altijd krakerig en viel de verbinding meestal na enkele seconden weg.

'Kan ik Winston spreken?' vroeg Victor.

'Dat hangt ervan af. Wie is dit?'

'Victor van Zanten. Ik ben een vriend. Is hij daar?'

'Winston is... momenteel niet bereikbaar, Victor. Maar vertel eens, wat voor soort vriend was je van hem? En wie ken je nog meer van zijn vrienden?'

Die kerel spreekt over Winston in de verleden tijd, besefte Victor. En zijn stem klonk veel te beschaafd om uit het kamp te komen. Dit was Oxford-Engels, iemand met een goede opleiding. Iemand die het land verlaten had en was teruggekomen? Een vertegenwoordiger van het regime, wellicht? Plotseling moest hij terugdenken aan het hotel in de hoofdstad met de vele antennes op het dak. Werd dit gesprek misschien daarheen doorverbonden? De verbinding was te goed om waar te zijn. Victor huiverde in de warme lucht.

'Leeft Winston nog?' vroeg hij impulsief. Het leek een domme vraag, maar hij moest hem stellen.

'Al het leven is een kwestie van perspectief, Victor. Winston werd... onsterfelijk. Hij zal voor altijd als voorbeeld dienen voor anderen om hem niet te volgen in zijn opstand tegen de keizer. Ik kan alleen maar hopen dat jij niet behoort tot hetzelfde groepje zwakzinnigen dat met een paar stokken de koers van dit land wilde wijzigen. Want anders deel je ooit hun lot. Winston heb ik persoonlijk aan de krokodillen gevoerd. Hij gilde als een speenvarken.'

Klik.

Wie het ook was, de man had opgehangen. Victor werd misselijk en leegde de inhoud van zijn maag over het gras. Toen wankelde hij terug en kroop naast Jessica in bed. Die nacht sliep hij geen seconde.

De volgende ochtend zat hij aan tafel en dronk van zijn thee. Ze hadden het ontbijt in de kamer laten brengen. Hij voelde zich gesloopt en in de war.

'Wat is er met jou aan de hand?' vroeg Jessica. Ze droeg een badjas van het hotel en zag eruit als een model. Elk haartje zat op zijn plaats.

'Dat is een lang verhaal,' zei Victor en in het uur dat volgde, vertelde hij haar over zijn ouders, zijn laatste bezoek aan Afrika en de belofte die hij toen gedaan had. Jessica bleef stil zitten en luisterde. 'In het tumult van IMPERIUMBOUWER ben ik Winston vergeten,' sloot Victor af. 'En mijn fout is onvergeeflijk. De inspiratie die ik dankzij hem kreeg, heb ik gebruikt om de opbrengst van het fonds te vergroten, maar zonder nog aan ons doel te denken. Winston heeft daarvoor de prijs betaald. Toen hij me om hulp belde, begon net de eerste presentatie. Ik heb hem nooit meer teruggebeld.'

Ze keek verbaasd. 'Wat was dan precies dat doel dat jullie voor ogen hadden?'

'Is dat dan niet duidelijk? Die nacht besloten we zo veel mogelijk goede mensen naar het land terug te halen en hen aan het werk te zetten als onderwijzer, of in een ander beroep waarin ze met kinderen konden werken. Ik zou zorgen voor salaris en huisvesting.'

Haar mond viel open. 'Dus jij was van plan ballingen terug te halen? Maar je hebt helemaal geen geld!'

'Toevallig ontvang ik binnenkort een bonus van vijf miljoen euro.'

'Een onmogelijk plan.'

'Onmogelijk maar uitvoerbaar. Ik was het alleen helemaal vergeten. Ik kon de afgelopen maanden aan niets anders denken dan aan IMPERIUMBOUWER.'

Ze keek hem aan. 'En jij dacht werkelijk dat het kon?'

'Ik wist het zeker.' Hij nam een slok thee. 'Heb jij in jouw beroep nooit voor een enorme uitdaging gestaan, iets wat onmogelijk leek en waarvan je wist dat niemand anders het kon behalve jij? Een dergelijke intuïtie had ik die nacht samen met Winston. Dat dit mijn voorbestemming was, dat ik het doel in mijn leven gevonden had: mensen uit eigen land elkaar laten helpen, ze als rolmodel laten dienen voor hun eigen kinderen. Niet die betweterige ontwikkelingswerkers uit het Oosten of Westen die alleen maar oog hebben voor de de belangen van hun eigen regeringen.'

Victor schudde verbitterd zijn hoofd. 'En kijk wat een puinhoop het nu is. Winston hoorde niets meer van mij en zijn groep ondernam uiteindelijk een wanhoopspoging. Ik ben hem vergeten, en met hem de toekomst van zijn land. Hij is voor niets gestorven.'

'Dat is nog maar de vraag,' zei Jessica. Ze liep naar hem toe en ging naast hem staan. 'Dingen lopen vaak anders dan je zou willen, maar één ding is zeker. Winston heeft jou doen beseffen waarom je hier bent.'

Victor keek omhoog.

'Alles lijkt nu zinloos en onzeker. De veiligheidsdiensten in zijn land zijn wantrouwend, en er zal veel meer geld nodig zijn om...'

Met een blik legde ze hem het zwijgen op. 'Wees niet als je vader. Tors niet het gewicht van de hele wereld op je schouders. Gebruik deze vakantie om uit te rusten en na te denken. Zorg vervolgens voor de kinderen van Rietschoten en de stages die je hun beloofd hebt. En daarna...'

'En daarna?'

Ze kuste hem licht op de mond. 'Daarna zal de tijd het leren.' Jessica trok hem uit zijn stoel omhoog. 'Waar is nu die tijger waarvoor we ons moesten verstoppen?'

Als een vloedgolf voelde Victor het leven in zich terugkeren. Met name tussen zijn benen. 'Die komt eraan. En hij is onverzadigbaar.'

'Het gaat er niet om wat we zelf nodig hebben, Victor. Wat belangrijk is, is wat we anderen kunnen geven.' Hij kuste haar lippen. Ze smaakten naar thee met aardbeienjam. Verrukkelijk.

'Er komt een moment dat ik genoeg krijg van jouw tegeltjeswijsheden. Wat heeft dat laatste te maken met goede seks?'

'Laat dat zelf maar zien,' glimlachte Jessica en ze ging hem voor naar het bed. Haar badjas gleed op de marmeren vloer.

De week daarna genoten ze van het beste wat de Kaapse provincie te bieden had. Ze lagen op het strand van Campsbay, aten vis in Simonstown en reden naar Capepoint, waar de Atlantische en Indische Oceaan elkaar eeuwig omhelzen. Een boottocht bracht hen naar Robben Island, waar Nelson Mandela zo lang gevangen had gezeten, en in stil respect staarden ze door de tralies naar zijn cel. Ze bezochten Stellenbosch, het centrum van de wijn, en lunchten onder de bomen van Bosch en Dal. De oud-Hollandse gevel en het antiek houten interieur wekten de indruk dat de familie de boerderij nooit verlaten had. En al die tijd hielden ze zich aan een stilzwijgende afspraak: over IMPERIUMBOUWER en William Scarborough werd niet meer gepraat.

In Zwitserland legde William met gefronste wenkbrauwen de telefoon neer. Boudewijn Faber had hem zojuist verteld dat hij niet terug zou keren naar Rietschoten. Voorlopig bleven de bankdirecteur en zijn vrouw onder de Spaanse zon; ze hadden vrede gesloten met elkaar. William had hem gefeliciteerd en hun adres gevraagd, zodat hij een passend geschenk kon sturen. Het paar logeerde in een hotel en zocht nu een huis in de heuvels. William schreef alle details op. Daarna draaide hij een nummer in de Verenigde Staten. Iemand daar stond hem te woord en William gaf deze persoon op rustige toon instructies. Toen hij uitgesproken was, verbrak hij de verbinding en stond op om zijn reistas te pakken. Zijn vakantie was voorbij.

Al zijn vliegreizen boekte de Amerikaan via een luchthaven in New Jersey, niet ver van New York. Daar, op een terrein ver van de jumbo's voor het volk, stonden de jets, het speelgoed voor rijke mensen. William had er een in splintereigendom: het vliegtuig was niet van hem alleen, maar van een vennootschap waarin ook anderen participeerden. Het trotse bezit van dit consortium was een Gulfstream G550, de grootste en duurste van allemaal. William bezat tien procent van de aandelen en dat gaf recht op tweehonderd vlieguren per jaar. Het waren niet eens zozeer de ongehoorde luxe en snelheid van het toestel die hem aantrokken als wel de privacy en de discretie die ermee gepaard gingen.

Ook passagiers van privéjets moesten langs de douane maar de controle stelde meestal weinig voor. Paspoorten werden weggewuifd en bagage werd slechts zelden gecontroleerd. Terroristen vlogen geen jet en zeker geen Gulfstream G550, een speeltje dat nieuw vijftig miljoen dollar kostte. Die van William en zijn collega-investeerders, die hij overigens nooit ontmoet had, was pas twee jaar oud en glom nog van alle kanten.

De volgende dag reed William naar het vliegveld van Montreux waar hij werd opgewacht door Juanita, de stewardess die met de Gulfstream meekwam. William moest altijd glimlachen als hij haar naam hoorde. Hij had er een zoete herinnering aan. Juanita was mooi en klein van stuk, nog kleiner zelfs dan hij. Lange benen waren zinloos in een jet. Het plafond was er te laag. William volgde haar naar de douane. Een geüniformeerde ambtenaar stak een hand uit en vroeg zijn paspoort.

'Naam en bestemming?'

'Timothy Harrison. De bestemming is Denver. Geen bagage behalve dit,' zei William en hij hield zijn lederen reistas omhoog. De douanier hield het paspoort even tegen een scan en gaf het terug.

'Goede reis, meneer Harrison.' De tas werd genegeerd.

William stopte het document weg en liep verder. Timothy Harrison was de naam die hij meestal op reis gebruikte. Ook Juanita kende hem enkel onder die naam. Het paspoort was origineel. Hij had het zes maanden geleden voor twintigduizend dollar gekocht van een tussenpersoon in Marseille. William deed al tien jaar zaken met deze man en tot nu toe ging het altijd goed.

Eenmaal buiten op het platform werd William voor de zoveelste keer getroffen door de schitterende lijnen van het vliegtuig. Vanuit het midden zakten de vleugels iets naar beneden om daarna weer naar boven te krommen tot ze in twee puntige einden uitkwamen. Het deed hem nog het meest denken aan een zwaan en dat was ongetwijfeld ook de bedoeling geweest van de ontwerper. De witte romp versterkte dit effect alleen maar. Zowel romp als staart waren maagdelijk, ze vertoonden geen markering of logo.

Hij klom de trap omhoog en werd door de piloot verwelkomd. Het toestel had veertien ramen en plaats voor acht passagiers, maar zoals altijd vloog William alleen. Hij was niet gesteld op gezelschap. Hij nam plaats in een van de leren fauteuils achterin en gespte zich vast. Juanita gaf een seintje dat ze klaar waren en tien minuten later hingen ze in de lucht.

Spoedig brak het vliegtuig door de wolken heen en baadde de cabine in zonlicht. De piloot maakte een schuine bocht naar links en nu vlogen ze richting Groenland, waarna de route verder naar Denver zou leiden. Op een schermpje aan de wand kon William hun vorderingen volgen. Op een hoogte van twaalf kilometer stopte de Gulfstream met klimmen. William drukte op een knopje en Juanita verscheen met een stralende glimlach.

'Wilt u iets drinken, meneer Harrison? Iets eten wellicht? De menukaart vindt u onder uw tafel, zoals gewoonlijk.' Ze wees naar een hoogglanzend tafeltje waarvan alleen al de afwerking twee manjaren poetsen gekost moest hebben.

'Nee. Wil je de piloot een boodschap doorgeven? Onze bestemming is gewijzigd. Doe geen moeite de verkeersleiding in Montreux hierover in te lichten.'

Juanita knikte. 'Natuurlijk. Waar gaan we naartoe?'

William keek naar buiten. Ze vlogen hoog boven de bergen. Ergens daaronder lag zijn huis. Een bungalow op de top van een moeilijk bereikbare rots, met niemand anders in de buurt. Perfect.

'Madrid,' zei hij. 'We gaan naar Madrid. En we blijven niet lang weg. Hooguit twee dagen.' Enkele minuten na vertrek veranderde hij altijd van bestemming. Op die manier kon niemand achterhalen waar de Gulfstream werkelijk naartoe ging. Hij ontspande zich en keek uit over de wereld en wolken onder hem.

Het was de laatste dag van hun vakantie en Victor en Jessica lagen te zonnen bij het hotelzwembad. Morgen werd Victor in Constantia verwacht, een dorp iets buiten Kaapstad. Hier werd al in 1730 wijn verbouwd. Het was de kraamkamer van de traditie.

'Wie ontmoet je ook alweer?' vroeg Jessica lui. Ze lag in haar bikini beschut onder de palmen. Het was heet, zeker vijfendertig graden. Bij het zien van haar perfecte benen leken Victors problemen ver weg, hoewel de gedachte aan Winston, gillend en spartelend tussen hongerige krokodillen, af en toe nog bovenkwam. Hoe lang zou het geduurd hebben voordat de jongen geen pijn meer voelde? Een minuut? Twee? Zou Victor iets kunnen doen voor zijn familie?

'Ik heb een afspraak met Hendrik Quicks. Wereldberoemd in Zuid-Afrika.'

Victor vertelde iets over zijn geschiedenis. 'Quicks stamt uit een oud geslacht en zit zijn hele leven al in de wijn. Na school trad hij in dienst van de boerderij van zijn ouders en maakte er gelijk de dienst uit. Toen de rand devalueerde, stuurde Hendrik alle oogsten naar het buitenland, want dat leverde het meeste op. De winsten werden teruggepompt in het bedrijf en Hendrik begon al snel met het uitkopen van andere boeren. Tien jaar later was hij de grootste. Zijn doorbraak kwam toen bosbranden de ranken van Constantia teisterden. Wijnboeren zagen hun bezit letterlijk in rook opgaan en waren haast allemaal niet of onderverzekerd. De banken boden hun bezittingen te koop aan en Quicks was om meerdere redenen een fortuinlijk man. Niet alleen bleven zijn eigen boerderijen onbeschadigd, hij was op dat moment de enige met geld. De banken bood hij een fractie aan van de werkelijke waarde.'

'Slimme jongen,' merkte Jessica op.

'Zeg maar gerust een keiharde zakenman. Zijn buren en dorpsgenoten schreeuwden moord en brand toen ze het hoorden, maar onze Hendrik hield zich doof. Zijn positie was sterk en hij wist het. De banken konden de boerderijen niet lang in eigendom houden. Dat ging tegen hun interne regels in en bovendien, bankiers weten van wijn alleen maar hoe ze het moeten drinken. De getroffen boeren bedongen zes weken uitstel om Quicks' bod te evenaren, maar die verhoogde het fractioneel en de banken gingen alsnog akkoord. Om ervan af te zijn, schoven ze alles naar hem toe.'

Victor grinnikte. 'In kranten uit die tijd las ik dat er die nacht kogels afgevuurd werden op de ramen van Quicks' slaapkamer. Hij trok zich daar niets van aan, behalve dat hij de beveiliging nog verder opvoerde. Hij integreerde zijn bezit in één gigantische boerderij zonder interne grenzen en kon zodoende op kosten besparen. Ook introduceerde hij voor het eerst plukmachines in de vallei. Honderden families, die al generaties meehielpen met de oogst, verloren hierdoor hun baan. Drie jaar geleden bracht de jonge ondernemer zijn bedrijf naar de beurs. Zuid-Afrika werd te klein voor Hendrik Quicks, die trouwens enkele maanden geleden pas zijn dertigste verjaardag vierde. Ze noemen hem hier niet voor niets de "keizer van de nieuwe wijn". Zijn vierkante kaak siert de voorkant van een hoop tijdschriften. Hij geldt als de meest gewilde vrijgezel van het land.'

Hendrik moest een man zijn naar Williams hart, dacht Victor bij zichzelf. Ambitieus, meedogenloos en boordevol talent. Ongetwijfeld zou ook Rietschoten plat gaan voor de charmes van de Zuid-Afrikaanse boer.

De volgende ochtend nam Victor een taxi vanaf het hotel. De chauffeur verliet Kaapstad in oostelijke richting en nam de M3 naar Muizenberg. Na dertig kilometer rijden over de snelweg kwam de afslag Constantia. Het dorp lag in een door bergen omringde groene vallei. Bijna elk huis was hier als een fort gebouwd, zag Victor. Naast de toegangspoorten hingen overal waarschuwingsborden dat inbrekers slechts met getrokken pistool zouden worden verwelkomd.

Ook Hendrik hield in een dergelijk ommuurd complex kantoor. De taxi stopte voor de deur; Victor rekende af, stapte uit en liep naar het stalen hek. Ondanks het vroege tijdstip was het warm en Victor zweette in zijn kostuum met stropdas. Hij was eigenlijk gekleed op de Hollandse winter.

De luidspreker kraakte. Victor noemde zijn naam en vertelde voor wie hij kwam. Toen kreeg hij de schrik van zijn leven.

'Meneer Quicks is niet aanwezig, meneer,' klonk een jeugdige vrouwenstem. 'Hij is in Johannesburg.'

Victors verbazing won het van zijn teleurstelling. Dat kon niet waar zijn. Hier moest sprake zijn van een misverstand.

'Kan ik zijn secretaresse spreken?'

'Dat doet u al, meneer. Mijn naam is Tanya.'

Hij haalde diep adem. 'Wel, Tanya, ik heb een afspraak met meneer Quicks. Maandagochtend negen uur. En dat is nu.'

Met moeite hield Victor zijn stem beleefd. Waarschijnlijk wist Tanya niet waar haar baas precies uithing of was er een andere verklaring voor wat ze gezegd had. Waar was Hendrik Quicks? Het kon niet waar zijn dat hij in Johannesburg was. Hij moest hier zijn! William had de afspraak zelf geregeld. Net als de afspraken met de overige twaalf ondernemers, overigens.

'Moment alstublieft. Ik kijk het na in zijn agenda. Maar geloof me, meneer Quicks is er echt niet.'

De minuten die volgden, duurden eindeloos. Victor keek om de zoveel seconden op zijn horloge. De zon brandde op zijn hoofd. Rondom de omheining was geen enkele beschutting te vinden. Overal over zijn lichaam brak het zweet hem uit. Ik had die taxi moeten laten wachten, mopperde hij tegen zichzelf.

Uiteindelijk meldde Tanya zich weer. Haar stem klonk nu onzeker. 'Ik kan niets vinden, meneer. Er staat geen enkele afspraak in de agenda voor vandaag. Wat is uw naam ook alweer?'

'Victor van Zanten. Ik kom namens het beleggingsfonds IMPERIUM-BOUWER. De naam William Scarborough moet u bekend zijn; die is hier meerdere malen geweest.'

Zeker vijf keer, als hij zijn baas mocht geloven. William had hem uitgebreid over de Zuid-Afrikaanse gastvrijheid verteld. Hendrik Quicks was een fantastische kerel. Victor zou een geweldige tijd met hem hebben en heerlijke wijnen proeven.

'Het spijt mij zeer maar ook die namen zijn mij niet bekend en ik werk hier al bijna zeven jaar. Bent u zeker van het adres? Dit is de firma Quicks; de grootste wijnboerderij van de Kaap,' zei ze en Victor hoorde een zekere trots.

'Dat is mij bekend. Mag ik misschien binnenkomen? Het is moeilijk praten zo.'

Tanya leek te aarzelen en toen klonk een zoemer. 'Natuurlijk. Komt u verder.'

Hij wachtte tot het hek opzij gerold was. Een gekromde oprijlaan kwam tevoorschijn, geflankeerd door palmen. Victor zag video-camera's op zich gericht en een geüniformeerde bewaker, geflankeerd door een koppel herdershonden, keek hem nieuwsgierig aan. Snel liep Victor door naar het gebouw dat voor hem lag. Het was wit en laag, en maakte een moderne indruk. Verschillende satellietschotels stonden op het dak. Voor de deur werd Victor opgewacht door een lange negerin. Ze droeg een spijkerbroek en een bont gekleurde blouse. Haar nagels waren rood gelakt en aan haar slanke vingers leek geen eind te komen. Victor had nog nooit zoiets elegants gezien. Ze stak haar hand naar hem uit. 'Ik ben Tanya, de persoonlijke medewerkster van meneer Quicks. Wilt u koffie, thee of water?'

Ze ging hem voor naar een steriele ontvangstkamer; op tafel lagen slechts enkele bedrijfsbrochures.

'Wanneer precies besloot meneer Quicks naar Johannesburg te gaan?' vroeg Victor, haar aanbod negerend.

'Een week geleden. De koers van ons aandeel is nogal omhooggegaan de laatste tijd. Bankiers hingen voortdurend aan de lijn om te zeggen dat dit misschien een goed moment was voor een emissie. U weet wel, nieuwe aandelen uitgeven. Meneer Quicks is toen voor overleg naar Johannesburg gevlogen.' Met een rode nagel wees ze naar de telefoon. 'Ze pauzeren op dit moment, weet ik. Als u wilt, kunt u hem nu bereiken.'

Dat deed Victor. Enkele minuten later legde hij, bleek geworden, neer. De ondernemer was duidelijk geweest. Met een stem die geen tegenspraak duldde, legde Hendrik Quicks uit dat hij niemand kende

met de naam William Scarborough. Hij wist ook niets af van IMPE-
RIUMBOUWER of een overeenkomst met een beleggingsfonds. Victor
was geneigd hem te geloven. Waarom zou Quicks liegen? Met de
belegging in zijn bedrijf schoot de ondernemer zelf immers niets op,
behalve dat de aandelenkoers kunstmatig de lucht in werd geduwd.

Dus William had gelogen. Victor huiverde toen hij de consequenties hiervan overdacht. En de andere twaalf ondernemers?
Had William die ook nooit ontmoet? Hendrik Quicks vertelde
hem ook nog iets anders. De ondernemer was niet van plan naar
Rietschoten te komen. En van stageplaatsen, dicht bij hem in de
buurt, kon evenmin sprake zijn.

Victor wilde weg. Terug naar het hotel. De twaalf andere ondernemers bellen. Zekerheid krijgen. Was Rietschoten opgelicht? Hij
bedankte Tanya, wetend dat hij op zijn minst een merkwaardige
indruk had gemaakt. Ze vergezelde Victor naar het hek. Bij het
afscheid gaf ze hem een hand en zei: 'Volgens meneer Quicks verwachtte niemand dat die aandelen plotseling zo zouden stijgen. Ik
wou dat ik het had geweten.'

Niet-begrijpend keek Victor haar aan. Ze lachte en liet een mond
vol parelwitte tanden zien. 'Als ik van tevoren geweten had dat die
aandelen in waarde gingen verdubbelen, had ik van tevoren inge-
kocht. Mijn hele spaargeld zou ik erop hebben gezet en dat van
vrienden en familie ook. Dit was de ideale manier geweest om snel
rijk te worden.'

Victor voelde zich misselijk worden. Er was maar één persoon
die hier eerder weet van had gehad. Zijn baas, William Scarborough, alleenheerser van Rietschoten...

Een halfuur later rende Victor over de gang van het hotel, smeet
de kamerdeur open en greep naar zijn laptop. Jessica was er gelukkig niet. Waarschijnlijk liep die rond in een of ander museum. Zij
was maniakaal fanatiek als het om haar eigen vakgebied ging. Dit
kwam hem nu goed van pas. Victor kon ongestoord werken.

In de computer stonden alle telefoonnummers van ondernemers
in wie IMPERIUMBOUWER sinds kort een belang had genomen. Victor vroeg zich af of een van hen ooit nog naar Rietschoten zou
komen om het kind van een belegger onder de hoede te nemen.
Hij vreesde het antwoord al te kennen, maar hij duwde voor het
moment alle logica ver voor zich uit.

Hij begon te bellen. Het was maandagochtend in Kaapstad. De zakenwereld was open. Bruce Ling handelde in computerchips en was volgens de vele artikelen die Victor over de man gelezen had, hopeloos verslaafd aan werk. Het was avond in Seoul, maar Bruce was op kantoor en nam zelf op. De Koreaan had nog nooit van William of IMPERIUMBOUWER gehoord en verbrak de verbinding toen Victor maar niet ophield met zijn vragen. Carl Gerresheimer uit Berlijn, groot geworden met de verhuur van vrachtauto's, stond op het punt met een klant te gaan lunchen. Ook hij had geen flauw idee waar Victor het over had. Christopher Carreras was oprichter van een verzekeringsbedrijf in Buenos Aires; het snelstgroeiende van Latijns-Amerika. Victor stoorde hem bij een ontbijtafspraak en in een rappe combinatie van Engels en Spaans maakte Cristopher zijn ongenoegen daarover duidelijk. 'U spreekt wartaal,' zei de ondernemer. 'Bel nooit meer op dit nummer.'

En zo ging het door. Een voor een verklaarden alle twaalf de ondernemers zich onbekend met IMPERIUMBOUWER of de persoon van zijn oprichter. Niemand wist waarom de koers van het eigen aandeel zo gestegen was, de laatste tien dagen. En in geen enkele agenda stond een afspraak met Victor van Zanten.

Nadat Victor ze allemaal gesproken had, dacht hij na. Het zweet gutste over zijn voorhoofd en zijn hart bonsde. Op een hotelblocnote maakte hij aantekeningen. Toen pakte hij nogmaals de telefoon. 'De Lint,' klonk het in zijn oor.

'Bram, Victor hier. Zeg niets, maar luister.'

Gezeten in zijn Gulfstream volgde William Scarborough de procedures rondom de landing op Schiphol. Hij glimlachte tevreden. De missie in Madrid was succesvol verlopen. Hij nam een taxi naar Rietschoten, maar een file op de A4 deed hen een uur lang stilstaan. William kon het niet schelen; hij had alle tijd van de wereld.

Vandaag was de zogenaamde afspraak van Victor met Hendrik Quicks. William had de ondernemer nooit ontmoet, maar hij had genoeg over de man gelezen om in de ogen van een leek een gefundeerd oordeel over hem te hebben. Uiterlijk morgen of overmorgen kon William zijn assistent in Rietschoten terugverwachten, zonder twijfel krijsend van woede.

De opvoering van het toneelstuk in Rietschoten naderde zijn einde. Vanaf vanmiddag zou William zich klaarmaken om van het toneel te verdwijnen, samen met zijn buit. De gemeenschap die, zonder het te weten, als applausmachine gediend had, zou hem nog missen. Hij neuriede een onbestemd deuntje. Het zou een knallend afscheid worden.

Bram legde de vinger op de zere plek. 'Wat schiet William hiermee op? Hij laat Rietschoten honderden miljoenen euro's investeren in ondernemers die hij zelf niet kent. Voor hem zit hier geen voordeel in, integendeel zelfs. De kosten die hij met De Eendenhorst heeft gemaakt, krijgt hij niet terug en die bonus waarop jullie rekenden, kun je nu op je buik schrijven. Wilde William misschien een paar weken voor God spelen in Rietschoten? Zo leuk is dat niet. Doen als God is een overschatte ervaring; ik weet er alles van. Er worden eisen aan gesteld.'

'Over Williams motief heb ik mijn eigen ideeën, Bram,' sprak Victor gehaast. 'Maar eerst moet hij gearresteerd worden. Waar hij ook is; William mag niet ontsnappen. Bel de politie in Zwitserland!'

Ditmaal was het de oude advocaat die een verrassing had. 'Dat is helemaal niet nodig. William is gewoon thuis, op De Eendenhorst. Enkele minuten geleden heeft hij mij nog opgebeld. We gaan volgende week samen lunchen.'

'Wát?' Victor was verbijsterd door dit nieuws. Het klopte niet. Er klopte niets van. William wist dat vanmorgen de afspraak met Hendrik Quicks een leugen zou blijken te zijn en dat hij dus zelf als leugenaar ontmaskerd zou worden.

'William is op De Eendenhorst? Waarom?'

'Weet ik niet. Misschien heb je toch ergens een vergissing gemaakt?'

Victor schudde zijn hoofd. Na al die gesprekken met ondernemers was een misverstand of vergissing uitgesloten. Niemand kende de kleine Amerikaan. Rietschoten was opgelicht. Dat was zeker. Maar hoe? Waarom kwam William terug naar de plek van de misdaad? Wat had hij op De Eendenhorst nog te zoeken?'

'Laat de politie het landgoed onmiddellijk omsingelen,' drong Victor aan. 'Ik kom met het eerste vliegtuig.'

'Dat is goed. Ik bel commissaris Sanders zodra we samen klaar zijn. Maar Victor, waarom heeft William dit gedaan? Wat was zijn motivatie?'

Er viel een stilte tussen Kaapstad en Den Haag. Blind staarde Victor voor zich uit. De droom van vrijheid en rijkdom was voorbij, uit elkaar gespat door de woorden van een oprechte secretaresse. Maar nooit was de droom reëel geweest. Jessica had gelijk gehad. Er moest een prijs betaald worden en Victor, die zo graag zijn eigen lot wilde bepalen, was gemanipuleerd als een poppetje aan een touwtje. Binnen in hem maakte verwarring plaats voor een golf van woede die hem een moment lang leek te overweldigen. Toen keerde Victor terug naar de telefoon.

'Ik zal je vertellen wat Williams motivatie was. De enigen die van IMPERIUMBOUWER profiteerden, zijn degenen die hun aandelen aan het fonds hebben verkocht. Zij maken een winst van honderd procent. Als ik gelijk heb, is IMPERIUMBOUWER niets anders dan een middel om een hype op de beurs te creëren. Een hype in aandelen die William zelf van tevoren heeft geselecteerd.' Victor vertelde hoe hij tot deze conclusie was gekomen. 'Wiliam Scarborough was de enige die wist welke aandelen het fonds ging kopen. Hij moet de grootste verkoper geweest zijn, vorige week. Veel van de vierhonderd miljoen euro van Rietschoten is op die manier in zijn zakken verdwenen. En als we niet snel zijn, gaat hij er nog mee vandoor ook. Bel Sanders!'

'Het is de enige theorie die overeenkomt met de feiten,' legde Victor uit toen Jessica terugkwam van haar museumbezoek en hem tussen zijn koffers aantrof. Ze was verbaasd geweest dat ze zo snel moesten vertrekken, maar had zonder opmerkingen meegeholpen met pakken. De wilde blik in zijn ogen nodigde waarschijnlijk niet uit tot vragen.

Victor had de hotelreceptie gevraagd hun ticket om te boeken naar de eerste vlucht richting Amsterdam. Dat was niet eenvoudig geweest, want vanwege het toeristenseizoen zaten alle vliegtuigen vol. Uiteindelijk was er een vlucht gevonden met overstap in Londen, maar dan moesten ze wel opschieten; over een uur al sloot de poort. Victor beloofde de taxichauffeur een gigantische fooi als ze het zouden halen en de auto scheurde bij het hotel weg, herinneringen aan een probleemloze vakantie achterlatend.

Jessica vroeg om opheldering en hij deed een poging. 'William verschijnt in Rietschoten en renoveert een landgoed. Met zijn eigen Rembrandt en mooie praatjes lokt hij miljonairs naar zich toe, en allemaal geloven ze in zijn theorie over de gemeenschappelijkheid van talent. William biedt zijn nieuwe vrienden de mogelijkheid aan om jeugdige superondernemers te ontmoeten, in hen te investeren en ze als rolmodel te gebruiken voor hun kinderen. Het dorp hapt toe en rond de inschrijving ontstaat een hype.

Maar William is nooit van plan geweest ondernemers naar Rietschoten te laten komen of stages te regelen. Het enige wat hij wilde, was geld inzamelen voor zijn fonds en op die manier vraag genereren naar aandelen in kleine bedrijven. Die ondernemers zelf wisten nergens van af. Zij waren volledig onkundig over wat er gaande was. In de maanden daarvoor moet William diezelfde aandelen onopvallend en voor grote bedragen hebben aangekocht, en toen de inschrijving sloot, drong hij aan op haast. Rietschoten wilde immers zien waarvoor het betaalde! Onder mijn eigen ogen creeert IMPERIUMBOUWER vervolgens nogmaals een hype, deze keer op de effectenbeurs, en dat waarop William hoopt, gebeurt. De koers van elk aandeel schiet omhoog door de plotselinge vraag. William incasseert de winst van zijn verkopen, ongetwijfeld vele tientallen miljoenen euro's, en verdwijnt. Rietschoten blijft achter met de gebakken peren.'

'Dus William heeft die ondernemers nooit ontmoet.'

'Nee.' Victor vertelde over zijn telefoontjes die ochtend.

'Hoe kwam hij dan aan al die informatie over hen?'

'Gewoon, uit openbare bronnen. Roddelbladen, vakliteratuur, biografieën en dergelijke. Er wordt genoeg over dergelijke figuren gepubliceerd. Ze spreken nogal tot de verbeelding.' En ik ben er ook ingetrapt, verweet hij zichzelf. Zogenaamd als resultaat van diepgaande studie en analyse hadden Bram en hijzelf feiten en meningen geaccepteerd die iedereen in de krant had kunnen lezen. Overigens had William op één punt gelijk: de karakters van imperiumbouwers vertoonden overeenkomsten. Allemaal deelden ze een identiek doel. De toekomst voor henzelf en voor niemand anders.

Victor kon het nog niet helemaal bevatten. Dit eindigde op een manier die hij niet voor mogelijk had gehouden. Zijn eigen toekomst, vorige week zo gloedvol aan Jessica beschreven, was in duigen gevallen. Die van negenendertig kinderen ook. Waar Victor ook keek, overal dreigde chaos, woede en teleurstelling. In zijn val dreigde IMPERIUMBOUWER een gemeenschap met zich mee te slepen.

'Kun je dit bewijzen?' vroeg Jessica.

'Het is praktisch onmogelijk om misbruik van voorwetenschap te bewijzen, maar we hebben een kans. Tijdens de eerste avond van het fonds kreeg William steun van ene Francesca de Bruin, een vrouw die haar kind verloren heeft aan drugs. Ze wilde een daad stellen en stopte twee miljoen euro in IMPERIUMBOUWER. De zaal reageerde wildenthousiast en William kon iets dergelijks nooit verwacht hebben. Ik denk dat William iemand is die overal maximaal van wil profiteren. Ik ga er dan ook van uit dat William die avond besloten heeft zijn inzet te verhogen. En dat betekent: meer aandelen kopen.'

Hij staarde voor zich uit, de avond herbelevend. Hun taxi reed nu langs de townships. De mensen daar hadden andere problemen, maar die zette hij uit het hoofd.

'Ik heb Bram gevraagd na te laten gaan of er gelijk na die avond een ongewoon hoge vraag was naar aandelen in die vijftien bewuste firma's. Behalve IMPERIUMBOUWER hebben ze niets met elkaar gemeen; ze zijn klein, gevestigd in verschillende werelddelen, genoteerd op verschillende beurzen en actief in verschillende bedrijfstakken. IMPERIUMBOUWER was de enige connectie. Als blijkt dat er na die avond inderdaad een meer dan gemiddelde vraag was naar elk van die aandelen, dan kan dat statistisch gezien onmogelijk toeval geweest zijn. Dat bewijst dat er slechts één koper was. William. IMPERIUMBOUWER is uiteindelijk niets anders dan een methode om misbruik te maken van voorinformatie. Voorinformatie die William overigens zelf genereerde. En ik stond er met mijn neus bovenop.' Hij schudde zijn hoofd. Zoveel fouten, zoveel vergissingen. Verantwoordelijkheden waren niet genomen of, in het zicht van de pot met goud, genegeerd.

'Dus al die verhalen over Morgan, Mozart en Rembrandt waren enkel bedoeld om een bepaalde reactie bij het publiek te ontlokken?' vroeg Jessica ongelovig.

'Meerdere reacties. Hebzucht, fascinatie voor beroemdheden alsmede een zekere onzekerheid over de eigen rol als opvoeder. Voor-al bij succesvolle mensen ligt dit onderwerp gevoelig. Ze willen het vooral goed doen; het kind niets ontzeggen, maar ook niet te veel verwennen. Ieder kind heeft uitdagingen nodig zonder dat ouders in de weg lopen. Maar het voorbeeld van extreem succes bij vader of moeder werkt eerder als belemmering dan stimulans. Voor zowel ouder als kind kwam IMPERIUMBOUWER dan ook als een geschenk uit de hemel.'

Victor glimlachte zuur. 'Voeg daaraan de mogelijkheid toe om je buren groen te laten zien van jaloezie, en je hebt een winnaar in handen.' Hij keek op zijn horloge. Ze gingen het vliegtuig halen. Nog niet alles was verloren.

'Het enige wat ik niet begrijp, is waarom William is teruggekeerd naar De Eendenhorst. Hij moet daar niets meer te zoeken hebben.'

'De misdadiger die terugkeert naar de plaats van de misdaad?' suggereerde Jessica.

'Dat is een cliché en daarbij... William is uitzonderlijk intelligent,' zei Victor. 'Ik ken hem. Alles wat hij doet, heeft een bedoeling.'

Achter in de taxi probeerde Victor zich te ontspannen maar dat was hopeloos. Hoe zou Rietschoten reageren als het de waarheid leerde kennen? Konden Bram en hij haar woede weerstaan? Alleen als William gepakt werd, schuld bekende, voor jaren achter de tra-lies verdween en al het illegaal verdiende geld teruggaf, verdienden hij en Bram nog een kans. Anders niet.

Victor stond op het platform voor het vliegtuig en keek voor de laatste keer naar de heuvels van Afrika. Het continent was hem slecht gezind, of beter gezegd, had hem de nodige lessen geleerd.

'Van imperiumbouwer tot imperiumbreker,' mijmerde hij en stapte de cabine in. Als William inderdaad schuldig was, zou Vic-tor hem eerst de nek omdraaien en daarna zijn eigen tong laten inslikken. De Airbus verzamelde snelheid en sprintte de startbaan af; op weg naar de Europese winter. Hij staarde naar buiten. Ik kom terug, beloofde Victor zichzelf. In Afrika ben ik nog niet klaar.

'Je kijkt opeens vrolijk,' zei Jessica tegen hem, toen ze het lucht-ruim kozen.

Victor grinnikte. 'De kracht van vernietiging is net zo sterk als die van creatie. Beschouw dat voortaan maar als mijn lijfspreuk.'

18

Januari

In de vroege ochtend van de volgende dag stopte hun taxi bij de ingang van De Eendenhorst. Het was nog donker en tussen de kale bomen hing nevel. Hier en daar lagen hoopjes sneeuw. Victor huiverde toen hij de taxi verliet en afrekende. Jessica volgde. Buiten was het windstil en koud.

'Welkom in Nederland,' bibberde hij en zijn adem bevroor in wolkjes voor de mond. Even verderop stond een Peugeot geparkeerd langs de rand van de weg. De inzittenden stapten uit. Het waren Bram de Lint en commissaris Sanders; de laatste een stevige man in politieuniform. Victor kende hem nog van hun eerdere kennismaking en introduceerde Jessica. Sanders was een leider, had hij gemerkt, iemand die de situatie vanaf het begin met koele autoriteit beheerst.

Bram had Jessica tijdens de beleggersbijeenkomst ontmoet, maar haar aanwezigheid leek hem nu te ontgaan. De bejaarde advocaat zag er niet goed uit, vond Victor. Ondanks de kou stonden er zweetdruppels op zijn voorhoofd. Bram had voor IMPERIUMBOUWER ingestaan. Zijn naam en reputatie waren verbonden met het fonds. Victor huiverde bij het idee wat er met de man zou gebeuren als William erin slaagde te ontsnappen. Hij stelde Bram de vraag die de afgelopen nacht al brandde op zijn lippen.

'Heb je nieuws van de bank?'

'Ja, en het nieuws is slecht. Acorn Brothers bevestigde dat er in de periode tussen 7 en 31 december vorig jaar extra vraag was naar elk van die vijftien aandelen,' zei Bram, op het oog zonder emotie.

'Toeval is uitgesloten, hier zat een doordachte strategie achter. Iemand manipuleerde de markt en deed het niet met kleingeld. De schatting ligt rond een bedrag van vijftig miljoen euro voor alle aankopen bij elkaar.'

Dit cijfer greep Victor bij de keel. Vijftig miljoen had William alleen al na die bewuste avond geïnvesteerd! En ongetwijfeld vóór aankomst in Rietschoten had William voor nog veel meer gekocht, speculerend op de hype die hijzelf ging veroorzaken. En elke cent die William in die aandelen stopte, leverde een honderd procent winst op.

Voor hoeveel had William het dorp uitgemolken? Honderd miljoen, tweehonderd miljoen euro? Waar was al dat geld? Geparkeerd in belastingparadijzen waarschijnlijk. Onmogelijk te achterhalen als de eigenaar zelf ook verdwenen was.

Door de spijlen van het hek bekeek hij het vertrouwde silhouet van het huis. De Eendenhorst lag in duisternis gedompeld. Van William geen spoor.

'Wees gerust. Ons doelwit is er nog,' zei de commissaris. 'Mijn agenten hebben hem gisteren zien lopen en sinds vierentwintig uur houden we het landgoed omsingeld. Geen muis kan erin of uit.'

Victor knikte. Het bewijs van Williams wandaden was nu geleverd en de man kon maar beter niet in zijn buurt komen, vandaag. Woedend balde Victor zijn vuisten in de zakken.

'Wat doen we nu?' vroeg hij aan Sanders, die stampte om zijn voeten warm te houden.

'Nu is het tijd voor actie. Zes van mijn wagens staan opgesteld op onopvallende plekken rondom de Eendenhorst. Zij pakken William, mocht die van plan zijn te vluchten. Hier bij de ingang kan elk moment ons arrestatieteam arriveren. Zij brengen William binnen.'

De commissaris wees op het pistool in zijn holster. 'We forceren een opening in het hek en gaan hem halen. Alleen politie. Jullie wachten buiten.'

Hij keek even naar Jessica, blijkbaar niet wetend wat met de Russin te doen. Haar rode lippenstift stak af tegen de sneeuw.

'Zij blijft bij mij,' zei Victor. Hij zag Bram omhoogstaren en volgde zijn blik. Hoog in de bomen bewoog iets. Een camera richtte zich op hem. En het bleef niet bij een; meerdere camera's waren naar hun groepje gedraaid als roofvogels loerend op een prooi.

'Kijk!' riep Bram naar Sanders. 'We worden in de gaten gehouden!'

Victors hart klopte in de keel. Als dit waar was, verdween het element van verrassing volledig. William wist wat hem te wachten stond.

'Kan het de beveiliging in Londen zijn die naar ons kijkt?' opperde de advocaat, zich duidelijk ongemakkelijk voelend.

'Het is mij om het even of William weet dat wij er zijn. Hij kan toch geen kant op,' vond Sanders, maar hij pakte zijn radio en lichtte voor de zekerheid zijn manschappen in. Iedereen wachtte nu op het arrestatieteam. In gedachten verzonken staarde Victor naar het landgoed. Langzaam trok de schemering weg en in het beginnende daglicht konden details beter onderscheiden worden. De wind stak op en het voelde nog kouder.

Van een nabijstaande agent leende Victor een verrekijker en hij ging op zoek. William vond hij niet, het huis was daarvoor nog te donker, maar er was wel iets anders wat hem opviel. Iets zeer opmerkelijks gezien de tijd van het jaar. Alle ramen en deuren stonden wijd open. Victor liet de kijker zakken om het met eigen ogen te aanschouwen en inderdaad, over de hele lengte van het stenen huis waren alle ramen geopend, net als de massief houten voordeur. Hij begreep het niet. Het zou er binnen ijskoud door worden.

Victor wilde er iets over zeggen, toen het arrestatieteam arriveerde. Tien grote, in kogelvrij vest verpakte kerels met vuurwapens op de borst overlegden kort met Sanders. Daarna brandden twee commando's met snijbranders spijlen uit het hek zodat er een opening ontstond, groot genoeg voor een man. Tot Victors verbazing klonk er geen alarm toen het staal verwijderd werd. Blijkbaar stond de beveiliging niet aan of werkte die geluidloos. Hij zag de tien, met Sanders daar vlak achter, door de opening heen kruipen en richting het huis optrekken.

De politiemannen droegen hun machinepistolen in een schuine hoek voor zich en keken behoedzaam om zich heen, bedacht op hinderlagen. Zodra ze op het terrein kwamen, verspreidden ze zich om geen groot doelwit te vormen. De agent naast Victor snoof.

'Olie,' zei de man, 'het lijkt alsof ik olie ruik.'

Victor rook het even later ook. Hij herkende de geur zelfs. De laatste keer had hij die samen met William opgesnoven, diep in de buik van De Eendenhorst.

'Laat mij eens kijken,' vroeg Jessica. Van Victor nam ze de kijker over en liet die over het huis dwalen.

'William laat zich toch niet zien,' merkte hij op, zelf de commando's met zijn blik volgend. Ze waren nu enkele tientallen meters gevorderd, maar het was nog zeker tweehonderd meter naar hun doel. Het team had dus een lange weg te gaan.

'Ik ben niet op zoek naar William.'

'O? Een interessante benadering. William is namelijk de reden dat we niet langer op het warme strand liggen. Wat zoek je dan wel?'

'De reden waarom hij is teruggekomen. Hebbes! Daar is het. Ik heb het gevonden.' Opgewonden legde Jessica de kijker in zijn hand en wees naar voren. 'Daar, rechts onder dat afdak. Wat zie je?'

Victor zette de kijker tegen zijn ogen en zocht in de aangegeven richting. 'Niets... o ja, toch. Een kleine vrachtwagen.'

'Juist. Wat zit er in de laadruimte? De achterdeuren staan open dus je kan naar binnen kijken.'

'Ik zie verschillende objecten, hoog en smal, dicht naast elkaar gezet.'

'Precies. En wat zit daar in, denk je?' Toen hij de kijker instelde, verstijfde Victor. De kratten kwamen hem bekend voor. Ze waren van een type en vorm die hij eerder had gezien. Beneden, in de kelders van het landgoed. Het waren kratten om schilderijen in te verpakken. Zijn haren gingen overeind staan.

Jessica's instinct was juist geweest.

'William is teruggekomen om de collectie te stelen,' stamelde hij.

'Inderdaad. De miljoenen van Rietschoten waren hem niet genoeg; ook haar kunstschatten moest hij hebben. De Rubens, Van Gogh, Mondriaan en al die anderen.'

'Ja, maar...' Victor draaide zich om naar het huis. Het arrestatieteam en Sanders waren flink gevorderd. Ze waren nu bijna halverwege. 'Het feit dat we nu de reden weten achter Williams aanwezigheid, verandert op zich niets aan de situatie,' merkte hij langzaam op. 'Over enkele minuten wordt de dief en oplichter gearresteerd. Hooguit betekent dit voor hem enkele jaren langer rotten in de cel.'

Victor voelde zich opgelucht dat een monumentale kunstroof in elk geval Rietschoten bespaard zou blijven.

De olielucht prikkelde zijn neus. Het kon bijna niet anders of de geur kwam vanuit het huis. De tank lag diep onder de grond, maar blijkbaar was er een lek en had William daarom de ramen opengezet. Dit leek Victor gevaarlijk. De zuurstof in de lucht maakte oliedamp brandbaar en explosief. Het huis zou hierdoor veranderen in een... bom? Toen vielen de stukjes van de puzzel op hun plaats. Er was geen andere mogelijkheid.

'Het huis is onder de olie gezet! William laat de boel ontploffen!' schreeuwde hij luidkeels. Het arrestatieteam en Sanders konden hem echter niet horen. Ze waren al te ver weg. Victor sprintte naar het hek, wurmde zich door de opening heen en rende zo hard als hij kon naar de politiemannen, onderweg waarschuwingen brullend. Het team was honderd meter van hem verwijderd, het huis lag ongeveer eenzelfde afstand verderop.

'Stop!' schreeuwde Victor tussen twee ademscheuten door. Zijn spieren protesteerden, maar hij ging door en luttele seconden later kwam hij onder geluidsbereik. De agenten en Sanders hielden verbaasd stil.

Victor wees naar het huis. De olie was hier nog duidelijker ruikbaar; een walm hing zelfs in de lucht.

'William is teruggekomen om de collectie te stelen,' hijgde hij toen hij hen eindelijk bereikte. 'Daarna laat hij het huis ontploffen om geen sporen achter te laten. Daarom zijn de vloeren onder de olie gezet. Ga niet verder. Het is een bom!' Op datzelfde moment zag Victor diep in het huis iets flitsen en klonk er een harde knal. Het leek op een pistoolschot of het klappen van een band. Een seconde later schoot een vuurkolom dwars door het dak heen. Tientallen stukken steen en dakpannen werden hoog weggeslingerd.

'Terug!' schreeuwde Sanders en duwde iedereen naar achteren. Ze hadden zich pas enkele meters verwijderd toen, met oorverdovend geweld, het landhuis voor hun ogen ontplofte. Een immense vuurbal leek hen seconden lang te overweldigen. Verder zag Victor niets, want hij en de anderen renden voor hun leven. Links en rechts vielen brandende brokstukken naar beneden en het geloei van vuur brulde. Zwarte rook hing als een deken om hem heen en hinderde het zicht. Af en toe moest Victor stoppen en met zijn vuisten in de ogen wrijven om iets te kunnen onderscheiden voor hij verder rende.

Meer op gevoel dan iets anders zocht Victor zijn weg terug naar het hek. Olielucht brandde in zijn longen en belemmerde de ademhaling. Tot twee keer toe struikelde hij en viel hij hard op de stenen van de oprijlaan. Zijn hoofd en knieën bloedden, maar hij stopte niet om zijn verwondingen te controleren. Hij sprong overeind en ging verder.

Toen Victor eindelijk tegen het hek botste, draaide hij zich om. Rookwolken hingen nog zwaar tussen de bomen maar hij kon duidelijk onderscheiden dat waar eerst het trotse landhuis gestaan had, nu slechts resten muur brandden. Op tweehonderd meter afstand bleef de hitte voelbaar. Victors keel piepte; zelfs ademen door zijn neus deed pijn.

Een agent hielp hem door de opening heen, de weg op. Even verderop zag hij Bram met handen om de spijlen geklemd staan, de knokkels wit van spanning. Als in trance staarde de bejaarde advocaat voor zich uit, ongetwijfeld rouwend om de Rubens die voor zijn ogen in vlammen was opgegaan.

Sirenes gilden. Drie brandweerwagens kwamen aanstuiven. Ze namen geen halve maatregelen. De eerste wagen trok op en ramde de poort. Het staal gaf mee maar brak niet. Er waren nog twee pogingen nodig om een doorgang te forceren en daarna daverden de drie met sirenes en zwaailichten het park in. Victor keek ze na en zakte naast Jessica neer op de koude grond.

Edmund Wilbur-Karp rondde net een ontmoeting af met een klant toen zijn secretaresse, een jonge brunette die Claire heette, haar hoofd om de deur stak. 'Komt u even bij me als u klaar bent?' vroeg ze.

Een minuut later liep hij bij Claire binnen; ze had een ruimte naast de zijne. Zoals altijd was Wilbur-Karp gekleed in een driedelig grijs pak met matgekleurde das. Het was het uniform dat hij al veertig jaar droeg. Claire daarentegen had, ondanks het winterseizoen, een diep gesneden blouse aangetrokken die haar borsten fraai deed uitkomen. Ze deed het expres en hij wist dat zij wist dat hij het wist. Het was allemaal onderdeel van het spel.

'Wat is er?'

'Of je de politie wilt terugbellen. De politie in Madrid om precies te zijn. Het is dringend. Hier is het nummer. Ene inspecteur Alfonzo.'

Claire scheurde een vel van het notitieblok af waarop ze al zijn boodschappen noteerde en gaf het hem. In verwarring gebracht liep Wilbur-Karp terug naar zijn eigen kamer. Het was een oude balzaal, omgebouwd tot kantoor in een hoek van het pand aan Berkeley Square. Overal hingen schilderijen en langs de wanden stond antiek meubilair.

De kunst negeerde hij al jaren, behalve de spiegel. De spiegel was driehonderd jaar oud en werd wekelijks gepoetst. Hij had het monumentale geval precies zó laten hangen dat, zowel vanachter het bureau als vanaf zijn plaats aan de conferentietafel in het midden van de ruimte, Wilbur-Karp zijn eigen reflectie kon bewonderen zonder dat anderen dit merkten. De spiegel kwam met name van pas tijdens langdurige of saaie vergaderingen.

Wilbur-Karp kreeg nooit genoeg van staren naar zichzelf. Het meest trots was hij op zijn dikke bos spierwit haar. Geen kale kandidaat kan een verkiezing winnen, had hij een vriend, zelf politicus, ooit verteld. Goed haar straalt vertrouwen uit, emotie en geborgenheid. De vriend had geantwoord dat dit alleen bewees dat de mens inderdaad van de aap afstamt.

Claire ruimde de resten van de lunch op en verdween. Zelf had Wilbur-Karp weinig gegeten. Ten koste van alles wilde hij het lot vermijden dat veel van zijn collega's trof: hardnekkig overgewicht, te veel slecht cholesterol en een hartkwaal voor de vijftigste verjaardag. Ook ging hij zeker drie keer per jaar naar zijn appartement in Marbella om in de zee te zwemmen en aan zijn kleurtje te werken.

Deze overpeinzingen brachten hem terug bij het briefje op het bureau. Wat moest de Spaanse politie van hem? Zijn appartement was betaald met zwart geld, een stuk van de familie-erfenis dat Wilbur-Karp niet met de fiscus had willen delen. En dan was er die Marokkaanse doos vol hasjiesj-sigaretten. Belden ze hem soms daarvoor? Maar toch niet uit Madrid?

Even overwoog hij zijn eigen advocaat te bellen en die getuige te laten zijn van dit gesprek, maar dat stond gelijk zo schuldig. Wilbur-Karp belde het nummer en werd doorverbonden. Inspecteur Alfonzo vuurde gelijk in goed Engels een serie vragen af.

'U werkt voor de bank Acorn Brothers?'

'Ja.'

'Bent u bekend met iemand die Boudewijn Faber heet?'

'Heel goed zelfs, die werkt voor mij. Boudewijn is onze directeur in Nederland.'

'Kunt u meneer Faber omschrijven?'

'Praktisch kaal, een bourgogne-rood aangelopen gezicht en enigszins eh... zwaarlijvig.' Om kort te gaan, Boudewijn was alles wat Wilbur-Karp zelf niet zou willen zijn. De bankier voelde zich opgelucht. Dit leek niet om hem te gaan.

'Heeft Boudewijn een of andere wet overtreden?' vroeg hij de inspecteur vrolijk. 'Ik heb hem weleens een hasjsigaret zien roken.'

'Dat is niet tegen onze wet, meneer. Is Boudewijn met ruzie uit Nederland vertrokken? Kent u vijanden die hem kwaad wilden doen? Welke informatie kunt u ons verstrekken over zijn vrouw?'

'Ik heb geen idee; ik ben niet met haar getrouwd. Wat is dit, een quiz? Het lijkt alsof jullie nooit genoeg krijgen het leven van buitenlanders in Marbella zuur te maken, zelfs als we niet eens in jullie land zijn. De volgende stap is dat makelaars belastinggegevens gaan opsturen aan onze fiscus in Engeland.'

'Andere collega's gaan over belastingen, meneer Wilbur-Karp. Met mij krijgen buitenlanders alleen te maken als ze hier onder twijfelachtige omstandigheden komen te overlijden. Dan worden ze gast van de moordbrigade.'

Wilbur-Karps mond viel open. Een enorm vraagteken vormde zich in zijn hoofd.

'De moo...?'

'Gisteren is er een huurauto gevonden in de heuvels boven Madrid. De wagen zou wellicht nooit gevonden zijn als een jongetje op de landweg niet speelde dat hij Arjen Robben was, een *galactico* van Real Madrid. De jongen schopte stenen in de vallei toen een van zijn projectielen iets raakte. Klang! De jongen keek over de rand en zag, diep weggezakt in het struikgewas, de achterkant van een BMW omhoogsteken. De politie werd gewaarschuwd en die liet de wagen optakelen. Erin vonden we twee lichamen met identificatiepapieren op naam van uw collega Boudewijn Faber en zijn vrouw Sylvia. Beiden waren toen ongeveer twee dagen dood. De identificatie werd moeilijk gemaakt omdat vogels en andere dieren al begonnen waren met het knagen aan ingewanden en ogen. Via het kantoor in Rietschoten kwamen we vervolgens bij u terecht.'

'Mijn God,' mompelde Wilbur-Karp en hij streek door zijn haar. 'Maar dan hoef je toch niet gelijk aan moord te denken, inspecteur? U lijdt aan beroepsdeformatie. Wellicht was het een auto-ongeluk, heeft Boudewijn de controle over het stuur verloren.'

'Dat is goed mogelijk, want het is lastig sturen met de helft van je gezicht naast het gaspedaal. En zijn vrouw kon manlief moeilijk helpen, want die was van dichtbij door de slaap geschoten. Eén kogel voor ieder; het pistool lag nog in de auto. We twijfelen tussen moord en zelfmoord, maar om eerlijk te zijn, we hebben geen idee. Kunt u ons helpen?'

Wilbur-Karp dacht terug aan de reeks avonden die hij de laatste weken samen met Boudewijn had doorgebracht, toen het onvoorstelbare succes van IMPERIUMBOUWER zich voor hun beider ogen ontvouwde. Ontelbare flessen champagne waren ontkurkt. Hij onderdrukte een opkomende rilling. 'Ik wil graag helpen,' zei hij.

'Bedankt. Morgenochtend kom ik met een team naar Londen. Om tien uur zijn we bij u op kantoor.'

Wilbur-Karp hing op en wankelde naar Claire.

'Zeg voor morgenochtend alles af en zorg dat niemand hier in de buurt kan komen. We ontvangen de politie uit Madrid. Boudewijn Faber en zijn vrouw zijn overleden. Vermoord, als ik het goed begrepen heb.'

Haar ontsteltenis stelde hem tevreden. 'Ik heb getuigen nodig. Laat iemand van de afdeling juridische zaken bij het gesprek aanwezig zijn. Jij notuleert.'

Hij wiste zich het zweet van zijn voorhoofd. 'Mijn God. Boudewijn vermoord. Wat een ramp. Hier mag niets van in de krant komen.'

Victor klom samen met Jessica en Bram in de politieauto.

'Naar het bureau,' zei de commissaris na een blik op zijn passagiers. 'Schoonmaken.'

Victor begreep pas wat Sanders bedoelde toen hij zichzelf in de spiegel terugzag. Zijn jas was gescheurd en met olie bedekt. Zijn beide knieën lagen open en ook zijn broek was hopeloos verloren. Het ergst was zijn gezicht. Bevlekt door zwarte en rode vegen zag hij eruit als een neergestorte schoorsteenveger of een frontsoldaat uit een verre, vergeten oorlog. De wond boven zijn oog bloedde.

Een douche deed wonderen en daarna kwam de dokter. Al zijn verwondingen werden met pleisters, jodium en zalf behandeld. Op de bank lagen een politiebroek en hemd klaar zodat Victor zich kon omkleden. De beroete kleren smeet hij in een afvalbak. Tien minuten later voegde Victor zich bij de rest.

De kamer van Sanders was zakelijk en functioneel ingericht; kenmerkend voor de man en de wijze waarop hij zijn functie uitoefende. De commissaris zelf had zich niet gewassen, maar alleen zijn gezicht met een doek bewerkt; roetvlekken waren nog overal zichtbaar. Sanders deelde koffie in plastic bekertjes uit en Victor ging tegenover hem zitten.

Bram had als enige zijn verzorging geheel genegeerd, maar het was niet zijn uiterlijk dat Victor zorgen baarde. De oude advocaat keek alsof er vanbinnen iets geknapt was. Bleek en in zichzelf gekeerd zat hij op zijn stoel, het hoofd naar beneden gebogen.

'De brandweer belde,' begon de commissaris opgewekt, alsof ze net terugkwamen van een zomerse, iets uit de hand gelopen barbecue. 'Ze hebben de brand onder controle, maar het landgoed is volledig verwoest. Voor ons, die erbij waren, komt dit natuurlijk niet als een verrassing.'

Hij keek naar Bram, schijnbaar onzeker hoe de boodschap over te brengen. 'De schilderijencollectie moet als verloren worden beschouwd. Er is absoluut niets van over. Ook de vrachtwagen die Jessica zag, is in vlammen opgegaan. Datzelfde geldt voor alles wat er in de kelders opgeslagen lag; alle ijzeren deuren stonden open.'

De advocaat zweeg en bleef naar de vloer staren alsof het linoleum het enige was wat vertroosting kon bieden.

'Persoonlijk twijfel ik er niet aan dat de ontploffing, en de daaropvolgende brand, onderdeel was van een vooropgezet plan,' ging Sanders energiek verder. 'Blijkbaar wilde William na zijn verdwijning geen sporen achterlaten. Om die tank, gemaakt van gewapend beton, te laten ontploffen, zou een krachtige bom nodig geweest zijn. Dergelijke explosieven zijn moeilijk te verkrijgen en gevaarlijk om mee om te gaan. Zoals Victor eerder zei, is het waarschijnlijker dat William eerst de inhoud van de tank over de vloeren gepompt heeft. Hiervoor is een systeem van buizen en kleppen nodig en de bouwtekeningen en pyrotechnisch onderzoek zullen moeten uitwijzen of iets dergelijks inderdaad aanwezig was.

Voorlopig is dit onze enige theorie. Het verklaart in elk geval de olielucht en het openstaan van deuren en ramen. Door de olie over een groot oppervlak uit te spreiden, sloeg William twee vliegen in één klap. Niet alleen werd de ontploffingskracht van de bom vergroot – de olie kwam immers in aanraking met meer zuurstof – de olie werd ook makkelijker te ontsteken. Verzadigde dampen hingen overal in het huis en een vonk was bij wijze van spreken voldoende.'

De commissaris schudde wat roet van zijn schouders. 'Victor rook olie, zag de ramen openstaan en kwam ons waarschuwen. Het kan heel goed zijn dat hij daarmee ons leven heeft gered.'

Victor zweeg. Pas nu besefte hij hoe dicht ze allemaal bij de dood geweest waren.

Sanders sloeg met een vuist op tafel. 'William was nog op het landgoed toen wij er aankwamen. Dat kan niet anders, want gisteravond is hij nog gezien. Waarschijnlijk was hij bezig met het laden van zijn buit, vandaar de vrachtwagen met schilderijen, en werd hij door ons verrast. De bom ging te vroeg af of hij heeft de kracht ervan onderschat. De vraag is: waar is William nu? Persoonlijk zou het me niets verbazen als we hem vandaag nog vinden; een smeulend lijk tussen de puinhopen.'

Dit leek Victor een te mooie gedachte. 'Met die camera's zag William ons aankomen. Hij kan ontsnapt zijn of zich verborgen houden op het landgoed. William kent daar elke boom of struik. Wellicht heeft hij er zelfs een schuilplaats.'

'William kan ook tijdens de chaos van de ontploffing over het hek zijn geklommen,' merkte Jessica op. 'In dat geval loopt ons doelwit nu stinkend naar olie over de openbare weg.'

Sanders stond op. 'Ik heb de omringende korpsen gewaarschuwd, en het landgoed blijft omsingeld totdat het afgekoeld is en we op de terreinen kunnen zoeken. Ik denk dat William ons later verwachtte, als hij een inval verwachtte, en de controle over de gebeurtenissen verloren heeft. William zal niet de eerste misdadiger zijn die door zijn eigen bom om het leven is gekomen. De kracht van de ontploffing was enorm; pas op honderden meters afstand zou hij veilig geweest zijn. Het ontbrak hem echter aan de tijd of gelegenheid om te vluchten. Gaan jullie nu naar huis. Rust uit. Als er nieuws is, worden jullie gebeld. Voor het overige: geen woord naar de pers of andere belangstellenden. De politie is aan het werk.'

Een auto bracht Victor en Jessica weg. Ze hoefden niet lang op nieuws te wachten; ze waren pas enkele uren in Victors kleine appartement toen de telefoon ging. Het was commissaris Sanders, duidelijk bijzonder ingenomen met zichzelf.

'Geen moeilijke theorieën meer. Ik had gelijk: William is dood. De brandweer heeft zijn lichaam gevonden. Ik bel jullie nu vanaf De Eendenhorst.'

Victor was stomverbaasd. In geen duizend jaar had hij dit verwacht. 'Je weet het zeker?' vroeg hij ongelovig.

'Zijn stinkende lijk ligt op dit moment voor mijn voeten. Geloof me, er is geen twijfel mogelijk. Dit lichaam heeft de laarzen en ring die William altijd droeg. De rest is onherkenbaar, maar de laarzen verkeren nog in goede staat. Dit heeft te maken met vet op het leer, is mij verteld. William heeft ze blijkbaar altijd goed gepoetst, zijn moeder zou trots zijn als ze het wist. En daarbij, wie anders zou het kunnen zijn? Behalve William was niemand anders hier.'

'Vraag hem of de laarzen verhoogde hakken hebben,' suggereerde Jessica. Niet-begrijpend keek Victor haar aan.

Ze glimlachte. 'William liep op verhoogde hakken om groter te lijken. Daarom droeg hij áltijd zijn laarzen. Iedere vrouw kon het zien. Ik begreep nooit dat mannen het niet doorhadden.'

Victor verbaasde zich over nog een detail dat hij had gemist en gaf zijn vraag door.

'Geen idee,' was het antwoord van Sanders. 'Een dergelijk detail nagaan is niet de taak van de politie of brandweer. Wij raken het lichaam niet aan en sturen het door naar het gerechtelijk laboratorium in Rijswijk. Ik zou zeggen, ga daarheen en identificeer het lichaam voor ons. Van iedereen kende jij William het beste. Kun je gelijk onder die laarzen kijken.'

De commissaris knorde tevreden. 'Geloof me, William heeft zijn eigen bom niet overleefd. Hij heeft zich gebrand aan een vuurtje dat iets te heet voor hem was. Overigens komen we overal op het landgoed geblakerde schilderijenresten tegen. De hele collectie is vernietigd. De rijken moeten nieuwe speeltjes kopen.'

Wilbur-Karp zat op zijn normale plaats in het midden van de conferentietafel, pal onder een goudgeverfde zon op het plafond dat het centrum van het universum moest uitbeelden. Links en rechts van hem zaten respectievelijk de jurist van Acorn Brothers en Claire, beiden met papier en potlood in de aanslag. Aan de overkant zaten inspecteur Alfonzo, een donker ogende Spanjaard, en diens collega. Omdat de agenten op vreemd terrein werkten, hadden ze een Engelse politieman meegenomen die aan het eind van de tafel zat en zweeg.

Alfonzo keek om zich heen alsof hij koffie of water zocht maar Wilbur-Karp had zorgvuldig elk teken van welkom laten verwijderen.

'U kunt beginnen,' opende de bankier. Zijn strategie was medewerking, maar geen vrijage. Uit dit onderzoek konden immers zaken voortkomen die de bank onwelgevallig zouden zijn.

Alfonzo verhaalde nogmaals in uitgebreide termen hoe Boudewijn en zijn vrouw aan hun einde gekomen waren. Het onderzoek was afgerond. Sporen van geweld of dwang waren niet gevonden. Alle op het lijf gedragen kostbaarheden waren nog in de auto, dus een roofoverval kon worden uitgesloten. Kruitsporen op Boudewijns hand en vingerafdrukken op het pistool wezen op moord en zelfmoord. Eerst had Boudewijn zijn vrouw van dichtbij neergeschoten, onmiddellijk daarna zichzelf.

Wilbur-Karp kromp samen bij het nieuws. De krantenkoppen zag hij al voor zich.

'Was de overledene gewelddadig of instabiel?' opende de inspecteur zijn ondervraging. 'Had hij eerder tekenen vertoond van jaloezie of onvoorspelbaar gedrag? Opereerde hij onder druk? Is het waar dat zijn vrouw hem had verlaten omdat Boudewijn te hard werkte?'

'Boudewijn was niet gewelddadig of instabiel, maar had wel onlangs een groot project afgerond,' antwoordde Wilbur-Karp voorzichtig, erop gebrand vanaf het begin elke vorm van betrokkenheid af te wijzen. 'Die druk kwam overigens niet uit Londen, maar legde onze collega zichzelf op. Het was een element van zijn persoonlijkheid, want hij wilde altijd winnen. Als zijn huwelijk daaronder leed, had de bank daar niets mee te maken.'

'Kunt u details geven?'

'Laten we zeggen dat op het moment dat Boudewijn naar Madrid vertrok, hij zijn bed lange tijd niet gezien had.'

'Volgens ons heeft Boudewijn zich gewoon doodgewerkt,' merkte Claire plotseling op. Iedereen staarde haar aan, zelfs de Engelse politieagent. Wilbur-Karp voelde zich gedwongen in te grijpen.

'Niemand werkt zich dood bij Acorn Brothers. Bij de bank vliegen geen kogels door de lucht. Wat mensen aan dit werk overhouden, zijn hooguit kromgetrokken ruggen van het staren naar computers en koffievlekken rond de vingers. Dat is alles. Claire, als je ons nu zou willen...'

'Een ogenblik. Ik vond de opmerking interessant,' zei Alfonzo en hij richtte zijn laserblik op de secretaresse.

Claire hakkelde verder. Wilbur-Karp beet in afschuw op zijn onderlip en streek door zijn machtige bos haar.

'Wat ik bedoelde te zeggen is dat veel mensen bij Acorn Brothers gezondheidsproblemen hebben. Iedereen weet dat. Een kennis van mij werkt bij de bedrijfsarts en die vertelde dat sommigen zelfs tot depressies...'

'Genoeg Claire, dat is buiten de orde,' probeerde Wilbur-Karp, maar de schade was al aangericht.

'Hoe snel kunnen we uw arts spreken?' vroeg Alfonzo minzaam.

Wilbur-Karp realiseerde zich dat dit geen vraag was, maar eerder een soort bevel. Gedwongen door de aanwezigheid van de Engelse agent stemde Wilbur-Karp toe. Het kwartier schorsing dat volgde, gebruikte hij om Claire in een aparte kamer duidelijk te maken dat ze een unieke mogelijkheid had misgelopen haar mond dicht te houden.

De arts was jong, maar leek reeds gebukt te gaan onder het zien van te veel menselijk leed. Het gaf hem een aura van respectabiliteit dat zelfs Wilbur-Karp dwong tot stilte.

Alfonzo ging verder. 'Heeft uw bank veel overspannen medewerkers?'

'Acorn Brothers heeft niet méér overspannen medewerkers dan gemiddeld in deze bedrijfstak. Bankieren is veeleisend. Veel van de mensen hier functioneren op de rand van hun uithoudingsvermogen en gaan daar regelmatig ook overheen. Daar kiest men overigens zelf voor.'

'En als mensen té lang doorgaan?'

'Ik ken bankiers die al jaren overbelast zijn zonder dat iemand het aan hen kan merken. Maar dergelijke personen reageren onvoorspelbaar als de druk plotseling wegvalt. Daarom registreert Acorn Brothers altijd klachten tijdens vakantieperiodes. Hartkloppingen, duizelingen en dergelijke. Sommigen krijgen een hartaanval.'

'Kan het feit dat zijn vrouw Boudewijn verlaten had, een rol hebben gespeeld?' vroeg Alfonzo door.

'In een rechtszaal zou ik dit nooit herhalen,' antwoordde de arts met een snelle blik naar Wilbur-Karp, 'maar het is zeker mogelijk. In een confrontatie met haar heeft dat kunnen leiden tot een soort explosie aan zijn kant. Tijdens een ruzie in die auto kan er iets geknapt zijn, ingehouden spanningen komen naar buiten, zodat hij meer of minder spontaan tot deze daad is gekomen.'

De dokter zuchtte. 'We hebben veel van het type Boudewijn Faber hier; mensen met ego's die moeilijk kunnen accepteren dat anderen beslissingen voor hen nemen. Dus toen zijn vrouw koos voor een leven zonder hem kan hij besloten hebben dat in dat geval er geen leven meer mogelijk was voor allebei.'

'Juist. Bedankt. Tot ziens, dokter,' zei Wilbur-Karp, die duidelijk maakte dat het genoeg geweest was. De arts stond op en verliet de ruimte.

'Ik had nog meer vragen,' protesteerde Alfonzo.

'Die stuurt u maar op en als een Engelse rechter vindt dat we die moeten beantwoorden zullen we dat doen. Anders niet. En als u nu mijn secretaresse naar buiten zou willen volgen... Dit onderhoud is voorbij.'

De bankier raapte zijn papieren bij elkaar, maar Alfonzo en zijn assistent bewogen geen vinger.

'De theorie klinkt goed, maar is niet aannemelijk. Als Boudewijn spontaan tot deze daad kwam, waarom droeg hij dan een pistool? Handvuurwapens zijn niet als losse kranten te koop in de straten van Madrid, dus dit wijst op voorbereiding. Tevens: hoe kwam de auto in het ravijn, waar hij slechts bij toeval gevonden werd? Deze vragen zijn niet beantwoord. Zonder hulp blijft de waarheid achter de dood van uw collega verborgen. Het departement in Madrid werkt echter met een klein budget en u,' en Gonzalez liet zijn blik tergend langzaam gaan langs de vele schilderijen en kunstwerken in de zaal, 'lijkt te zwemmen in het geld.'

Wilbur-Karp stond op. 'Niets in deze kamer is mijn persoonlijk eigendom en Acorn Brothers zal geen stuiver bijdragen aan uw onderzoek. Ik wens u een goede reis terug naar Madrid.'

Enkele minuten later kwam Claire zijn kamer binnenstuiven. 'Waarom help je Alfonzo niet? Boudewijn was toch een vriend?'

'Zelfs vrienden kunnen hun houdbaarheidsdatum overschrijden. Boudewijn is nu iemand wiens herinnering ik vooral uit de pers wil houden. Het is niet goed voor het imago van de bank als medewerkers doodgeschoten gevonden worden in greppels. Als Boudewijn inderdaad overwerkt was, had hij hulp moeten vragen in plaats van zichzelf en Sylvia naar een andere wereld te knallen. In mijn ogen was Boudewijn een zwakkeling. In Londen had hij het nog geen maand uitgehouden.'

De secretaresse zette haar handen in haar zij.

'Weet je Edmund, je bent een klootzak!' riep ze en ze liep weg.

'Klopt. Daarom betalen ze mij zo goed.' Peinzend keek Wilbur-Karp haar na. Later zou ze bijtrekken en hij vreesde niet voor hun wekelijkse samenzijn, later die avond, in de hotelsuite die Wilbur-Karp huurde. Zijn eigen vrouw was jaren geleden overleden en hij was een vrij man. En ondanks het leeftijdsverschil was seks met Claire elke keer weer fantastisch. Hij was verliefd geworden op haar jeugd en de ongedwongen lach waarmee Claire alles deed; alsof ze geen besef had van de problemen waarmee hij elke dag moest worstelen. Het was een jungle, daarbuiten.

Wat Claire in hem aantrok? Wilbur-Karp had het nooit durven vragen, maar dacht het antwoord te weten. Het was zijn sterke punt en in bed kon Claire haar handen er niet van afhouden. Hij smeekte altijd om voorzichtigheid, want al zijn kracht was hierin verzameld. Tevreden streelde Wilbur-Karp voor de zoveelste keer over zijn haar en knikte zichzelf toe in de spiegel.

Victor arriveerde vroeg in Rijswijk. De zon moest nog opgaan en het was koud toen hij zich meldde bij de receptioniste van het gerechtelijk lab. Ze wees hem naar beneden; de cellen waren in de kelder. Victor nam de lift.

Een man met bleke gelaatskleur wachtte hem op. Hij droeg een hooggesloten witte jas. Een glimlach sierde zijn gezicht.

'Dokter De Roos,' stelde hij zich voor. 'U komt een overschot identificeren?' De Roos leek ongeveer even oud als hijzelf. De man klonk oprecht verheugd bezoek te ontvangen.

'Inderdaad. Van de brand gisteren in Rietschoten.'

'Kom verder.' De Roos ging hem voor naar een lage, witgeverfde ruimte waar de geur van formaldehyde hing. Een rij TL-buizen op het plafond zorgde voor felle, maar kleurloze verlichting. Het was er koud en beklemmend. Victor keek nu al uit naar het moment dat hij hier weer weg kon gaan.

Aan de lange zijde bevonden zich enkele rijen vierkante deuren, die eruitzagen als ijskasten. De Roos raadpleegde een lijst en trok een van de deuren open. Een brancard rolde naar buiten en Victor herkende onmiddellijk de geur van olie. Het laken bedekte een wezen van onduidelijke dimensies, ongeveer een meter lang en twintig centimeter hoog. Niet de maten van een volwassen man.

'Dit is hem dan,' informeerde de dokter, alsof hij voor de ogen van de koningin een monument onthulde. 'Zoals u zult zien is het lichaam verbrand en het skelet gekrompen door de hitte. Maar identificatie hoeft niet lang te duren als u van tevoren weet welke punten we nodig hebben. Bedenk, u hoeft enkel het slachtoffer te identificeren, niet het lichaam zelf te onderzoeken. Daar ben ik voor. Klaar?'

Victor zette zich schrap voor het weerzien met Rietschotens dictator.

'Klaar.'

De Roos sloeg het laken open. Een zwart beroete schedel kwam tevoorschijn. Vlees en haar waren verdwenen, net als neus, oren en ogen. De stank van oliebrand golfde om hem heen. De geur en het helse stilleven dreigden Victor een moment te veel te worden en zijn maag kwam omhoog. Toen vermande hij zich.

'Shit!' ging het door hem heen. De schedel leek niet op William. Eigenlijk leek die helemaal niet op een mens. Geen enkel teken herinnerde aan de Amerikaan. Teleurstelling. Victor zag dat het roet van enkele tanden was afgeschraapt. 'Hebt u dat gedaan?' wees hij.

'Ja. Vaste procedure. Het gebit is een van de weinige lichaamsdelen die brand kunnen overleven. We vergelijken vullingen en kronen altijd met tandartsfoto's. Herkent u het gebit van de overledene?'

Victor schudde het hoofd. Hij had nooit aandacht besteed aan Williams tanden.

'Nee.'

'Jammer. In dat geval moet de politie foto's zien te achterhalen. Tenzij wij samen alsnog tot positieve identificatie kunnen komen, natuurlijk. Ik begrijp dat u een herkenningspunt heeft?'

'Twee zelfs. Eerst maar de ring.' Victor vertelde aan welke vinger die zat. De Roos sloeg het laken verder open en Victor staarde naar enkele verkoolde botjes. Zes maanden geleden hadden die zijn rechterhand nog fijngeknepen. De bankschroeven van toen waren nu sprietjes; slecht gelukte, knokige eetstokjes die onsmakelijk zwart glommen onder de TL-buizen. Iemand had het roet rond de ring weggewassen en een matte goudglans scheen. De ring was gesmolten, maar herkenbaar. Nog altijd even groot en monsterachtig.

Haast automatisch knikte Victor. 'Dat is hem. Dat is Williams ring.'

'Prima!' zei De Roos, alsof hij zelden eerder zulk goed nieuws had gehoord. 'En het volgende punt?'

'De laarzen aan de voeten. Maakt niet uit welke.' Victor trappelde van ongeduld om weg te komen. Nu William geïdentificeerd was, wilde hij alleen zijn. De opgewektheid van De Roos, de stank en het krankzinnig vervormde lichaam – het was meer dan hij aankon.

De arts morrelde aan de achterkant van het laken en twee geblakerde laarzen kwamen tevoorschijn. Bij beiden was het leer gesprongen, maar ze waren nog in verbazend goede conditie.

'Kunt u de zool van een laars wegsnijden?' vroeg Victor. 'Ik moet zien of die vanbinnen verhoogd is.'

Eigenlijk had hij verwacht dat De Roos daar een probleem van zou maken, maar Victor was niet van plan op te geven. Hij bleef in deze tombe totdat Rietschoten zeker kon zijn dat dit hoopje verkoolde botten inderdaad William Scarborough was. De man in de witte jas reageerde echter alsof het in laarzen snijden van lijken dagelijks werk was, en dat was waarschijnlijk ook zo.

Uit een van zijn jaszakken haalde de dokter een elektrisch zaagje tevoorschijn. Twee, drie sneden verder en de zool viel van de laars af. De hak kwam mee en Victor pakte deze nieuwsgierig op. Er was geen twijfel mogelijk. Jessica had gelijk: niet alleen was de zool dikker dan normaal, de hak was binnenin met zeker tien centimeter verhoogd. William had al die tijd op hoge hakken gelopen.

Victor wist niet wat hij van de mans ongelooflijke ijdelheid moest denken, maar het deed er niet meer toe. Niets was nog belangrijk nu voor het eerst de onherroepelijkheid van Williams dood tot hem doordrong.

Victor ondertekende het formulier waarmee het lichaam formeel geïdentificeerd werd, wierp nog een laatste blik op de verrassend grote voet die in de laars achterbleef, nam afscheid van De Roos en spoedde zich naar buiten.

Op straat, hangend tegen een bevroren muur, vervloekte Victor razend van woede de man wiens resten stonken in een koelkast. Hij vervloekte William om diens misdaden, manipulaties en misleidingen. Hij vervloekte William omdat hij hoop had gegeven zonder ooit van plan geweest te zijn die hoop in daden om te zetten. Maar het meest vervloekte Victor zijn leermeester omdat hij dood was. Hem confronteren, beschuldigen en veroordelen was niet langer mogelijk. Victor richtte zijn blik op de wolken boven hem. Wat werd de erfenis van dit boosaardige genie?

19

Januari

Het was de ochtend na Claire, en met die dronk van de jeugd vers in zijn herinnering dacht Wilbur-Karp na over wie Boudewijn in Rietschoten moest opvolgen. Bram de Lint en William Scarborough moesten bij het proces betrokken worden, vond de bankier, en pakte de telefoon. Acorn Brothers en IMPERIUMBOUWER waren inmiddels zo nauw met elkaar verweven dat niemand in het dorp het onderscheid nog kon zien.

Eerst probeerde Wilbur-Karp De Eendenhorst, maar daar was iets mis met de verbinding. Hij kreeg een bandopname van KPN dat het nummer niet in gebruik was. Bram de Lint was wel bereikbaar en die legde hem haarfijn uit waarom niemand op het landgoed ooit nog de telefoon zou opnemen.

'William Scarborough is door een zelfveroorzaakte explosie gedood en verbrand, slechts minuten voordat hij door de politie gearresteerd kon worden wegens misbruik van voorinformatie, fraude, oplichting en poging tot diefstal van een kunstcollectie.'

Wilbur-Karp begreep er niets van.

'Waar heb je het over?'

Niet alleen informeerde Bram de bankier over wat er gebeurd was, hij waarschuwde ook over wat er ging komen.

'Omdat IMPERIUMBOUWER niets anders was dan een instrument om Rietschoten op te lichten, ga ik het fonds met onmiddellijke ingang liquideren. Alle aandelen worden verkocht en de opbrengst pro rata verdeeld.' De advocaat was al begonnen met het opstellen van een brief, vertelde hij. Die zou vandaag nog worden verzonden.

Eerst wist Wilbur-Karp niet hoe te reageren. Dit kwam hard aan, harder dan het nieuws over Boudewijn. Eenmaal over de schok heen, kwam zijn overlevingsinstinct in actie.

'Bram, als je dat doet, wordt het een ramp. Nog geen tien dagen geleden heeft jullie fonds de koersen van verschillende aandelen tot onmogelijke hoogten opgejaagd. Als alles nu verkocht wordt, gebeurt het omgekeerde ook. Koersen vallen als kaartenhuizen in elkaar, in de afgrond geduwd door een lawine van aanbod. Jij en je vrienden in Rietschoten zullen alles verliezen. Het is je eigen vierhonderd miljoen euro die je in de sloot werpt.'

'Daar ben ik mij van bewust,' hoorde hij Bram zeggen, maar er lag een zekere aarzeling in diens stem.

Wilbur-Karp viel stil en streek over zijn haar. Voor het eerst sinds jaren ontbraken hem woorden.

'Wat vind jij dan dat we moeten doen?' vroeg Bram. Het klonk meer obligaat dan dat hij vanuit Londen een concreet antwoord verwachtte.

'Het hoofd koel houden, niet in paniek raken en vooral niet verkopen. Verkopen betekent het hoofd in de schoot leggen. Verkopen betekent capitulatie! Er is vast een beter alternatief. Is in Rietschoten al bekend wie William in werkelijkheid was? En dat hij nu dood is?'

'Nee... Dat weten enkel jij en ik. En Victor natuurlijk. En dan is er nog commissaris Sanders van de politie. Jan Overhout weet het ook, maar die is op vakantie. En Boudewijn...'

'Boudewijn is dood. Leg ik later wel uit. Hem en zijn vrouw is iets overkomen in Spanje.'

'O...' Het leek Wilbur-Karp alsof de oude advocaat het allemaal niet meer kon volgen.

'Kunnen die mensen hun mond houden?' vroeg hij indringend.

'Ik weet het niet,' stamelde Bram. 'Ik heb het niemand gevraagd. Moet dat?'

'Dat moet absoluut! Blijf waar je bent en doe niets. Schrijf geen brief, geef geen antwoord op vragen en onderneem geen enkele actie tot ik er ben. Morgen neem ik het eerste vliegtuig. Met Boudewijns opvolger.'

Wilbur-Karp smeet de hoorn op de haak en bedekte zijn gezicht met zijn handen. Wanhoop knaagde aan zijn brein, maar voor wanhoop was geen tijd. Wie kon hij naar Rietschoten sturen om een horde woedende klanten te weerstaan? Wie kon gemist worden? Het liefst iemand die van huis uit geen bankier was; dat maakte het eenvoudiger.

Wilbur-Karp had tijd nodig om de crisis te stabiliseren. Tijd voor de hel losbrak en beschuldigingen over en weer zouden vliegen. Tijd om alle verbindingen tussen hemzelf, de bank die hij liefhad en het fonds IMPERIUMBOUWER te verbreken. Gelukkig was die bastaard William Scarborough dood. Wilbur-Karp hoopte dat het een lange en pijnlijke lijdensweg geweest was, maar stelde fantasieën daarover tot later uit.

Hij rekende snel. Vier dagen zou het kosten om alle computers en dossiers te bewerken en Boudewijn Faber – zijn dood kwam nu uitstekend van pas – de schuld van dit debacle in de schoenen te schuiven. Morgen en overmorgen in Rietschoten; de rest van de week in Londen. Tot dan moest alles stil blijven. Het móést. Niet alleen omdat zijn eigen carrière op het spel stond, het voortbestaan van Acorn Brothers ook.

Wilbur-Karp stond zich een moment toe stil te staan bij de mogelijke consequenties, en het zweet brak hem uit. Als bekend zou worden dat het bankiershuis medewerking had verleend aan een frauduleus fonds, kon het zijn deuren wel sluiten. De wereld zou smullen van nogmaals een schandaal. En bij slechte publiciteit zou het niet blijven. Deelnemers aan het fonds zouden over elkaar heen struikelen om rechtszaken aan te spannen tegen de bank en haar directie. Acorn Brothers, na een trotse historie van driehonderd jaar, zou diep door het stof gaan en vervolgens door advocaten worden kaalgeplukt en leeggevreten. Haar kapitaal zou als compensatie aan slachtoffers worden uitgekeerd en van de bank zelf zou niets anders overblijven dan een lege, smeulende huls.

De vergelijking met Barings Bank drong zich op. Uiteindelijk was van deze beroemde instelling zelfs de naam verdwenen; opgeslokt door een anonieme postbankgigant. Dit lot mocht Acorn Brothers niet delen, nam Wilbur-Karp zich voor, en hij pakte nogmaals de telefoon.

'Claire, zoek George Finton voor me. Het is uitzonderlijk dringend.'

Een uur later verwelkomde Wilbur-Karp de personeelsman, die een blaartrekkende combinatie uit de rekken van Tesco droeg, in het heiligdom van de bank. Het klantenrestaurant van Acorn Brothers torende hoog boven de daken van Mayfair uit, met een adembenemend uitzicht over Hyde Park en Knightsbridge. Het was een sfeervol ingerichte ruimte met hoge plafonds, slechts acht tafeltjes en lambriseringen die vol hingen met impressionistische meesterwerken. Een witgehandschoende ober bracht de bankier en zijn gast naar hun plaats. Met een zekere aarzeling nam George plaats achter de batterij zilver en kristal.

'Ik zou hiervan kunnen genieten als ik wist waarom ik hier zat,' begon de personeelsman maar Wilbur-Karp kapte dit af.

'Dingen lopen zoals ze lopen, George. Vandaag stond jouw naam in de sterren geschreven. We nemen allebei de fazant,' zei hij tegen de ober. Tevens gaf de bankier aan dat de wijn ingeschonken kon worden.

Wilbur-Karp proefde uit zijn glas van formaat bloemenvaas en knikte. Het was dertig jaar oude bourgogne; diep donkerrood en met een aroma dat stond als een huis. De wijn kostte vijfhonderd pond per fles.

Hij zag George om zich heen blijven kijken. Alles wat Londen rijk en begeerlijk maakte, lag hier aan zijn voeten. Wilbur-Karp had een idee hoe de personeelsman zich moest voelen. Directieleden zoals hijzelf kwamen hier haast elke dag, maar voor iemand die geen andere ervaring had dan de personeelskantine of een snel broodje achter het bureau, was dit ego-eten op zijn best. Eten op een wolk. Eten tussen de sterren. Net als de bank was het restaurant driehonderd jaar oud en zijn reputatie minstens zo legendarisch. De kaart behoorde tot de beste van Europa. Klanten van de bank vochten om een invitatie.

Gedurende de volgende twee uur ondervroeg Wilbur-Karp zijn gast over diens opleiding en ambities, zich ondertussen in stilte amuserend over diens vanaf de kruin verspreidende kaalheid en tegelijkertijd regelmatig zijn eigen witte bos strelend.

George leek overal eerlijk antwoord op te geven, maar werd duidelijk steeds zenuwachtiger. Zweetdruppels verschenen op zijn gelaat, dat Wilbur-Karp aan een konijn deed denken. Twee keer vroeg George nog waarom ze hier zaten, maar de innemende grijns die op het gelaat van de bankier vastgeroest zat, was het enige antwoord dat hij kreeg.

Naarmate de gangen vorderden, werd hun conversatie leger, want behalve de bank was er geen enkele gezamenlijke interesse. Pas na het dessert begon Wilbur-Karp over Rietschoten.

'Besef je welk fantastisch werk Boudewijn Faber daar verricht heeft? Samen met een partner heeft hij een beleggingsfonds opgericht dat meer dan vierhonderd miljoen euro heeft opgehaald. Sterker nog, bijna alle deelnemers zijn klant van onze bank geworden. Honderdtachtig miljonairs; gezamenlijk vele miljarden waard. Boudewijn verdient een vermogen voor Acorn Brothers. En voor zichzelf.'

George had er iets over gehoord, maar kende geen details, bekende hij. Wilbur-Karp wenkte de ober. Een gehandschoende schim schoot naar voren, vulde de glazen en verdween. Het was de zwaarste wijn op de kaart en dit was de tweede fles. Water serveren aan deze tafel was absoluut verboden.

'Vanzelfsprekend is samenwerking met een partner niet zonder risico,' doceerde Wilbur-Karp met volle mond. 'Hiervoor heb ik in verschillende memo's ook gewaarschuwd. Die zal ik bij gelegenheid eens in het dossier stoppen. Maar,' en hij onderbrak zichzelf om nog een slok te nemen, 'feit is en blijft dat Boudewijn een fantastische klus geklaard heeft. Jammer dat hij onlangs is overleden.'

'Is dat zo?' informeerde George. Wilbur-Karp had hem nog geen enkele hint gegeven en de personeelsman leek te snakken naar het einde van deze maaltijd. Het vacuüm dat Wilbur-Karp rond de tafel trok, sneed de ademhaling af en tot zijn tevredenheid zag de bankier dat George even veel dronk als hijzelf.

'Ja,' zei Wilbur-Karp en hij likte zijn lippen af.

'Tragische dood. Tijdens een vakantie in Spanje heeft Boudewijn zichzelf door het hoofd geschoten. En daarna zijn vrouw, begreep ik van de politie uit Madrid. Gelukkig had het paar geen kinderen.'

'Vervelend,' zei George ongemakkelijk. Hij leek Wilbur-Karps cynische opmerking niet te begrijpen.

Wilbur-Karp liet de personeelsman niet langer in onzekerheid.

'George, wat ik nodig heb, is een opvolger,' zei hij krachtig. 'Iemand die met vaste hand leiding kan geven aan de verdere groei in Rietschoten. Iemand die de bank goed kent. Ik dacht aan jou en daarom ben je hier. Ik bied je de baan aan als directeur van het kantoor. Wat mij betreft mag je morgen beginnen.'

Georges mond viel open van verbazing en een straaltje wijn liep over zijn hemd. 'Maar ik heb geen enkele ervaring,' protesteerde hij, duidelijk meer uit automatisme dan dat hij dit werkelijk meende.

Wilbur-Karp wuifde het bezwaar weg. 'Boudewijn heeft je bedje gespreid, en voor wat jij gaat doen, is ervaring overbodig. Je hoeft enkel handen te schudden, lunches en diners te organiseren en ervoor te zorgen dat deze goudmijn laag voor laag voor de bank uitgewonnen wordt. Lokale relatiebeheerders doen het dagelijks werk. Jij houdt toezicht en laat de kassa rinkelen.'

Hij gebaarde om zich heen. Duurgeklede mannen zaten aan andere tafeltjes te converseren. Sigaren werden opgestoken en rook kringelde omhoog. Wijn en cognac vloeiden. Vrouwen waren afwezig in dit gezelschap.

'Dit kan ook jouw wereld worden, George. Bankieren is geen moeilijk vak. Ondanks alle ontwikkelingen van de afgelopen jaren volgen wij nog altijd de drie-zes-drie-regel: geld trek je aan tegen drie procent, je leent het uit tegen zes en om drie uur staan we op de golfbaan. Geld werkt voor ons; niet omgekeerd.'

George begon gulzig te drinken. Wilbur-Karp doorzag hem als glas. Het was duidelijk dat George het aanbod niet vertrouwde, maar waar lag de leugen verborgen?

'Waarom ik?' vroeg de personeelsman nogmaals.

'Waarom jij niet? Ik heb je aan het werk gezien, George. Je bent goed, maar het wordt tijd dat je leert bouwen in plaats van breken. Bouwen betaalt beter. Veel beter.'

'Ik moet erover nadenken.' Wilbur-Karp knikte en veegde zijn mond af met het servet.

'Je krijgt een uur. Als je accepteert, vertrekken we morgenochtend samen met het eerste vliegtuig.'

'En als ik weiger?'

'Dan word je ontslagen. Iemand die zoiets weigert, hoort niet bij deze bank thuis.'

Toen beiden opstonden, gaf de bankier hem nog een laatste duwtje in de rug. 'Eigenlijk zou Boudewijn zijn bonus krijgen, deze maand. Geen kleintje, kan ik je verzekeren. Als jij naar Rietschoten gaat en die nieuwe klanten voor ons behoudt, is die bonus volgend jaar voor jou.'

De verleiding was te groot voor George. De ambiance, het aanbod en de wijn maakten hem overmoedig. De vraag hing in de lucht en moest gesteld worden. Hem niet stellen was onmogelijk in de wereld van Acorn Brothers.

'Hoeveel?'

Wilbur-Karp knipoogde. 'Een kwart miljoen pond. Ik zie je over een uur in mijn kantoor. En geen minuut later.'

Een kwart miljoen pond was evenveel als George in tien jaar verdiende en Wilbur-Karp wist haast zeker dat hij de man in zijn zak had. Bij het afscheid gaf de bankier George een stapel papier mee.

'Hier zit het rapport in van de politie van Madrid. Afgezien van wat draadjes die bleven hangen, staat hun conclusie vast. Verder is er een overzicht van de resultaten van het filiaal Rietschoten tot nu toe, en die zijn voortreffelijk, en ten slotte is er een prospectus van het fonds IMPERIUMBOUWER. Helaas is de beheerder, William Scarborough, momenteel niet bereikbaar, maar je kunt de juridische adviseurs benaderen die het fonds adviseerden. Er waren geen onregelmatigheden.'

Het uur daarna was de hel voor Wilbur-Karp. De kater na de wijn hakte enthousiast met hamers op zijn hoofd in, en zijn tong voelde aan als leer. Claire zegde alle afspraken voor hem af en eenzaam wachtte Wilbur-Karp achter zijn bureau. Precies op tijd werd er op zijn deur geklopt.

'Binnen!' Hij ging met de rug naar de opening toe staan zonder zich te beweggen. 'En?' Hij durfde zijn gezicht niet te laten zien; de spanning zou zichtbaar zijn. Als de personeelsman weigerde, had Wilbur-Karp een probleem.

'Ik accepteer,' zei George. Met een stralende lach draaide Wilbur-Karp zich om en enigszins ongemakkelijk schudden ze elkaar de hand.

'Een wijs besluit. Ik zie je morgenochtend op Heathrow, terminal Vijf. De eerste British Airways-vlucht. Neem genoeg kleren mee. Londen zie je voorlopig niet meer terug.'

De volgende morgen vroeg liepen ze de vestiging aan de Kastanjelaan binnen; Wilbur-Karp, zoals altijd, een baken van rust en gekleed in een grijs pak. Pilaar van de gemeenschap.

Het personeel werd in het trappenhuis geroepen en de bankier sprak hen allen toe.

'Boudewijn Faber is dood,' zei hij, zonder nader op de oorzaak in te gaan, 'maar wij bij Acorn Brothers zijn maar wát trots op zijn erfenis. Ik roep jullie op om verder te gaan in de stijl en beleving van onze overleden directeur. Nu graag een moment stilte.'

Daarna stelde Wilbur-Karp George Finton voor als opvolger. De verzamelde pakken keken verbijsterd naar diens oranje jasje, maar zwegen verder.

Met een vliegende start als deze, knipoogde Wilbur-Karp om zich heen, konden stevige bonussen niet uitblijven, volgend jaar. Bij Acorn Brothers deelt immers iedereen mee in het succes! Met deze boodschap liet hij zijn manschappen achter en hij verzocht een secretaresse alle IMPERIUMBOUWER-dossiers onmiddellijk naar Boudewijns kamer te brengen. Ook vroeg hij om toegang tot diens computer.

Met de deur op slot en de raambekleding naar beneden, besteedde Wilbur-Karp de volgende uren met het doornemen van alles wat Boudewijn ooit intern over IMPERIUMBOUWER en William Scarborough had vastgelegd. Documenten en e-mails waarin hij zelf toestemming of aanmoedigingen had gegeven, werden verwijderd en vervangen door geantidateerde memo's waarin Wilbur-Karp, in steeds strengere bewoordingen, waarschuwde voor een te grote betrokkenheid bij het fonds. Morgen en de dagen daarna zou hij in Londen hetzelfde doen.

Enigszins gerustgesteld verliet Wilbur-Karp die middag het pand en vertrok in een taxi naar Den Haag. Diep in de kussens verzonken beschouwde de bankier de situatie. Het meest in het oog springende bewijsmateriaal was nu weg, maar iedere accountant die zijn uurtarief waard was, kon dit met speels gemak doorzien. Ze waren nog lang niet in veilige haven. Gelukkig was Wilbur-Karp onovertroffen in de bescherming van zichzelf. Nooit in dezelfde kamer zijn als een beslissing, was het motto waaraan hij een belangrijk deel van zijn carrière te danken had. Beslissingen maken vijanden; slechts zelden vrienden. Nu ontbrak een beschermende rug, en voor het eerst voelde Wilbur-Karp de druk van verantwoordelijkheid.

Vijfduizend arbeidsplaatsen en zijn eigen baan en reputatie hingen af van de overredingskracht die hij in de komende uren moest laten zien. Uit zijn koffer pakte hij een borstel en een handspiegeltje en ging omzichtig aan het werk met zijn haar.

Brams kamer was ruim en licht en lag hoog boven de straat. Het was eind januari en buiten scheen de winterse zon. Aan de overkant stak de Haagse skyline af tegen de lucht; elk ministerie moest tegenwoordig zijn eigen monument hebben. Bram verwelkomde Wilbur-Karp en wees naar de broodjes, melk en koffie op tafel. Wilbur-Karp schudde handen met Victor en commissaris Sanders, schoof iets te eten op een bord en ging zitten.

'Waar is Jan?' vroeg Victor.

'Ik weet het niet,' zei Bram, op zijn horloge kijkend. 'Ik heb hem gisteravond nog gesproken en hij beloofde hier op tijd te zijn. Vanuit Zwitserland is het tien uur rijden. Met zijn rijstijl minder.'

Victor knikte en greep een broodje. 'Jan doet niets liever dan zijn Bentley de sporen geven,' zei hij tegen Wilbur-Karp naast hem.

20

Januari

Dertien uur eerder, rond middernacht, raasde Jan Overhout over de Autobahn. Basel, Karlsruhe en Heidelberg had hij al achter zich gelaten. Vóór hem lonkten de lichten van Frankfurt en het Taunusgebergte. Jan lag op schema. Nog een uur door de heuvels richting Keulen en dan volgde het vlakke land. Zijn acht cilinders haalden tweehonderdveertig kilometer per uur, maar zolang ze nog in de heuvels waren, beperkte hij de snelheid.

De Bentley gromde en Joke en de kinderen sliepen. Jan had beloofd om drie uur 's nachts thuis te zijn, maar meende dat half-drie ook mogelijk moest zijn. Het was nog vijfhonderd kilometer naar Rietschoten, maar Jan kende de weg. Hij kwam al jaren in deze omgeving voor handelsbeurzen. Halfdrie thuis betekende een resterend gemiddelde van tweehonderd kilometer per uur; een agressieve maar haalbare doelstelling. Echts iets voor hem.

De Bentley passeerde in vliegende vaart Frankfurt en volgde de E3 naar het noorden. Het weer was rustig en droog; de weg praktisch verlaten. Alleen de maan en de sterren lichtten hem bij en niets weerhield Jan ervan het maximale uit zijn machine te halen. Slechts af en toe nam hij gas terug om bochten en hellingen te nemen. Zijn gezin had niet eens door dat hij zo hard reed. Niet alleen waren ze eraan gewend; na een dag skiën in de zon en een paar glazen wijn bij het eten waren de drie al snel in slaap gedommeld. Zelf dronk Jan nooit als hij moest rijden. Geconcentreerd zat hij achter het stuur.

Jan was bezig een lange bocht in te draaien toen vanuit de uitrit van een benzinestation een andere Bentley op de weg verscheen. Het was een identiek model aan dat van hem, maar hij kon geen details onderscheiden. De chauffeur verblindde hem met groot licht. Toen hoorde hij de ingehouden brul van versnellingen die bij hoge toeren worden teruggeschakeld, en de andere wagen schoot achter hem langs de vluchtstrook op; Jan werd ruw naar links geduwd. Het was een wilde manoeuvre en Jan werd woedend. Een dergelijke provocatie kon hij niet op zich laten zitten. Hij gaf een enorme dot gas en zette de achtervolging in.

Het uur daarna speelden beide bolides een spel van kat en muis, maar hoe Jan ook probeerde de man voor hem in te halen, links of rechts, niets lukte. De afstand tussen hen werd echter nooit groter dan enkele meters en beiden gaven geen duimbreedte toe.

Jans competitieve instincten vierden hoogtij. Het andere, spaarzame verkeer vlogen ze voorbij, wat aanleiding gaf tot enig boos geflits en getoeter. De snelheidsduivels trokken zich daar niets van aan; met snelheden van ver boven de tweehonderd kilometer per uur behoorde de weg aan hen toe en ze schoten als pijlen door de nacht.

Keulen kwam en ging. Düsseldorf naderde. Jan verloor zijn geduld en besloot een beslissing te forceren. Zijn auto had een speciale turbo en die kon, was hem door de dealer verzekerd, op het rechte eind extra paardenkrachten leveren. Een vlak stuk weg iets na de stad leek hem ideaal. Eindelijk zou hij zien wie hem dit kunstje flikte. Toen het moment kwam, drukte Jan het gaspedaal stevig in; de automaat schakelde terug en de auto accelereerde wild. Met lichtsignalen gaf hij zijn tegenspeler aan dat hij erlangs wilde.

Eerst leek die niet te willen wijken, maar toen, met de traagheid van tegenzin, bewoog de andere Bentley zich naar rechts. Jan begon met inhalen en was al bijna op gelijke hoogte, toen de ander plotseling hard naar links stuurde en hem vol in de flank raakte. Jan werd volledig verrast, zijn auto schoof opzij en raakte de vangrail met tweehonderdzestig kilometer per uur. De wagen kaatste stuurloos terug, raakte in een spin en vloog meerdere malen over de kop, een spoor van verwrongen metaal en olie achter zich latend. Honderd meter verder kwam de Bentley met een spectaculaire klap tegen een betonnen paal tot stilstand en vloog gelijk in brand. Even nog voelde Jan pijn en spijt. Toen niets meer.

Met een frons op het voorhoofd legde Bram de telefoon neer. 'Jan neemt op geen enkel nummer op. Volgens zijn buren is hij niet thuisgekomen vannacht.'

'Zullen we dan beginnen?' stelde Wilbur-Karp voor. Hij was ongeduldig en voor wat hij van plan was, had hij Jan Overhout niet nodig.

'Goed,' aarzelde de oude advocaat, die duidelijk niet wist wat 'beginnen' precies inhield. Er bestond geen agenda voor deze bijeenkomst die door Wilbur-Karp samengeroepen was. Over zijn bril keek hij de bankier aan. 'Misschien wilt u het van me overnemen?'

'Graag. Bedankt.'

Wilbur-Karp begon bij Sanders. Die zag er in zijn uniform vol onderscheidingen indrukwekkend uit. De politiepet lag voor hem op de gepoetste tafel.

'Commissaris, heeft de brandweer onderzoek gedaan naar het ontstaan van de brand op De Eendenhorst? Was er inderdaad sprake van vooraf door het huis gepompte olie?'

'Ja,' bevestigde Sanders. 'Zowel de renovatietekeningen als onderzoek ter plaatse hebben dit aangetoond. Zoals ik al meerdere malen gezegd heb, wist William dat hij op een gegeven moment met de collectie De Eendenhorst zou moeten verlaten. De ontploffing was zijn ontsnappingsplan. Feitelijk had de olietank geen ander doel dan brandstof te leveren voor een bom; het huis kon eenvoudig op het openbare net worden aangesloten.'

'Juist. En u blijft erbij dat jullie William die ochtend verrast hebben? Dat hij niet, of niet tijdig, kon wegkomen en de kracht van de ontploffing heeft onderschat?'

Sanders knikte en deed er verder het zwijgen toe. Wilbur-Karp verlegde zijn aandacht naar Victor.

'Jij kwam met die theorie over misbruik van voorinformatie. Is die correct? Kan dit bewezen worden?'

'De data laten geen ruimte open voor enige andere conclusie,' benadrukte Victor en hij legde uit dat, onmiddellijk na de eerste bijeenkomst, er ongewoon veel vraag was geweest naar elk van de vijftien aandelen die William uitgekozen had. Dat kon onmogelijk toeval zijn. Er bestond geen enkele andere correlatie tussen de vijftien bedrijven, die wereldwijd verspreid lagen.

'De statistische kans op toeval is minder dan een duizendste procent,' lichtte Victor toe. 'En daarom zat William hierachter. Hij was immers de enige die wist welke aandelen IMPERIUMBOUWER ging kopen.'

'Nu is William dood. Jijzelf hebt zijn lichaam geïdentificeerd. Is er ruimte voor twijfel? Ben je er zeker van dat hij dood is?'

'Absoluut. Het lichaam droeg zijn laarzen en ring. Daarbij, wie anders kan het zijn? Er was die ochtend niemand anders op De Eendenhorst aanwezig.'

Victor vermeldde ook nog de verhoogde hakken en zolen die hij op voorspraak van Jessica had laten onderzoeken en die nog meer zekerheid gaven over de identiteit van het verbrande lijk. Dit detail deed de wenkbrauwen aan tafel omhoog gaan, maar grappig bedoelde opmerkingen bleven uit. Het gezelschap had andere zaken aan het hoofd.

'En de beveiliging?' drong Wilbur-Karp aan. 'Het landgoed was toch zo goed beveiligd? Hoe kon William dan schilderijen van de muur halen en in een vrachtwagen duwen zonder dat het alarm afging?'

Victor haalde zijn schouders op. 'Als opdrachtgever had William toegang tot alle codes. Het was voor hem een koud kunstje om het systeem zo in te stellen dat alles in orde leek. Richard Hamilton in Londen heeft in elk geval niets gemerkt.'

'Nu bekend is wat William gedaan heeft, is het onze taak verantwoording af te leggen,' onderbrak Bram. 'Zelfs nu de dader dood is, zijn we duidelijkheid verschuldigd aan de slachtoffers.'

'Niet zo snel,' gebaarde Wilbur-Karp en hij keerde terug naar Sanders. 'Williams illegale winst, ongetwijfeld vele tientallen miljoenen euro's, kan dat geld achterhaald worden? Kan het worden teruggegeven?'

'Moeilijk,' begon de commissaris. 'We hebben geen idee waar William het geld naartoe gebracht heeft. Vergeet Zwitserland maar. Het bankgeheim daar is zo lek als een mandje. William had keus uit de hele wereld. Er bestaan tientallen belastinghavens die buiten elk toezicht opereren; de Caymaneilanden en de Bahama's zijn slechts enkele aansprekende voorbeelden. Als hij zijn geld op een dergelijke locatie heeft begraven, zien we het nooit meer terug. In dat geval kan Rietschoten slechts hopen op een wonder.'

'En het openbaar ministerie? Komt dat in actie als we een aanklacht indienen?'

'Een aanklacht tegen een lijk? Het openbaar ministerie zal niet geïnteresseerd zijn in deze zaak. Voor een stel benadeelde miljonairs komt geen enkele officier van justitie het bed uit. Er valt geen eer aan te behalen. En, zoals eerder is gememoreerd: de dader ligt letterlijk op het kerkhof.'

'Juist. Duidelijk. Bedankt.'

Iedereen zweeg. Dit moest een moment verwerkt worden.

Wilbur-Karp keek in het rond. Nu is het tijd, besloot hij. Hij schraapte zijn keel en om kracht te zoeken ging hij met zijn hand naar boven. 'Ik heb een suggestie. Het is duidelijk dat William een misdadiger was van onmenselijke proporties. De man heeft jullie dorp en mijn bank op briljante wijze opgelicht en was er bijna in geslaagd ervandoor te gaan met een kunstcollectie van onschatbare waarde. Als hij niet was overleden, zou hij waarschijnlijk nooit meer gevonden worden. William is echter met het landgoed dat hij misbruikte in vlammen opgegaan en heeft dus de hoogste prijs betaald. Wij die achterblijven, zitten met de brokstukken om ons heen – en met de vraag wát ermee te doen.

De aandelen die IMPERIUMBOUWER kocht weer verkopen is geen alternatief. De koersen zullen tot ver onder het oorspronkelijke niveau dalen. Williams winst teruggeven is ook niet mogelijk, dat hebben we net gehoord. Wat ik voorstel, is dan ook iets geheel anders.'

Het was stil toen de bankier zijn bom liet vallen. 'We vertellen niet aan het dorp dat William een oplichter was die zijn lot verdiende. We verzwijgen dat hij van plan was er met de collectie vandoor te gaan. Ten slotte blijft geheim dat William door zijn eigen bom is omgekomen.'

Stuk voor stuk keek Wilbur-Karp de drie rondom de tafel aan: Bram, commissaris Sanders en Victor. Bram, Sanders, Victor.

'Om kort te zijn, we doen net alsof er met William Scarborough en IMPERIUMBOUWER niets aan de hand was. Zijn dood was een betreurenswaardig incident, de ontploffing het gevolg van een defect aan de olietank of iets dergelijks. We verzinnen wel iets. Er zit genoeg creativiteit rondom deze tafel.'

Bram schudde onmiddellijk zijn hoofd, zijn gezicht een studie in afgrijzen. 'Waanzin! We hebben de plicht om de mensen te vertellen wat er met hun geld gebeurd is, en waarom dierbare kunstwerken onder ons toezicht zijn verbrand. Hoe pijnlijk dit ook voor iedereen hier is, de Raad van Toezicht en de bank dragen een gezamenlijke verantwoordelijkheid.'

De verwijzing naar de collectie deed duidelijk pijn; Bram leek nog altijd te rouwen om zijn Rubens, maar zou er zijn principes niet voor opgeven. Dit werd een probleem voor Wilbur-Karp. Ook Sanders fronste de wenkbrauwen, zag hij.

Victor liet geen reactie zien.

'Ik zie niet in waarom mijn plan niet zou werken,' protesteerde de bankier. 'William is dood en de schade aangericht. Als we nu met alle details naar buiten komen, wordt de situatie alleen maar erger. Investeerders zullen hun verlies, vierhonderd miljoen euro en een kunstcollectie, op de bank proberen te verhalen. Acorn Brothers moet zich failliet laten verklaren. Zoveel kapitaal hebben we niet.'

'Beleggers hebben geen schade geleden door de brand,' wierp Bram tegen. 'De collectie was verzekerd.'

'Dat dacht je maar!' hoonde Wilbur-Karp terug. 'Toen ik hoorde van de brand heb ik gelijk een claim ingediend bij de verzekeraar. Een flink aantal van onze leningen was namelijk door schilderijen gedekt.'

Triomfantelijk keek hij om zich heen. 'En wat bleek? William heeft de verzekeringspremie nooit betaald! De polis die hij aan iedereen liet zien, was enkel een concept. De verzekeraar weigert uit te keren en volgens mijn advocaat heeft hij daartoe alle recht. De collectie schilderijen moet als volledig verloren worden beschouwd en dat kan, vanuit het perspectief van de belegger, heel goed bezien worden als onvermogen van de Raad van Toezicht om haar werk te doen. En dat legt het probleem op jouw bord, Bram.'

De advocaat werd grauw bij de ontvangst van deze dreun. Wilbur-Karp draaide de duimschroeven nog verder aan. 'Het enige resultaat van openheid is verlies voor jouw gemeenschap en het faillissement van mijn bank. Rietschoten zal nog jaren door rechtszaken en onderlinge beschuldigingen worden ontwricht en dát, naar mijn oprechte mening, is in niemands belang.'

De krijtstreep richtte zich nu volledig op Bram die, zoals hij wist, uiteindelijk de belissing zou nemen. 'Bram, jij en ik zijn herder van onze kuddes. Leiders moeten beslissingen nemen. Beslissingen die niet altijd stroken met onze eigen normen, waarden of idealen, maar die toch het beste alternatief bieden in de gegeven situatie. Jij en ik hebben fouten gemaakt. Grove, onvergeeflijke fouten. Wij hadden voorzichtiger moeten zijn; bescherming moeten bieden tegen de waanzin die ons trof. Maar dat wil niet zeggen dat wij, onder invloed van de behoefte om boete te doen, dit lijden nodeloos moeten verlengen.'

Wilbur-Karp vouwde zijn handen als in gebed ineen. 'Wat er gebeurd is, neemt geen keer. Maar belangrijker dan navelstaren of goedpraten, is hoe wij de schade proberen te beperken. Als er vandaag openheid van zaken wordt gegeven, is morgen Acorn Brothers failliet en zien de straten van Rietschoten dezelfde dag zwart van journalisten, fotografen en camerateams.'

Hij glimlachte om de verbazing om hem heen. 'Geloof me, kranten over de hele wereld zullen hun pagina's vullen met het verhaal over dit kleine, welvarende dorp dat verleid werd door de nabijheid van beroemdheid, en zijn inwoners die bereid waren daarvoor honderden miljoenen euro's neer te leggen. Hun bezetenheid ging zelfs zo ver dat men tegen elkaar opbood om de opvoeding van kinderen aan opkomende sterren te kunnen uitbesteden. Dit verhaal zal de wereld rondgaan en Rietschoten zal op geen enkele sympathie kunnen rekenen. Integendeel, voor altijd zal haar naam synoniem blijven voor alles wat er met de huidige maatschappij mis is. Jijzelf kunt niet meer zonder bescherming over straat. Vrienden en kennissen zullen je bespuwen tot je een emmer kunt vullen met speeksel.'

Wilbur-Karp spreidde als in overgave zijn armen. 'Ik heb gezegd wat ik zeggen wilde. De keuze is nu aan jou. Ik leg me neer bij elke beslissing.'

Hij ging zitten. Na enige aarzeling stond Bram op en hij gebaarde Sanders mee te gaan. Fluisterend overlegden ze in een hoek. Na enkele minuten kwamen de twee terug.

'Wat ben je van plan te doen met IMPERIUMBOUWER?' vroeg Bram, toen beiden weer aan tafel zaten. 'Instandhouden of opheffen?'

De bankier slaakte een heimelijke zucht van verlichting. Dit duidde erop dat hij aan de winnende hand was. Wat nu gedaan moest worden, was het schip vóór de storm laten uitzeilen en dan rustiger vaarwater opzoeken.

'Niets. We doen helemaal niets met het fonds en laten de koersen zich stabiliseren, hoewel waarschijnlijk op een lager niveau. Misschien hebben we geluk en wordt een van die ondernemers echt succesvol. Dat zou pas ironisch zijn.'

Wilbur-Karp leunde naar voren. Het was tijd voor de nadere uitwerking en zoals altijd zat de duivel in de details.

'We vertellen de mensen in Rietschoten dat, nu William Scarborough overleden is en De Eendenhorst verwoest, IMPERIUMBOUWER in haar oorspronkelijke vorm opgehouden is te bestaan. Ondernemers komen niet en stageplaatsen worden niet ter beschikking gesteld, want die waren uiteindelijk afhankelijk van de unieke relatie die William met deze sterren had. Jullie dorpsgenoten zullen hiervoor begrip hebben, want de man zelf was uniek en begaafden vang je met begaafden. Ze trekken elkaar haast magnetisch aan.'

Bram knikte terwijl de bankier hem gevangen bleef houden in zijn blik. De bejaarde advocaat voelde zich duidelijk ongemakkelijk, geconfronteerd met een dilemma waarbij elk compromis was uitgesloten. De keuze ging tussen openheid of zwijgen, principe of pragmatiek, verleden of toekomst, zelfrespect of zelfbehoud.

Als Bram lef had, overwoog Wilbur-Karp bij zichzelf, bedong hij nu kwijtschelding van zijn lening bij Acorn Brothers in ruil voor toestemming. De bank zou het onmiddellijk doen. Om welk bedrag het ook ging, het zou een lage prijs zijn voor zwijgen.

'Ik stem toe,' zei Bram en hij keek alsof er nóg een last op zijn schouders getild werd, een die eigenlijk niet draagbaar was.

'Bedankt. U ook?' wendde de bankier zich tot Sanders. Als hoogste lokale gezagsdrager kon de commissaris besluiten om alsnog werk te maken van alles wat er gebeurd was. Maar Sanders leek al veel eerder besloten te hebben Bram te volgen. Zijn korps had immers ook gefaald; ondanks onderzoek was er niets over William boven water gekomen.

'De politie stemt toe,' antwoordde de commissaris formeel. 'We houden het stil.'

Wilbur-Karp vond dit een passend moment om met zijn pochet

zijn voorhoofd te deppen. Hij had over de rand van de afgrond gehangen en de hel in de ogen gezien.

'Juist. Jullie worden bedankt,' zei hij. 'Dan kunnen we nu...'

'Ik niet,' hoorde de bankier een stem zeggen. Verbaasd keek hij om zich heen. Victor glimlachte hem toe.

'Ik ben het er niet mee eens,' herhaalde Victor nogmaals. 'Rietschoten heeft recht op de waarheid. Als het moet, vertel ik het de mensen zelf.'

21

Februari

'Boem! Boem! Boem! Boem!' galmde het door de verlaten straten van het dorp. Victor zat samen met Jessica in zijn auto en staarde naar de drummer toen die in dodenmarspas voorbijliep. Achter de voorganger reed de begrafenisauto, een zwart-glimmend Amerikaans model, de grootste die Wilbur-Karp had kunnen vinden. Zichtbaar voor iedereen lag de eikenhouten, met koper beslagen kist achter glas. Er waren geen volgauto's; alle rouwenden liepen.

De driehonderdzestig mensen die een IMPERIUMBOUWER-bijeenkomst hadden bijgewoond, volgden William Scarborough op weg naar diens laatste rustplaats, velen vergezeld van hun kinderen. Ze waren al een tijdje bezig, een uur om precies te zijn, en het verkeer rond hen werd omgeleid. Sanders had gezorgd voor een passende escorte van motoragenten. De stoet was doorweekt. Regen kwam striemend naar beneden en teisterde kapsels en paraplu's.

De plechtigheden in de kerk waren met een gebed afgesloten en nu leidde de tocht naar De Eendenhorst. Daar, in een kuil, diep in het bos, zou William Scarborough begraven worden, begeleid door de tonen van zijn geliefde *Requiem*. Tien dagen geleden was diezelfde aarde nog door vuur verschroeid. In samenspraak met Victor en Bram had Wilbur-Karp het passend gevonden William hier, tussen de puinhopen die hijzelf had aangericht, achter te laten. De brandlucht tussen de bomen was inmiddels weggewaaid.

De bankier was de ceremoniemeester van dit toneelstuk en hij leek vastbesloten een einde te maken aan alles wat met IMPERIUM-BOUWER te maken had. Een uitpuilende kerk, de muziek van Mozart en het graf op De Eendenhorst, het was allemaal zijn idee geweest. De burgemeester van Rietschoten had hiervoor speciaal toestemming verleend, want alleen zó konden Williams vrienden en bewonderaars afscheid nemen, had de bankier zalvend vanaf de kansel gezegd, zijn haar zorgvuldig geborsteld. Alleen zó kon deze zwarte bladzijde worden omgeslagen en de blik weer op de toekomst gericht.

Het was allemaal van een leien dakje gegaan, moest ook Victor toegeven die het van een afstand gadesloeg. Het hoorde bij de overeenkomst die hij met Wilbur-Karp gesloten had dat hij wegbleef van de stoet en ook niet in de kerk aanwezig was. Alle eer aan Wilbur-Karp; een genie in het toedekken van eigen vuil. Er waren geen artikelen of overlijdensadvertenties in de kranten verschenen. Niemand in Rietschoten trok de officiële versie van de gebeurtenissen in twijfel.

Het was een week geweest vol begrafenissen. De eerste was van Boudewijn Faber, wiens lichaam uit Madrid gerepatrieerd werd. Sylvia's moeder had de moordenaar van haar dochter niet in Spanje willen houden. De bankdirecteur was bijgezet op de algemene begraafplaats en, ondanks de tragische omstandigheden van zijn dood, was de opkomst aanzienlijk. George Finton hield een toespraak, maar slechts weinigen hadden het accent van de nieuwe directeur kunnen verstaan.

De volgende begrafenis was emotioneler en nog drukker bezocht. Jan Overhout werd samen met Joke en hun kinderen begraven. Het nieuws was kort na de vergadering bij Bram bekend geworden maar niemand kende de details. Het rapport van de Duitse verkeerspolitie repte enkel over een ongeval, hoogstwaarschijnlijk veroorzaakt door te hard rijden. Volgens de reconstructie reed de Bentley zeker tweehonderd kilometer per uur toen de auto van de weg raakte en tegen de rail botste. Er waren geen overlevenden.

De oorzaak bleef onbekend, er waren geen remsporen of tekenen van technisch mankement. Tests op alcohol wezen niets uit en de wagen was goed onderhouden. Berichten over een nachtelijke race kwamen bovendrijven maar de andere Bentley werd nooit gevonden. Al snel hield de politie op met zoeken. Elke aanwijzing over betrokkenheid van de bestuurder ontbrak.

Heel Windum was naar Rietschoten gekomen om de laatste eer te bewijzen aan haar grootste zoon, en de kerk barstte haast uit zijn voegen. De erfgenamen, neven en nichten van het overleden paar roken geld, en onderhandelingen over de verkoop van het bedrijf dat Jan achterliet, werden geopend nog voor zijn kist gesloten was. Het onroerend goed alleen al moest honderden miljoenen waard zijn, roddelde het dorp, maar niemand wist er het fijne van.

Zij die binnenkort onwaarschijnlijk grote rijkdom gingen verwerven, keken tijdens de plechtigheden rond en vonden Rietschoten mooi. Wat goed was voor oom Jan was ook goed voor hen, redeneerden ze, en haast collectief besloten de erfgenamen tot verhuizen. De makelaar, Kees Vorm, deed goede zaken.

Victor zag de stoet druipende mensen langs zich voorbij trekken. Hij bestudeerde gezichten en zocht naar uitdrukkingen van woede of teleurstelling. Hij vond echter niets van dit alles. Enkel berusting en gelatenheid. Gepraat werd er amper.

De meeste rouwenden liepen zwijgend door de regen, kinderen dicht bij hun ouders. Alle families die een stage hadden gekocht, hadden een brief ontvangen. Vol leugens en halve waarheden natuurlijk; zoiets kon uitstekend aan Wilbur-Karp worden toevertrouwd. In het epistel werden ouders opgeroepen te handelen in de geest van IMPERIUMBOUWER en zelf passende rolmodellen te zoeken voor hun kind. De brief was ondertekend door Bram de Lint en kreeg haast unaniem navolging.

Niet alleen bij de betrokken gezinnen, maar ook bij anderen werd met de jeugd intensief overleg gepleegd over hoe de toekomst het best kon worden vormgegeven. Voor de inwoners, die waren teruggevallen op hun eigen verantwoordelijkheid, was dit een onverwacht positief effect van de ramp die het dorp getroffen had. Sommigen zagen om die reden helemaal af van een stageplaats wanneer ze hun kinderen zagen stralen bij deze aandacht. Voor hen waren vader en moeder nog altijd de beste voorbeelden.

Toen de laatste mensen het landgoed opliepen, startte Victor de motor. Alles verliep volgens plan. Wachten tot na afloop van de begrafenis was zinloos. Hij draaide de wagen en reed de andere kant op. Jessica en hijzelf waren door niemand gezien.

'Wil je me dan nu vertellen waarom je weg moest uit Rietschoten?' vroeg ze ongeduldig. 'En waarom ik in een officieel en ondertekend document moest beloven dat ik altijd over IMPERIUMBOUWER zal zwijgen?'

'Omdat ik in ruil daarvoor alsnog mijn bonus van vijf miljoen euro kreeg. Wilbur-Karp en ik hebben een overeenkomst gesloten. Maar geld is onbelangrijk.'

Victor wees naar de bomen van De Eendenhorst. Waarschijnlijk reed hij er nu voor de laatste maal langs.

'Niemand realiseert het zich, maar achter deze hekken wordt een ander begraven. Niet William Scarborough. William leeft, hoogst-waarschijnlijk tevreden over zijn verblijf hier. Hij heeft zich geamuseerd en een prima centje verdiend.'

Jessica staarde hem aan alsof hij gek geworden was. Victor ont-week haar blik en concentreerde zich op de weg. Het regende pij-penstelen en de ruitenwissers zwiepten heen en weer.

'Ik weet niet waar William is, maar één ding weet ik zeker: op dit moment ligt hij krom van de lach. En de pronkstukken uit de col-lectie hangen bij hem thuis boven de open haard.'

'Hoe kan dat?' vroeg Jessica, haar gezicht één vraagteken. Victor had De Eendenhorst inmiddels achter zich gelaten en reed door de regen in de richting van Amsterdam, waar hij aan de Keizersgracht een klein appartement had gehuurd.

'In de eerste plaats: het lichaam in het laboratorium was niet van William. Op jouw advies heb ik die laars laten opensnijden, en de zool en hak waren inderdaad verhoogd. Maar de voet die erin ach-terbleef leek mij groot. Te groot. Onderweg naar huis begon ik te twijfelen en ik besloot terug te keren. Die dokter heb ik gevraagd het lichaam nog eens voor mij uit de koelkast te halen en ik stond met mijn neus boven op elke beweging die hij uitvoerde. Ik was werkelijk bezeten, die ochtend. Later heb ik mijn excuses aangebo-den.'

Victor remde voor een vrachtwagen. Ze kwamen in een file terecht en de auto stond stil. Regen spatte tegen de voorruit.

'Aan de hand van een aantal metingen bepaalde de dokter de oorspronkelijke lengte van het lichaam. Zelfs gecorrigeerd voor brand moet de man in de ijskast minstens een meter tachtig geweest zijn.'

'Beduidend langer dus dan William,' merkte Jessica op.

'Precies. Maar het lijk droeg wel Williams laarzen en ring, dus die waren vóór de ontploffing aangebracht. De conclusie dringt zich op dat William iemand anders voor zich heeft laten doorgaan.'

Hij zweeg even. 'Hoe langer ik erover nadenk, hoe meer ik ervan overtuigd ben geraakt dat William helemaal niet verrast was door onze komst, die ochtend. William wist dat, zodra zijn bedrog in Constantia uitkwam, ik zou terugkeren om bij hem verhaal te halen. Toch bleef hij op De Eendenhorst. Waarom? Omdat Williams werkelijke ontsnapping begon op het moment dat de politie het landgoed opkwam. Met mij erachteraan hollend als een blind paard.'

Verbitterd over zijn rol kneep Victor in het stuur. 'William had een probleem, zie je. Een groot, fundamenteel probleem. Hij kon een landgoed opknappen, IMPERIUMBOUWER verkopen aan een gefascineerd publiek en miljoenen verdienen met misbruik van voorinformatie. Dat hij dit al vele malen eerder gedaan moet hebben, staat voor mij vast. Hoe kon alles anders zo gladjes verlopen?' Hij legde Jessica uit hoe het hele proces van voorbereiding tot introductie van het fonds met de perfectie van routine door William was voorbereid en uitgevoerd.

'Maar William moest een plan hebben om weg te komen nadat de buit binnen was. Wat was zijn exitstrategie? En hoe kon hij er zeker van zijn dat hij, eenmaal het dorp ontvlucht, later nooit meer door iemand achtervolgd zou worden? Op al deze vragen kregen we geen antwoord.'

Ze stonden nog steeds stil. Rechts van hen stegen vliegtuigen op richting het grauwe wolkendek. Schiphol lag slechts enkele kilometers verderop. Aan de regen leek maar geen einde te komen.

'Ik heb geen idee,' antwoordde Jessica.

'Na sluiting van de inschrijving was William God in Rietschoten. Dat moment was het hoogtepunt van zijn verblijf hier. Echter, het dorp wilde de ondernemers waarvoor het zoveel betaalde, in levenden lijve zien. William moest dus verdwijnen, en snel ook, om niet verstrikt te raken in het net van zijn eigen leugens. Zomaar het dorp verlaten was echter geen optie. Rietschoten zou buiten zichzelf raken van woede zodra het bedrog bekend werd, en dat was onvermijdelijk. Hendrik Quicks en de andere ondernemers zouden immers getuigen dat ze William nooit ontmoet hadden.

De politie zou een onderzoek instellen en honderdtachtig buitengewoon boze miljonairs die geld en kunstwerken hadden verloren, zouden samenspannen om de oplichter te vinden. Detectives zouden worden aangenomen om de aarde om te spitten en elke steen om te keren. Onder dergelijke omstandigheden is een vlucht niet aantrekkelijk. Zonder twijfel zou William gevonden worden, ergens diep in zijn hol. In een ander dorp een nieuw fonds beginnen was helemaal uitgesloten. Niet alleen vanwege het opsporingsbevel maar ook omdat alles in de kranten zou komen te staan. Bedrog op dergelijke schaal kan onmogelijk stilgehouden worden, en bovendien: beleggers zouden rechtszaken aanspannen tegen Acorn Brothers en de leden van de Raad van Toezicht.

Om kort te gaan, op de ochtend dat William gearresteerd werd, was doodgaan helemaal geen slecht alternatief. En dus zorgde William dat hij letterlijk van de aardbodem verdween. Zoals altijd bereidde hij zijn plannen minutieus voor.'

'Maar dat lichaam dat jij in het laboratorium zag,' wierp Jessica tegen, 'van wie was dat dan?'

Victor haalde zijn schouders op. 'Waarschijnlijk een zwerver die door William naar De Eendenhorst is gelokt en daar vermoord. De politieregisters staan vol met vermiste mensen die nooit gevonden worden. Hoe dan ook: op het moment dat de politie het landgoed opkwam, had William het huis al verlaten. Hij moet op veilige afstand gestaan hebben toen hij de olie liet ontploffen. Het lichaam van de zwerver werd achtergelaten om door de politie gevonden te worden. Volledig verbrand om herkenning te voorkomen, maar met Williams laarzen aan en ring om. Na de vondst van het lijk werd de bewaking opgeheven en kon William ongezien ontsnappen. Met meename van zoveel schilderijen als hij wilde. Niemand zou ze nog missen; de collectie werd immers verondersteld verbrand te zijn.'

'Dus William was niet alleen een oplichter, hij was ook een moordenaar,' concludeerde Jessica.

'Ja. Dat kan niet anders. En een briljant acteur. William vervulde moeiteloos vele rollen. Hij was zeer talentvol.'

'Maar dan zijn Boudewijn en Jan ook vermoord! En hun families.'

Hun dood, zo vlak na elkaar en onder zulke verdachte omstandigheden, had zowel Jessica als Victor raadselachtig gevonden. Het scenario van Boudewijns moord en zelfmoord klonk onwaarschijnlijk in de oren van iedereen die de man gekend had.

'Die kans schat ik op honderd procent in.'

'Heb je dit aan Bram en de anderen verteld?' vroeg Jessica. 'Moeten zij niet weten dat William nog leeft, en waaraan hij schuldig is?'

'Bram weet het. Ik heb hem vanmorgen ingelicht op voorwaarde dat het geheim blijft. Vooral commissaris Sanders mag niets weten. Het is van levensbelang dat de politie van dit alles onkundig blijft.'

'Waarom? Laat de politie het oplossen! Vraag bescherming aan als je bang bent dat William achter jou aankomt! Waarom alles voor jezelf houden?'

'Omdat de politie een onderzoek zal instellen, getuigen zal ondervragen en een opsporingsbevel zal uitsturen. Ze kan niet anders. Dat is de manier waarop het werkt. William krijgt hier lucht van en duikt onder. Met IMPERIUMBOUWER kan hij niet langer doorgaan maar vinden doen we hem nooit meer. William houdt wat hij gestolen heeft en geniet van zijn oude dag.'

'Nou én? Laat hem! Jouw leven, ons leven is belangrijker dan het zijne! Het kan mij niet schelen of William gevonden wordt of niet!'

'Een aantrekkelijk vooruitzicht, maar helaas een illusie,' zei Victor en draaide zich naar haar om.

'William zal nooit toestaan dat Bram en ik ooit tegen hem zullen kunnen getuigen. Dat risico is hem te groot als hij zonder angst voor het verleden in een ander dorp opnieuw wil kunnen beginnen. En dat wil hij; ik weet het. Ik ken hem als geen ander. William leeft voor de adoratie van het publiek. Maar we hebben tijd als William denkt dat hij veilig is, want in dat geval hoeft hij geen haast te maken met onze liquidatie. Met name Bram de Lint kan hem nog tot nut zijn. Als enige is die in staat de situatie in Rietschoten te stabiliseren.'

'En jij? Ben jij hem nog tot nut?' vroeg Jessica.

'Nee, ik heb mijn taak vervuld als aanjager van het fonds. Voor William was ik slechts een pion op zijn schaakbord. Iemand die geofferd kan worden.'

'Dus... wat ga je nu doen?' vroeg Jessica. Ze leek bang en nieuwsgierig tegelijk.

'Uit het zicht verdwijnen. Later komen we tevoorschijn en gaan achter William aan.'

'Maar hoe? Je hebt geen idee waar hij is! William kan overal in de wereld zijn!' riep ze uit. 'Dit is krankzinnig. Je hebt last van waandenkbeelden.'

'Inderdaad.' Hij greep haar hand. 'En daarom ga ik hem niet zoeken. Ik zorg ervoor dat hij op zoek gaat naar ons. Op zoek naar jou, om precies te zijn.'

Jessica staarde hem aan. 'Ik... wil je graag helpen en wil niet dat jou iets overkomt. Ik bedoel, ik denk dat we samen een toekomst kunnen hebben en ik ben bereid daarvoor te vechten, offers te brengen als het moet, maar... ik begrijp niet wat je bedoelt.'

Victor glimlachte op een manier waarvan hij hoopte dat die geruststellend zou werken.

'Daarvoor is het nodig dat je naar Sint-Petersburg gaat en daar zeker negen maanden blijft. Tijdens je ontmoeting met William zul je omringd worden door een groep mensen. Zolang je daartussen blijft, is je veiligheid gegarandeerd. William zal je overigens niets willen aandoen. Hij is op vijandig gebied, en bovendien: jij bent geen partij in ons conflict. Je hoeft alleen een boodschap aan hem over te brengen. Maar mijn plan lukt niet zonder jouw hulp. Want wie anders dan jij deelt zo Williams passie voor kunst?'

'Ik, negen maanden in Sint-Petersburg? Vergeet het. Ik heb tentoonstellingen in Tokio en Jakarta. Mijn carrière gaat als een op hol geslagen komeet. Los je eigen problemen op. Er moet een andere mogelijkheid zijn.'

'Herinner je je Amsterdam? Pas als mensen zich voor anderen inzetten, zonder oog voor hun eigen belang, kan de wereld worden verbeterd.'

Jessica's gezicht vertrok zich tot een woedend masker en ze balde haar vuisten, klaar om toe te slaan. Als blikken konden doden, was Victor op dit moment een hoopje as.

'Je bent een klootzak, Victor.'

'Ik weet het. Iedereen zegt het.'

22

Februari

'Mevrouw Bastiaanse, William Scarborough is dood. IMPERIUM-
BOUWER is geschiedenis.'

Het was drie weken na de laatste begrafenis en Bram de Lint had
zich teruggetrokken op de enige plek waar hij zich veilig voelde.
Met de deur op slot en de gordijnen stijf dichtgetrokken, zat de
bejaarde advocaat in zijn studeerkamer, slechts beschenen door
een schemerlamp. Hij keek om zich heen. Zijn gewoonlijk zo geor-
dende bureau was een chaos, bedekt door stapels papier. Ook op
de vloer lagen honderden documenten her en der verspreid.

Het waren brieven van advocaten, banken en dorpsgenoten:
dreigbrieven, bedelbrieven, jankbrieven. Bram kon geen stap verzetten zonder te trappen op Williams erfenis en, daar raakte hij
steeds meer van overtuigd, wat er was overbleven van zijn eigen
leven.

Marieke had hij de toegang tot de kamer ontzegd, want die
kwam enkel vragen of het goed met hem ging. Zijn vrouw maakte
zich zorgen. Wel, daartoe was ook alle reden. Het ging niet goed.
Bram sloot zich op om orde te scheppen, had hij haar verteld, maar
dat was een leugen. Bram was niet in staat orde te scheppen in de
chaos om hem heen, laat staan in de chaos in zijn eigen hoofd. Het
machteloos gadeslaan en observeren van de gebeurtenissen was
het enige wat hem restte.

Hij mocht dan Rietschoten willen uitsluiten, het dorp liet hem
zeker niet alleen. Beschuldigingen en haat arriveerden door de
brievenbus, via de fax en e-mail. Beschuldigingen en haat arriveerden ook door de telefoon. Gesprekken als deze met mevrouw Bastiaanse getuigden van een intolerantie en onverdraagzaamheid die
hij niet eerder in Rietschoten had meegemaakt.

Met moeite bewaarde Bram zijn geduld tijdens het luisteren naar haar scheldkanonnade. Zijn hoofd bonkte en hij wreef over zijn slapen. Verlichting bracht dat echter niet. Wanneer hij voor het laatst goed geslapen had, wist Bram niet meer. Ergens vorig jaar, waarschijnlijk. Lodewijk gaf hem pillen uit de apotheek, maar die had Bram nog niet durven nemen.

Er viel een gaatje in de tirade en hij sprong erin.

'Mevrouw Bastiaanse, iedereen die een kunstwerk uitleende, was hiervoor zelf verantwoordelijk. Het verlies van uw Van Gogh...'

Haar woordenstroom onderbrak hem als een op hol geslagen rivier die door een dijk heenbreekt. Bram hield de hoorn van zijn oor. Ook zonder te luisteren wist hij wat de vrouw hem te zeggen had. Haar boodschap week niet af van al die andere, alleen het volume was hoger. Net als de rest van Rietschoten wenste mevrouw Bastiaanse geen verantwoordelijkheid te dragen voor haar verlies. Wat ze wilde, was iets heel anders.

De gevoelens van onmacht en teleurstelling waren enkele dagen na de begrafenis van William komen opzetten. Er was iets misgegaan en iemand moest boeten, luidde het collectieve oordeel. Het proces raakte in een stroomversnelling toen de koersen begonnen te dalen. Dezelfde aandelen die IMPERIUMBOUWER een maand eerder huizenhoog had opgestuwd, vielen nu, bij gebrek aan vraag, naar hun oorspronkelijke niveau terug. Al snel zat Rietschoten op een verlies van honderd miljoen euro. En het liep dagelijks op. Niets wees op een mogelijk herstel; integendeel zelfs.

Het waren vooral mensen als mevrouw Bastiaanse, die boven hun vermogen van de bank geleend hadden, die nu het hardst schreeuwden. Hun verlies was onverwacht en niet draaglijk. Met hun hoop en illusies in scherven, hun kunstwerken verbrand en de financiële ramp groeiend en uitzichtloos, ontstond de behoefte aan een zondebok. Het was Bram de Lint die deze rol bij acclamatie in de schoenen kreeg geschoven. Met de dag groeide de overtuiging dat hij het geweest was die gefaald had om zijn dorpsgenoten tegen dit alles te beschermen.

William werd nog steeds als held vereerd. 'Als William Scarborough nog leefde, was er niets aan de hand geweest,' kreeg de voorzitter van de Raad van Toezicht meerdere malen per dag onzachtzinnig onder de neus gewreven. Eerst overwoog Bram te protesteren dat hij als voorzitter was benoemd van een beleggingsfonds, niet als beheerder van een kunstcollectie of agent voor beroemdheden. Echter, na reflectie bleef de oude advocaat stil, hopende dat de bui zou overdrijven. Maar al te goed realiseerde Bram zich dat de nu gearticuleerde protesten slechts fluisteringen waren, een geritsel van blad in vergelijking met de vulkaanuitbarsting die zou volgen als Rietschoten te weten kwam wat er werkelijk was gebeurd. En hoeveel Bram verkozen had te verzwijgen. Deze mogelijkheid verdrong hij, zelfs voor zichzelf. Het was te afschuwelijk. Wilbur-Karp had gelijk, overpeinsde hij in het halfduister van zijn hol. Onwetendheid was zalig.

Zo beleefd mogelijk probeerde Bram mevrouw Bastiaanse te woord te staan, maar gemakkelijk maakte ze het hem niet. Eén Van Gogh van haar was verbrand, en de andere dreigde executoriaal verkocht te worden. Acorn Brothers drong aan op onmiddellijke terugbetaling van alles wat ze schuldig was. Schelden ging over in jammeren en Bram kromp ineen bij het gehuil in zijn oor. Hij koesterde echter geen medelijden met mevrouw Bastiaanse. De bejaarde advocaat had zo zijn eigen problemen.

Dorpsgenoten waren naar Liechtensteijn & Haagelse gestapt en hadden daar luid hun grieven geuit. Zijn collega's waren zich het apezuur geschrokken toen ze het hoorden. Liechtensteijn & Haagelse was het grootste advocatenkantoor van Nederland en, noodzakelijkerwijs, witter dan wit. Haar voorzitter moest nog witter zijn, doorschijnend liefst, en verheven boven elke smet. Beschuldigingen van incompetentie en nalatigheid konden niet worden getolereerd.

Helaas konden ze ook niet worden genegeerd en Bram was 'uitgenodigd' te verschijnen voor een college van gelijken. Zijn versie van de gebeurtenissen, Williams dood was een ongeluk en hemzelf trof geen enkele blaam, werd weggewuifd als te gemakkelijk en niet ter zake doende. Perceptie regeerde over realiteit en dus konden maatregelen niet uitblijven.

'Dit is serieus,' beet een collega hem toe. 'Ons kantoor mag niet als partij genoemd worden. Het zou alles kapotmaken waarvoor we hier dag en nacht werken. We eisen je ontslagbrief als voorzitter van de maatschap, en je kamer in het gebouw ben je kwijt. Persoonlijke spullen worden nagestuurd.'

Het geld was voldoende om twee jaar van te leven. Daarna ontving Bram zijn opgebouwde kapitaal in de vennootschap als pensioen. Vergezeld door schouderklopjes en de beste wensen had men hem uitgeleide gedaan. Hem werd verzekerd dat, mocht juridische steun nodig zijn, hij natuurlijk bij zijn oude vrienden kon aankloppen maar... eigenlijk liever niet.

Belangen moesten gescheiden blijven, want wellicht dat Liechtensteijn & Haagelse door een van de eisende partijen zou worden ingehuurd? Het kantoor wilde de handen vrij houden; ook om mogelijk te procederen tegen zijn eigen recordbrekende ex-voorzitter. Bram, met zijn ervaring, zou hiervoor ongetwijfeld begrip kunnen opbrengen, slijmde men, en dat waren de afscheidswoorden.

Terug in zijn studeerkamer begreep Bram er alles van en tegelijkertijd helemaal niets. In het donker van de februarinacht vervloekte hij zijn vroegere collega's, die de ruggengraat toonden van een gekookte spaghettisliert. En dat was nog maar het begin. Ook Acorn Brothers maakte hem het leven zuur. Door de verbranding van de Rubens en de recente koersdalingen had de bank niet langer toereikende zekerheden voor haar lening. De nieuwe directeur, George Finton, leek een roeping gevonden te hebben als incassant van moeilijk inbare vorderingen.

Acorn Brothers stond op terugbetaling, maar met geen mogelijkheid kon Bram aan deze eis voldoen. De bank moest gehoord hebben dat hij niet langer werkte, want nog geen dag na zijn vertrek bij Liechtensteijn & Haagelse ontving Bram een bevel toegang en medewerking te verlenen aan een gespecialiseerd expertisebureau. George liet de inboedel inventariseren met het oog op executoriale verkoop. Acorn Brothers legde beslag op alles.

Bram zuchtte diep. Morgenochtend al stonden ze op de stoep en Marieke wist van niets. Haar wachtte een afschuwelijke verrassing als mannen in stoffen jassen haar domein binnen zouden dringen en overal stickers op plakten. Hij had geen idee hoe hij het haar moest vertellen.

Bram legde de hoorn van de haak en piekerde over het leven na IMPERIUMBOUWER. De baan waaraan hij zijn maatschappelijke status ontleende, was hem ontnomen. De schuld aan Acorn Brothers kon nooit worden terugbetaald. Adviseurs hadden hem aangeraden bescherming te zoeken in het persoonlijk faillissement. De formulieren waren er al; ze slingerden ergens rond in het halfdonker.

Zijn taak als rentmeester van de familie had Bram verprutst en haar meest waardevolle bezit had hij verkwanseld. De Rubens was onverzekerd in vlammen opgegaan en nu zou dus ook de rest volgen. In geld uitgedrukt was de inboedel niet veel waard maar emotioneel gezien was die onvervangbaar; een verzameling kunst en antiek die de familie al generaties lang in bewondering met elkaar verbond. Ouder en kind samen voor een schilderij. Honderden jaren geluk en historie dreigden onder de hamer te eindigen, te koop voor iedere sukkel met een paar centen.

Vrienden en kennissen bespuugden en beschuldigden hem; blind voor eigen fouten en onredelijk door verlies. Men had de eigen kinderen iets uit te leggen, maar niemand wist precies wat. En dus reageerde de groep zich op de zondebok af. Adriaan was vertrokken voor een stage in New York en liet weinig van zich horen. Zijn zoon kende de waarheid en had voorlopig genoeg van Rietschoten. Bram nam het de jongen niet kwalijk.

In het dorp lag Brams reputatie aan scherven, maar werken aan herstel was onmogelijk. De leugen regeerde immers. Zijn belofte voor altijd de waarheid achter William te verzwijgen, drukte loodzwaar op zijn hart. Het vooruitzicht te moeten blijven liegen en, diep in zichzelf, het besef gefaald te hebben, waren ondraaglijk. Bram had zijn zelfrespect verloren en was verworden tot zijn eigen wreedste folteraar.

En het laatste, allerslechtste nieuws was dat de man aan wie hij en het dorp deze rampspoed te wijten hadden, de man die hij met een jubel in zijn hart en een flinke klodder spuug op de kist had willen begraven, deze duivel wiens werkelijke naam niemand kende, nog in leven was. Victor vertelde het hem een moment voor de stoet uit de kerk vertrok. Het nieuws had Brams dag volledig verpest.

Niet alleen leefde William nog; als Victor het bij het rechte eind had, loerde de man ook nog op een kans om zich van de laatste getuigen te ontdoen. Na Boudewijn Faber en Jan Overhout waren naar alle waarschijnlijkheid Victor en Bram zelf aan de beurt. Victor had hem geadviseerd om, net als hijzelf, tijdelijk uit de openbaarheid te verdwijnen en daarna gezamenlijk naar de dictator op zoek te gaan.

William mag niet ontsnappen, had Victor hem bezworen met de

passie van de jeugd, al was het maar om zeker te zijn dat William nooit meer dergelijke wreedheden zou kunnen begaan. Toekomstige slachtoffers moesten beschermd worden. Kon Victor op Bram rekenen?

De advocaat opende een la van zijn bureau. Een fles Glenfiddich kwam tevoorschijn. Voorzichtig vulde hij een tumbler met de amberkleurige vloeistof, die hij in één slok leegdronk. Zijn gezicht vertrok toen de smaak van gebrand hout zijn gehemelte streelde en de whisky gaten brandde in zijn maag. Al dagen nam Bram amper voedsel tot zich. In plaats daarvan verkoos hij een dieet van zelfverwijt.

Zijn eigen spiegelbeeld joeg hem angst aan. De man tegenover hem zag eruit als een schim die leefde op geleende tijd. Bleek en mager, de schilferige huid gevouwen als perkament. Zijn ogen lagen diep in hun kassen en zijn blik stond dof. Het vuur daarin was allang gedoofd.

'Laat William maar komen en zijn werk afmaken,' somberde hij, niet langer bang voor dit vooruitzicht. Bram schonk zich nog eens twee centimeter in. Waarom vechten, zoals Victor van plan was? Zonder wapens had vechten geen zin. Tegenstand bieden in het zicht van een zekere nederlaag was louter symboliek, vond Bram, en hij dronk. Een uitwisseling van zetten als bevrediging van het ego, terwijl de uitkomst allang vaststond. Hij geloofde niet in de glorie van de heldendood of een herhaling van David versus Goliath. William was onoverwinnelijk, want William vocht zonder eer of compassie. Het onbrak Bram aan moed of kracht om de strijdbijl hiertegen op te nemen.

Hij staarde naar zijn glas. Een idee drong zich op. Een uitweg. Wat William kon, kon hij ook. De dood wist alle zonden uit, vervaagt herinneringen. De dood laat de imperfecte wereld achter zoals die is. Nogmaals opende Bram de la. Naast de whisky lag een fles met pillen: klein, rond en onschuldig. Het was Lodewijks geschenk. Bram glimlachte. Zonder zijn vriend begon hij niets. Hij opende de fles en liet een stroom pillen over het bureaublad glijden. Zalig zijn de onwetenden van geest.

Alleen in zijn appartement las Victor de advertentie. Bram de Lint was overleden; een oorzaak werd niet vermeld. Hij nam het bericht haast voor kennisgeving aan. Geen moment had Victor verwacht dat Bram een rol zou durven spelen bij de jacht. De oude advocaat wachtte hoe dan ook het sterfhuis; William zou daar niet veel tijd overheen hebben laten gaan.

Dit bracht hem naar zijn eigen positie terug. Het appartement was hooggelegen, op de vierde etage van een grachtenpand, en er was slechts één voordeur. De toegang had hij met stalen platen laten verstevigen en camera's bestreken zowel het portiek als de straat. Dichtgetrokken gordijnen blokkeerden het zicht. Als William hem hier wilde verrassen, zou hij van goeden huize moeten komen.

De voorraadkasten en vriezers – Victor had er drie – puilden uit van drank, water en voedsel. Iemand als hij, die weinig nodig had om van te leven, kon het hier lang uithouden als het moest. Af en toe ging hij voor frisse lucht naar buiten, maar die excursies beperkte Victor zo veel mogelijk.

In een moment van reflectie viel hem de gelijkenis met zijn vader op. Ook die had zich opgewonden over een kwaad dat de wereld bedreigde, maar zich uiteindelijk voor altijd zwijgend teruggetrokken toen bleek dat de tegenstander zo machtig was dat het aangaan van een gevecht meer zei over de ijdelheid van de uitdager dan over diens kansen ooit te winnen.

Victor voelde zich niet kansloos, integendeel. Hij had geld, hoewel een peulenschil in vergelijking met de middelen van zijn vijand. Hij had een vriendin en bondgenoot, en zover Victor kon overzien, werkte William alleen. Het belangrijkste echter was dat hij hoop had, en het element van verrassing.

Victor schoof de krant opzij. Brams lot speet hem, maar diens keuze zou hijzelf nooit maken. Victor koos voor het leven en, als het moest, voor de dood in de strijd.

George Finton kreeg bijna een hartaanval toen hij hoorde hoe Bram de Lint, zijn prooi, hem ontglipt was. Ook het gerucht van zelfmoord bereikte de nieuwbakken bankier. De lafheid van deze daad stuitte hem tegen de borst. 'Wat voor lapzwans was De Lint dat hij liever doodging dan zijn schulden te betalen?' zei hij walgend.

Met tegenzin werd het expertisebureau teruggeroepen. Ze konden toch niets beginnen; Brams huis was dichtgespijkerd door de erfgenamen.

George belde Wilbur-Karp om zijn beklag te doen. Hij stelde voor de spijkers te laten verwijderen en de gedwongen verkoop van de inboedel alsnog door te laten gaan. Brams weduwe was persoonlijk aansprakelijk. Ze moest niet denken dat ze er zo makkelijk van af kwam.

'Jij doet helemaal niets!' riep Wilbur-Karp hem toe. 'Je doet niets en wacht op mijn instructies!'

Tien minuten later belde Londen terug. 'De bank laat mevrouw De Lint met rust. We schrijven de lening af.'

George smeet een asbak door de kamer. 'Ben je nu helemaal gek geworden?' schreeuwde hij, buiten zichzelf van woede. Hij voelde zich in het hemd gezet. In Rietschoten had hij dezelfde reputatie willen opbouwen als in Londen, die van een man die niet van een eerder vastgesteld pad afwijkt. Een man met principes zonder hang naar het compromis. Maar hoe kon George standvastig zijn als Wilbur-Karp een dergelijke krankzinnige beslissing nam? Waarom vijf miljoen kwijtschelden als de weduwe geld heeft? De dame zou kaalgeplukt worden, als het aan George lag.

Vloekend zakte hij onderuit. In zijn gepeins werd George door een klop onderbroken. De deur opende zich voordat hij iets kon zeggen. Een blond, gezet hoofd keek om de hoek. Julius van Maaren kwam weer eens klagen, nam hij aan. Julius was een enorme zeikerd. Zeker nadat George de dikke bankier verboden had ooit nog op rekening van de bank te lunchen. De kosten waren astronomisch en het rendement nul.

'Ophoepelen! Eruit!' brulde George richting de onderkin, die zich schielijk terugtrok, waarbij Julius zijn achterhoofd hard tegen de deurpost stootte. Tevreden zag George zijn meest ervaren relatiebeheerder kreunend weghollen, zijn hand over zijn bol wrijvend.

'Dat zal je leren zomaar binnen te komen!' riep hij Julius na. Het liefst zou George ze allemaal zo behandelen. Of, beter nog, ontslaan. Ontslaan bleef zijn favoriete bezigheid; bankieren viel tegen. Het vak vereiste oog voor detail, een gedienstige houding jegens klanten en behoedzaamheid bij de afweging tussen risico en rendement. Dienstbaar en behoedzaam was George nooit geweest. Details interesseerden hem niet. Met de deur op slot en schoenen hoog boven het antieke bureau overwoog George de situatie. Onder zijn bewind was Acorn Brothers in Rietschoten druk bezig failliet te gaan. Alle nieuwe klanten waren inmiddels vertrokken; boos over de almaar groeiende verliezen van het fonds en Georges starre houding over terugbetaling. Oude relaties begonnen inmiddels ook de bank te verlaten.

Bankieren bleek niet alleen een vak te zijn van cijfers; het was ook persoonsgebonden en vaak ronduit emotioneel. George hield niet van emoties; die leidden enkel af van het werk dat gedaan moest worden. Het door Wilbur-Karp afgedwongen verlies betekende dat de vestiging dit jaar de boeken zeker in het rood zou schrijven. Met geen mogelijkheid kon Rietschoten een dergelijke afboeking met nieuwe transacties compenseren. Zeg maar dag tegen die bonus van een kwart miljoen pond.

Niet voor het eerst bewees Wilbur-Karp dat George naar Nederland gestuurd was om te falen. De man met het witte haar kon een hartig woordje verwachten, mochten ze elkaar ooit nog eens tegenkomen. George verwachtte echter niet dat dit zou gebeuren. Want waarom zou hij blijven? Wat had Rietschoten hem nog te bieden? Of Acorn Brothers?

'Niets!' besloot George en hij zwaaide zijn benen omlaag. Een minuut later had hij zijn persoonlijke eigendommen verzameld en, de secretaresse negerend, het pand verlaten.

Wilbur-Karp was geschokt door Brams overlijden, temeer omdat het zelfmoord was geweest. Spijt en compassie streden om voorrang. Zijn gebaar jegens Brams weduwe was symbolisch geweest, futiel, inhoudsloos en, zoals vaker bij dergelijke gebaren, veel en veel te laat.

Het was Bram de Lint geweest die Wilbur-Karps carrière had gered en het voortbestaan van de bank had verzekerd. Als dank liet Wilbur-Karp de hyena's op de oude advocaat los. Van een afstandje had de bankier toegekeken hoe George Finton zijn prooi omcirkelde, aangetrokken door diens geur van kwetsbaarheid.

Nu was Bram dood. De oude advocaat had de prijs betaald voor hun gezamenlijke fouten. Wilbur-Karps aanwezigheid bij Acorn Brothers voelde nu besmet aan. Kon hij in functie blijven en doen alsof er niets gebeurd was? 'Zelfs bankiers hebben een ziel te onderhouden,' had een leermeester hem ooit bijgebracht. Hij luisterde naar zijn instinct en besloot samen met Claire, als ze wilde, naar Zuid-Afrika te vertrekken. Dat land kende hij goed en beschouwde hij als een soort paradijs. Met het geld van zijn vervroegde pensionering konden ze de rest van hun leven druiven plukken, wijn drinken en seks hebben. Wilbur-Karp streek over zijn bron van kracht en liep haar kamer binnen.

Victor volgde de gebeurtenissen in Rietschoten op de voet. Hij spelde de regionale kranten en belde oud-collega's voor het laatste nieuws. Niet lang geleden was Acorn Brothers aan de Kastanjelaan opgeschrikt geweest door bezoek van het hoofdkantoor. De functionaris had het personeel bijeengeroepen en simpelweg medegedeeld dat de vestiging gesloten werd. Net als alle anderen kreeg ook Julius van Maaren een vertrekregeling aangeboden. Zodra die hoorde met welke fooi Acorn Brothers hem wilde afschepen, belde Julius een concurrerende bank en bood hen aan over te komen met meename van alle klanten die hij had. Julius kende iedereen en iedereen kende Julius.

Victor moest glimlachen toen hij het hoorde. De andere bank aarzelde geen moment. Ze waren bekend met de problemen die Acorn Brothers had en dit was de kans om marktaandeel te winnen zonder als lijkenpikker bekend te komen staan.

Acorn Brothers liet er vervolgens geen gras over groeien. In de daaropvolgende weken werd IMPERIUMBOUWER stap voor stap geliquideerd. Toestemming van de participanten om alle aandelen te verkopen, werd snel en geruisloos verkregen; niemand wilde nog herinnerd worden aan het fonds. Na aftrek van kosten en een enorm verlies op de verkoop van aandelen bleef er tachtig miljoen euro over; nog geen twintig procent van wat twee maanden geleden gevierd was als glorieuze opbrengst. Het pand aan de Kastanjelaan werd leeggehaald en te koop gezet.

Twee maanden later zette het voorjaar in en vanuit zijn appartement aan de Keizersgracht zag Victor de dagen langer worden. Nog slechts af en toe belde hij met Julius, die helemaal gelukkig was; de bankier kon weer lunchen en kwam kilo's aan. Victor vernam dat ook Rietschoten ontwaakte uit haar wintersluimering en voorzichtig om zich heen begon te kijken. De Eendenhorst was een ruïne waar niemand zich meer om bekommerde. Bomen en struiken groeiden snel en algauw was de zwart geblakerde puist niet langer zichtbaar vanaf de weg. De camera's langs de hekken hingen er nog, maar stonden nergens mee in verbinding. Het waren de dode ogen van een reeds lang vertrokken monster.

Julius vertelde ook dat de honderdtachtig gezinnen die een kunstwerk hadden verloren, collectief op zoek waren gegaan naar iets nieuws. Het was immers lente! Rietschoten vergat, of wenste te vergeten. William Scarborough en IMPERIUMBOUWER leken schimmige gebeurtenissen uit de nacht, die zich, in het licht van de zon, amper voorgedaan leken te hebben. Williams graf raakte overwoekerd maar er was niemand die het zag.

'Mensen wagen zich niet meer op het landgoed,' vertelde Julius. 'Te veel slechte herinneringen.'

Die nacht staarde Victor uit het raam naar de sterren. Daar ergens buiten wachtte William. In gedachten vergeleek hij zijn tegenstander met een vlinder; diens kleuren bonter en mooier dan ooit. Ongetwijfeld schudde de vlinder op dit moment het stof van de winter van zich af en maakte hij zich klaar om opnieuw zijn vleugels te ontvouwen. Victor wist dat het beest binnenkort op zoek zou moeten gaan naar stampers: dorpen nog rijker en eenzamer dan Rietschoten. Eerst om zich aan te tonen, daarna om zich aan te voeden. Groei en herhaling van cycli zijn onlosmakelijk verbonden met de natuur. Er is geweld voor nodig om ze te stoppen.

23

Mei

Het permanente duister waarin zijn appartement gehuld was, stoorde Victor niet. Er was veel te doen.

Hij kroop achter de computer en zocht verbinding met het Openbaar Ministerie van de Verenigde Staten.

Ik ben op zoek naar een zaak rond misbruik van voorinformatie, e-mailde hij het contactadres op de website. *De zaak dateert van ongeveer tien jaar geleden. Misschien zelfs langer.*

Het antwoord kwam al een uur later.

Wij verwijzen u naar de database van criminele rechtszaken. Dit bestand staat open voor iedereen onder de wet publieke informatie.

Een link was bijgevoegd en Victor mailde de beheerder en ontving een automatisch gegenereerd wachtwoord. Victor kreeg drie maanden toegang.

Opgewonden ging hij aan de slag maar zijn enthousiasme bekoelde snel. Er bleken duizenden rechtszaken te zijn, verspreid over het land. Hij weerstond de aandrang om ze allemaal te onderzoeken aan de hand van zijn lijstje met aanwijzingen. Dat zou monnikenwerk zijn, vergelijkbaar met zijn pogingen, nu bijna een jaar geleden, om beleggers naar de beurs te praten. Victor glimlachte bij die herinnering en mailde nogmaals de beheerder.

Ik zoek een zaak rond misbruik van voorinformatie, ongeveer tien jaar oud, waarin de verdachte een blanke man was van tussen de vijfentwintig en vijfendertig jaar. De verdachte handelde alleen en heeft arrestatie kunnen ontlopen; zijn vingerafdrukken staan nergens geregistreerd. Lengte: kleiner dan een meter zeventig. Meest waarschijnlijke staat: Californië. Kunt u helpen?

Victors theorie was simpel. Amerika was het land waar William Scarborough vandaan kwam. Hoogstwaarschijnlijk had William daar dus zijn eerste fonds opgericht. Toen William vertelde dat hij dit werk al tien jaar deed, geloofde Victor hem. Weinig mensen liegen wanneer ze met de waarheid kunnen pronken.

De beheerder beloofde zijn best te doen en de volgende dag kreeg Victor de selectie toegestuurd. Hij floot toen het resultaat op de computer verscheen. Van drieduizend was het aantal mogelijke strafzaken teruggebracht naar slechts vijftig. Aangemoedigd door deze vooruitgang werkte hij de nacht door.

'William, waar ben je?' vroeg hij hardop. 'Ik wil je zien zoals je vroeger was: een beginneling, net als ik.'

De rechtszaak kwam uit Californië en dateerde van elf jaar geleden. Het was niet zozeer de zaak die Victors aandacht trok, hoewel die gelijkenissen toonde met IMPERIUMBOUWER. Het was de gescande uitnodiging voor een beleggingsbijeenkomst, tijdens huiszoeking gevonden, en de handgeschreven tekst daarop. Zijn ademhaling begon sneller te gaan toen Victor de pagina uitvergrootte. Alle vermoeidheid was vergeten. Hij herkende Williams handschrift, met monumentaal stijgende uithalen naar boven, maar in hetzelfde woord ook diep omlaag duikend. De hoogste top en het diepste dal. Victors laatste twijfels verdwenen toen hij de zin las die in wilde letters schuin over de kaft stond geschreven:

De wereld wil bedrogen worden!

Het proces-verbaal stond op naam van Leonard Black, eenendertig jaar oud en volgens geruchten naar Mexico gevlucht toen de grond hem in Amerika te heet onder de voeten werd. Van Leonard was nooit meer iets vernomen en zijn dossier was al jaren gesloten wegens gebrek aan nieuw materiaal. Elektronisch bladerend viel Victor een verwijzing op naar een ring zo groot als een ei.

'Leonard Black,' fluisterde Victor. Strikt gezien was informatie uit het verleden niet noodzakelijk voor het slagen van zijn plan, maar het was goed om de vijand bij zijn werkelijke naam te kunnen noemen. Het gaf de haat die in hem brandde een authentiek gevoel. In Leonard Blacks persoonlijke geschiedenis zou hij later duiken. Tevreden liet Victor zich op bed vallen en sloot zijn ogen. De tijd voor schimmenspelletjes was voorbij. De handschoenen gingen uit.

Nog altijd dronken van geluk zweefde Leonard Black op de roze wolken van extase. Het was drie maanden sinds zijn vertrek uit Rietschoten, maar nog steeds vierde hij zijn overwinning daar alsof die van gisteren dateerde. Hij was briljant geweest. Geniaal! Want, zo redeneerde hij, staand op het balkon van zijn huis met alleen Alpentoppen om hem heen, wie anders dan hij bouwde een imperium dat elk jaar weer werd afgebroken en vervangen door een nieuw? Een imperium waarin onderworpenen rouwden om zijn dood en vijanden openlijk werden beschimpt?

Elke lente begon Leonard letterlijk weer van de grond af aan, met het zoeken van een nieuwe locatie, een nest. En elke winter, zo rond de donkerste dag, brak hij het allemaal weer af om ruimte te maken voor iets wat nog mooier en groter moest worden dan het kunstwerk daarvoor.

Twijfel? Hij had bewijzen genoeg om zijn succes aan te tonen. Een kelder vol! Leonard ging naar binnen en liep de trap af naar beneden. De betonnen treden lagen vol stof; hij kwam hier slechts zelden. Met een code opende hij de deur en hij draaide het licht aan. De kelder was groot en grijs. Overal hingen kunstwerken of die waren, wegens ruimtegebrek, tegen elkaar aan gezet. Tevreden bekeek Leonard zijn nieuwste aanwinsten. Drie schilderijen had hij meegenomen dit keer: de Rubens, de Van Gogh en de Mondriaan, alle drie meesterwerken die een kostbare aanvulling waren op zijn collectie. De engeltjes waren knap geschilderd, moest hij toegeven, maar de onvoorwaardelijke toewijding die Bram had laten zien, was hem vreemd.

Wat was het dat mensen aantrok in de prestaties van anderen? Waarom kon men zich niet concentreren op het eigen leven? Kwam dit voort uit verveling, of was het een nuttig excuus om zelf niets te hoeven presteren, tevreden met een leven in middelmatigheid omdat God nu eenmaal had beschikt dat uniek talent uniek moest blijven? Het antwoord op die vraag had Leonard nooit gevonden, maar het was vanwege hun slaafse bewondering dat hij zijn slachtoffers minachtte.

Zelf gaf Leonard niet om kunst. Nooit gedaan ook. De fascinatie van anderen voor alles wat de middelmaat ontsteeg, deelde hij niet; hijzelf stond immers op een onmogelijk hoog niveau. Kunst was voor Leonard enkel een middel om miljonairs te lokken en hij vond het altijd amusant hun bezittingen in ontvangst te nemen en slechts zichzelf in ruil daarvoor terug te geven.

'De ene God in plaats van de andere,' lachte hij tegen de engeltjes. Ongeveer zoals Jezus en Maria in de moderne tijd vervangen waren door Tiger Woods en Madonna. Blijkbaar kon de mensheid, tweeduizend jaar na de geboorte van Christus, niet zonder levende helden.

Leonard wist dat hij snel weer op zoek moest gaan naar een nieuw dorp. Zijn talenten vereisten voortdurende oefening en praktijk, maar op dit moment kon hij zich er niet toe brengen. Eerst wilde hij vieren, vieren, VIEREN! Nooit was een voorstelling zo geslaagd geweest als in Rietschoten. Nederland, het land dat de wereld Big Brother gegeven had, bleek zelf net zo vatbaar voor het virus. Het leven van de sterren, hoe onbenullig ook, hield niet op te fascineren. Beroemdheden waren interessanter dan familieleden of vrienden. Mensen hadden er alles voor over om daar dichtbij te kunnen komen.

Leonard verliet de kelder en keerde terug naar boven. Vanaf zijn balkon was er verder geen levend wezen te zien en hij stond op gelijke hoogte met de hoogste pieken. De berg waar zijn huis op stond en het omringende land waren zijn eigendom, gekocht van een gemeente die krap bij kas zat na enkele verkeerd gelopen beleggingen.

Hij had dat probleem niet. Integendeel, niet minder dan vijfhonderd miljoen euro stond er op rekeningen in belastingparadijzen, verspreid over de wereld. De winst van IMPERIUMBOUWER was alleen al tweehonderd miljoen geweest.

Hollywood zou hem een Oscar geven, als het maar wist waartoe hij in staat was, dacht Leonard spijtig. Hij beschouwde zichzelf als een kunstenaar die zijn ware gezicht nooit kon laten zien; een clown wiens beschildering op moest blijven, anders ging de magie bij het publiek verloren.

Op dit speciale moment beschenen door de zon besloot Leonard door te gaan met wat hij deed. Nooit zou hij stoppen met het opzetten van fondsen als IMPERIUMBOUWER. In elk geval niet tot de grenzen van lichaam of geest bereikt waren. Of hij moest eerder tot stoppen gedwongen worden, natuurlijk. In theorie hield Leonard die mogelijkheid altijd open, maar in de loop der jaren nam hij haar steeds minder serieus. Wie zou hem kunnen bedreigen? Een van zijn assistenten misschien? Welke leerling durfde het op te nemen tegen de meester? Welke zoon doodde de vader om zo zijn eigen imperium op te richten?

Tot nu toe had niemand zelfs maar een poging gewaagd. Alle assistenten hadden braaf de hun toegekende rol gespeeld; tot het bittere eind aan toe. Van Victor van Zanten verwachtte Leonard niets anders.

Het was tijd voor een statusrapport en hij belde Amsterdam. De twee detectives die Victor moesten volgen, waren broers die lokaal bekend stonden als Knabbel en Babbel; de een omdat die niet op kon houden met eten, de ander omdat hij altijd bleef praten. In het criminele circuit heette het duo dan ook 'de bewegende kaak'.

'Victor zit daar als een hete kip te broeden,' vertelde Babbel in sappig Amsterdams accent. Het was duidelijk dat de detective schoon genoeg had van Victor. Wat begonnen was als een simpele klus werd een uitputtingsslag.

'Buiten is het schitterend lenteweer, maar meneer komt de deur niet uit, enkel voor het hoognodige. Hij verschijnt niet eens aan het raam! Het enige wat we van Victor zien, is een schaduw achter de gordijnen. Uw man is een kluizenaar en hem volgen is zonde van onze tijd. U betaalt niet genoeg om dit te compenseren. We hadden op het Zandvoortse strand kunnen liggen met een biertje in de hand.'

Leonard negeerde de klaagzang. 'Jullie weten zeker dat Victor niet kan ontsnappen?'

'Is de paus katholiek? Ja, dus. Wat dat betreft had hij geen beter appartement kunnen kiezen. Ramen zijn er alleen aan de voorzijde, acht meter boven de straat. Er is maar één deur en die komt op de gracht uit. Achterdeuren zijn er niet. Ons appartement ligt pal tegenover hem en van daaruit kunnen wij alles overzien. Een camera met bewegingsalarm staat continu op de deur en ramen gericht en als iets zich een millimeter opent, staan wij beneden. Met een pistool in de hand.'

Gezien de sprintcapaciteiten van het duo had deze geruststelling slechts beperkte waarde voor Leonard. De twee broers rookten als schoorstenen en vraten als varkens om de verveling te verdrijven. Victor zou uit het zicht verdwijnen nog voor de detectives de trap konden aflopen. Knabbel en Babbel waren echter niet geselecteerd vanwege hun atletische vaardigheden. Beiden waren goede schutters en zouden er niet voor terugdeinzen Victor te liquideren, mocht dit nodig zijn. Deze mogelijkheid was expliciet met hen overeengekomen en een geweer met laservizier lag klaar voor gebruik.

'Probeer erachter te komen wat hij daarbinnen uitvoert,' beval Leonard. 'Luister zijn telefoon af, leeg de brievenbus. Het kan me niet schelen hoe, maar ik wil weten wat er gaande is.'

Babbel beloofde aan de slag te gaan, maar dwong eerst salarisverhoging af. Vloekend gaf Leonard toe en verbrak de verbinding.

Het was zo goed begonnen, enkele maanden geleden. Net als al zijn voorgangers was ook Victor gedwongen geweest na afloop van de begrafenissen het dorp te verlaten; de gemeenschap zou hem niet langer accepteren. Andere assistenten streken meestal enkele tientallen kilometers verderop neer of besloten te verhuizen naar een andere regio; op zoek naar een nieuw leven. Hen laten volgen was nooit een probleem; niemand vermoedde dat Leonard Black nog in leven was. En alle assistenten vonden na verloop van tijd weer werk.

Victor bleek anders te zijn. Victor werkte niet en ontmoette geen ziel. Feitelijk hield hij zich schuil.

Een week later belden de Amsterdammers terug. 'We legen nu elke ochtend zijn bus, maar Victor krijgt enkel dezelfde junk die iedereen krijgt. Zelf verstuurt hij geen brief of pakje. Telefoon, fax of e-mail aftappen is onmogelijk zonder bij hem in te breken, en dat is haast onmogelijk... Vreemd genoeg is de voordeur beschermd door staal en hangen er camera's boven het portiek. Onze camera kan geen opnames maken vanwege de gordijnen en ook de microfoon is nutteloos; Victor maakt namelijk geen enkel geluid. We hebben dus nog steeds geen idee wat uw man daarbinnen uitspookt.'

Een stalen deur, camera's en zelfgekozen isolatie, peinsde Leonard, verrast door dit nieuws. Victor was blijkbaar ergens bang voor. Maar voor wie of wat? Enkele seconden later drong het antwoord tot hem door en Leonard begon luid te lachen. Het kon niet anders dan dat Victor wist dat de man die hij kende als William Scarborough nog in leven was. Als een angstige hond verschuilde de assistent zich in een zelfgegraven hol, bang voor de straf die buiten wachtte. Leonard veroorloofde zich een uitgelaten, door opluchting gevoede schaterbui. Als Victor dacht dat hij zich op deze manier aan zijn lot kon onttrekken, maakte hij een afschuwelijke vergissing.

Op scherpe toon gaf Leonard instructies door.

'Blijf attent op alles wat er gebeurt. Volg Victor wanneer hij zijn appartement verlaat en rapporteer elke stap die hij zet. Als Victor zijn neus snuit, kauwgom onder zijn schoen vandaan haalt of een minuut langer buiten blijft dan normaal, wil ik het weten.'

Leonard hing op en krulde minachtend zijn lippen. Zijn oorspronkelijke inschatting was correct. Van Victor van Zanten viel geen bedreiging te verwachten.

Verscholen achter het gordijn staarde Victor naar de vadsige man aan de overkant van de gracht die de telefoon neerlegde. Waarschijnlijk had die instructies in ontvangst genomen of Victors laatste bewegingen doorgegeven. Een dik rapport kan dit niet zijn, glimlachte hij. Al maanden zette Victor namelijk geen stap naar buiten, behalve voor een korte ochtendwandeling voor dagelijkse boodschappen en frisse lucht. Die detectives aan de overkant moesten zich te pletter vervelen en dat was ook de bedoeling. Als het moment kwam, zouden beiden hun scherpte verloren hebben. Niet dat ze nu wel scherp waren; hun nonchalance en gebrek aan subtiliteit deed het ergste vrezen voor hun reactievermogen.

Enkele maanden geleden waren de Amsterdammers gearriveerd en niet meer uit het zicht verdwenen. Kort daarna begonnen ze hem te achtervolgen: een waggelend varken vergezeld van een kwebbelaar, samen op veilige afstand. De situatie had iets komisch. Ze leken op elkaar: dezelfde buik, ongeschoren gelaat met afgestompte uitdrukking. Waarschijnlijk waren het broers.

Victor moest erom lachen. Voor eigen rekening kocht William

altijd goedkoop in en dit duo zag eruit alsof ze hun kostje aan de onderkant van de voedselketen bij elkaar moest scharrelen. Hun aanwezigheid luchtte op een bepaalde manier op.

Gedurende de lange nachten, als de slaap weigerde te komen, vroeg hij zich af of hij zich alles niet verbeeld had, of de paranoia die zijn vader in haar greep had hem nu ook sluipend overviel. Hoe dan ook; de aanwezigheid van de twee bewees zijn gelijk. Hij was niet paranoïde of waanzinnig. Leonard Black leefde en was nog altijd in hem geïnteresseerd. Wie anders zou deze moeite doen?

Victors strategie om tijd te winnen werkte, althans tot nu toe, want tot een poging tot liquidatie was het niet gekomen. De vraag was echter hoe lang dit zou duren, hoeveel tijd Leonard hem nog gunde. Een paar maanden, hoopte hij, want zo lang was nodig. De voorbereidingen vorderden martelend langzaam.

Hij wendde zich van het raam af. Onmiddellijk na aankomst in Amsterdam was Jessica doorgereden en sindsdien hadden ze enkel nog via e-mail contact. Het was een beperkt medium als je verliefd bent, eenzaam en geil. Victor miste haar wanhopig, maar dwong zichzelf vol te houden. In plaats van aan het eind stonden ze immers aan het begin, zo voelde hij. De lente was stilte voor de storm.

Nog dezelfde maand koos Leonard zijn nieuwste doelwit: Königsberg in Duitsland. Rijdend vanuit Nederland naar Zwitserland was hij er vaak langs gekomen. Königsberg lag verscholen in de bossen van de Taunus, een heuvelachtig landschap iets ten noorden van Frankfurt. Traditioneel was dit de regio waar Duitsers kuurden. De lucht was er schoon en het water bewezen geneeskrachtig. De hoogte, enkele honderden meters boven het dal, met daarin de stad, bracht verkoeling in de zomer en sneeuw in de winter. De heuvels waren begroeid met bossen en waren een oase van privacy, verrassende vergezichten en vooral veel rust. Wild had hier vrij spel en regelmatig werd het verkeer verrast door overstekende reeën of een hert dat stil langs de kant stond te kijken.

In Königsberg woonden de rijke Duitsers. Het dorp lag vlak bij de hoofdstad van geld en handel, maar ver genoeg om van het rumoer geen last te hebben. Arme mensen woonden hier niet; hier wonen was voor hen onbetaalbaar. Leonard maakte een grondige analyse en werd steeds enthousiaster. Hij bekeek een kasteeltje, diep in de bossen gelegen. Het heette simpelweg Schloß Königsberg en was meer dan vijfhonderd jaar oud. Vier slanke hoektorens bepaalden het profiel van dit romantische sprookjespaleis waarin Assepoester zich thuis gevoeld zou hebben.

Leonard liet zich rondleiden en viel van de ene verbazing in de andere. Dit voelde als een droom. Zelfs als het mogelijk was zelf een huis te ontwerpen voor zijn fonds, dan nog zou hij niet in staat zijn met iets te komen wat beter voor zijn doeleinden geschikt was dan dit. Schloß Königsberg was simpelweg perfect. De ruimte binnen werd gedomineerd door een enorme ontvangstzaal met aan beide zijden manshoge open haarden waarin een paard kon worden geroosterd. Het plafond was van steen en bereikte haar dramatisch hoogtepunt in gemetselde bogen vijftien meter boven de vloer. De zaal stamde uit de zestiende eeuw en was vroeger de plek waar ridders en notabelen elkaar ontmoetten. Een labyrint van galmende gangen omringde de hal als aderen op de huid en verbond keukens, opslagplaatsen en verdiepingen met elkaar.

Als om het nog beter voor hem te maken, was Schloß Königsberg in sterk vervallen toestand en stond het al jaren in de steigers. De eigenaar, een ondernemer die groot geworden was met de import van houten klerenhangers, had zich op de kosten verkeken en zijn renovatiepogingen opgegeven, vertelde de makelaar. Leonard werd spontaan verliefd op dit schitterende, maar verlopen stuk Duitse romantiek. Het was ideaal gelegen, verpletterend mooi van architectuur, volledig verwaarloosd en had bovendien een prominente plaats in de lokale cultuur: Frankfurts beroemdste zoon, Johann Wolfgang von Goethe, had hier volgens de overlevering enkele van zijn sonnetten geschreven. Niemand uit de Taunus zou een uitnodiging van een uit de ruïnes herrezen Schloß Königsberg kunnen weerstaan.

Leonard sloot een langdurige huurovereenkomst af en liet een compleet nieuw renovatieplan opstellen. Een olietank, ondergrondse opslagbunkers en een uitgebreid buizen- en pompenstelsel hoorden daar vanzelfsprekend bij. Een lokale aannemer werd aangetrokken om het plan uit te voeren. Diens arbeiders zouden de hele zomer moeten doorwerken, maar Leonard was laat en wilde beslist de achterstand inhalen. Hij loofde een bonus uit als alles drie weken voor Kerstmis klaar zou zijn.

En dat was nog maar het begin. Met de ambitieuze renovatie en luxueuze inrichting van zijn project veroorzaakte Leonard een bescheiden bestedingsexplosie in Königsberg dat, net als de rest van Duitsland, zuchtte onder een langdurige recessie. Antiekzaken, schilders, stenenzetters, installateurs, dakbedekkers en nog veel meer middenstanders waren bereid dag en nacht te werken. Leonard betaalde stipt maar zette aan tot steeds grotere spoed. Algauw zoemde het dorp van de geruchten over de man die het slot zijn oude glorie ging teruggeven en Leonard ontving uitnodigingen voor kennismakingsborrels en diners.

Thuis bij zijn nieuwe buren vielen zijn ogen uit hun kassen. Hierbij vergeleken was Rietschoten armlastig. Goya, Renoir, Matisse, Botticelli, Monet, Picasso en nog veel meer beroemde namen bedekten hier de muren. Königsberg, het dorp van bankiers, handelaren en advocaten, verzamelde al generaties lang kunst. Leonard moest moeite doen om niet spontaan te gaan kwijlen.

Een bank met connecties wilde niets liever dan samen met hem een beleggingsfonds opzetten. Zijn nieuwste kind gaf Leonard de naam KAISERPFUND. Duitsland hing nog altijd aan haar monarchistisch verleden en helden werden door bewonderaars vaak Kaiser genoemd. De aanbeden ex-voetballer Beckenbauer was daarvan het beste voorbeeld. Leonard vond enkele lokale zwaargewichten die bereid waren zitting te nemen in een Raad van Toezicht. Gelukkig geen types als Bram de Lint hier, dit waren vrolijke kerels die niets liever deden dan samen plezier maken en geld verdienen.

Ook nam hij een nieuwe assistent in dienst, een jonge bankier die nooit eerder voor een beleggingsfonds had gewerkt, maar deze kans met beide handen aangreep. Vele uren achter elkaar zwoegde de jongen om de documentatie, toestemming van de autoriteiten en dossiers op tijd af te krijgen. Leonard putte hem zo uit dat de bankier met zekere regelmaat achter zijn computer flauwviel, maar dat was geen reden om de hoeveelheid werk terug te brengen.

Bouwvakkers werkten als mieren rondom het slot. De bevolking haastte zich om kennis te maken met Leonard en hem haar mooiste schilderijen aan te bieden. Trotse miljonairs slijmden voor een uitnodiging. Glimlachend sloeg Leonard het proces gaande. Dit verveelde nooit. Waar in de wereld hij ook kwam, mensen reageerden overal precies hetzelfde.

De voorbereidingen voor het fonds en de renovatie van het kasteel vorderden zo snel dat Leonard spoedig een datum kon prikken voor de eerste bijeenkomst: 8 december. De kasteelkelders konden de stroom van kunst intussen allang niet meer aan. Overal stonden beelden en waren schilderijen in dozen en kratten opgestapeld, tot in de gangen en de hal aan toe. De verzekeringsmaatschappij gaf elke week een nieuwe polis af, maar de verzekerde waarde steeg sneller dan boekhouders konden volgen. Een prominent Berlijns beveiligingsbedrijf belastte zich met de veiligheid en een hoog hek verscheen rondom Schloß Königsberg. Ook camera's deden hun intrede.

De dossiers met details over investeerders duurden echter het langst, want informatie over hen bleek moeilijk te verkrijgen. Net als in Rietschoten koesterden ook de miljonairs van Königsberg hun privacy. Desondanks liepen de wielen van het KAISERPFUND gesmeerder dan ze ooit met enig ander fonds hadden gelopen. Op een gegeven moment telde Leonard vierhonderd gezinnen met een vermogen van vijf miljoen euro of meer. Hij zou zijn toelatingseisen moeten verhogen, anders dreigde hij volledig overspoeld te worden.

Onderzoek door de assistent wees uit dat veel Königsbergers na de oorlog hun fortuin gemaakt hadden en een imperium hadden gebouwd op de resten van de verwoesting. Die mensen, ouder nu, waren erop gebrand hun eigen kinderen en kleinkinderen de beste opvoeding te geven die er was, en wie kon nu beter als rolmodel fungeren dan een jonge, succesvolle entrepreneur? Zelfs het gemoedelijke Duitsland was in de ban geraakt van mensen die zich met talent en hard werken een plaats onder de elite verwierven. Iedereen hield van een winnaar.

Leonard was van plan de ouders hiermee te helpen, maar het werd zeker niet goedkoop. Heimelijke berekeningen stelde hij bij totdat, ten slotte, zijn pen stootte op een eerder onmogelijk geacht bedrag. Leonard schrok zelf toen hij de cijfers zich aan elkaar zag rijgen in een haast oneindige reeks. Met droge mond en een hart dat bonkte van spanning controleerde hij nogmaals de cijfers, maar wist instinctief dat hij goed zat. Een miljard euro kon Kaiserpfund binnenhalen. Zijn eigen winst, conservatief geschat, was ruwweg de helft. Belastingvrij, vanzelfsprekend. Zelfs als de koersen met slechts vijftig procent werden opgeblazen, in plaats van met honderd procent zoals in Rietschoten, verdiende Leonard nog altijd vijfhonderd miljoen. De waarde van de kunstcollectie naderde inmiddels een minstens zo astronomisch bedrag. Hij kon eruit kiezen wat hij wilde.

Rietschoten, zijn vorige hoogtepunt, bleek enkel een vingeroefening te zijn voor wat hier stond te gebeuren. IMPERIUMBOUWER was slechts een prelude tot Leonards meesterwerk; de climax uit een carrière die nooit beschreven was en, helaas, ook nooit beschreven zou worden.

Leonard bereidde zich voor op een serie bijeenkomsten waarbij hij alles zou moeten geven wat hij had. Honderden uren besteedden hij en de assistent aan analyses en profielschetsen van jonge ondernemers met een beursnotering. Zoveel had Leonard er nodig, dat ze amper nog te vinden waren in de wereld. De assistent joeg hij op tot steeds onmogelijker inspanningen. Leonard was nooit tevreden en stond altijd op méér: meer opofferingen en meer details over de honderden miljonairs die hij in verrukking ging brengen met zijn eigen genialiteit.

Heel Königsberg gonsde inmiddels van de geruchten, wist hij. Achthonderd gezinnen hadden inmiddels een kunstwerk met emotionele binding ingeleverd en al die mensen verheugden zich op een avond die ze voor geen prijs wilden missen. Leonard was van plan uiteindelijk slechts de driehonderd allerrijkste uit te nodigen. De rest kreeg een afwijzing.

De renovatie vorderde gestaag en na de zomer werden de eerste contouren van het vernieuwde Schloß Königsberg zichtbaar. Het was niet minder dan spectaculair wat hier gebeurde, vond iedereen die kwam kijken en het hele dorp liep uit om het kasteel te bewonderen. Dit was niet zomaar een renovatie, dit was een triomf van vakmanschap en creativiteit. Sommigen spraken zelfs over een wedergeboorte van de Taunus. Niets van dit alles kon vanzelfsprekend gebeuren zonder hulp van een onbeperkt budget en Leonard trok alle registers open voor het beste van het beste. Hij besteedde tientallen miljoenen van zijn eigen geld, maar zou het allemaal met meer dan rente terugkrijgen, wist hij.

's Nachts sliep Leonard amper nog van opwinding. Ergens in zijn achterhoofd begon zich het idee te vormen dat dit optreden in Königsberg een dermate monumentale triomf zou worden dat hij daarna beter met pensioen zou kunnen gaan, de rest van zijn dagen slijtend in nagenot van zijn overwinningen, zijn trofeeëncollectie en zijn geld. Voor een kunstenaar als Leonard restte na een dergelijk hoogtepunt niets anders dan een bescheiden terugtocht van het toneel, uitgeleide gedaan door een donderend applaus en tranen. Leonard glimlachte in zijn slaap terwijl hij droomde over een adorerend publiek. Dit kasteel was het grootste dat hij ooit verbouwd had en overal in zijn muren lagen nu buizen en pompen verstopt; klaar voor de olie. De knal zou werkelijk legendarisch zijn. Een stuk lokale geschiedenis werd weggevaagd; slechts vervangen door herinneringen aan hem.

Leonard werkte overdag en droomde 's nachts. De dromen waren zoet.

24

Oktober, November

Leonard zat in de zon voor zijn kasteel en las de krant. Het was een vroege oktoberochtend. De herfst had zich al in de natuur genesteld, maar vandaag was het mooi weer. Eekhoorntjes speelden op het gras en zochten eikels. In het dal in de verte staken de puntige wolkenkrabbers van Frankfurt boven de mist uit. Het was zondag; zijn enige vrije dag. Zowel hijzelf als de bouwvakkers werkten de hele zaterdag door en gunden zich geen rust op de andere dagen van de week. Zijn krant was de *International Herald Tribune*, de Parijse editie die door heel Europa werd verspreid. Het was de krant die Leonard al jaren las, want alles wat hij nodig had, stond erin: economie, politiek, roddel en sport.

De *Herald Tribune* had ook een gerenommeerde kunstsectie. Hij sloeg de bladzijde open en zijn aandacht werd getrokken door een kleurenadvertentie die een volledige pagina in beslag nam. Zijn mond viel open toen hij de kop zag en de illustraties daaronder.

Heel even dacht Leonard dat hij gek geworden was of het zich, wellicht door vermoeidheid, inbeeldde. Het was een advertentie geplaatst door de Hermitage in Sint-Petersburg, Rusland. Het museum kondigde, in dramatische gouden letters, haar nieuwste tentoonstelling aan: Imperiumbouwers door de eeuwen heen verzameld – Morgan, Mozart en Rembrandt.

Afbeeldingen van de prominente drie waren daaronder afgedrukt. Met name het portret van Rembrandt kwam Leonard bekend voor: de man met het hoedje, de handen als in gebed gevouwen, hing bij hemzelf in de Zwitserse kelder. Een nadere toelichting op de aankondiging ontbrak. Er stond enkel een telefoonnummer in Sint-Petersburg waar belangstellenden zich vooraf moesten melden. De tentoonstelling begon op 9 november;

alleen wie geregistreerd was, kreeg toegang.

Leonard staarde naar het papier alsof hij water zag branden. Vanuit zijn middenrif golfde paniek misselijkmakend omhoog; een gevoel alsof hij moest overgeven. Deze advertentie had met hém te maken. Wie anders noemde deze drie ooit in één adem? De combinatie van Mozart, Morgan en Rembrandt was door hem bedacht; in elk dorp waren ze als voorbeelden gebruikt, tijdens elke bijeenkomst. Zijn fonds had echter in elk dorp een andere naam gekregen. IMPERIUMBOUWER hoorde bij Rietschoten. Het gebruik van de naam in de advertentie duidde dus slechts op één mogelijkheid: Victor.

Zijn vorige assistent moest hier wel achter zitten. Het kon niet anders. Leonard trok bleek weg toen hij de advertentie aanstaarde en de consequenties tot hem door begonnen te dringen. Miljonairs zijn krantenlezers. Ze hebben kranten nodig om de wereld te volgen en ontwikkelingen te voorspellen. Door een veelgelezen, internationale krant te gebruiken kon Victor erop rekenen elk dorp te bereiken waar Leonard ooit actief was geweest. Leonards slachtoffers daar zouden ongetwijfeld de advertentie lezen. Men zou het nummer bellen, nieuwsgierig en geïrriteerd omdat langvervlogen, bittere herinneringen hiermee tot leven werden gewekt.

Als Victor inderdaad de tentoonstelling organiseerde, kon hij op deze wijze in contact komen met alle mensen die geld, schilderijen en illusies aan Leonard verloren hadden. Mensen die allemaal meenden dat de man die hun zoveel had beloofd, dood was; aan wiens graf ze zelf hadden gestaan.

Leonard rilde alleen al bij de gedachte aan deze mogelijkheid. Als dit waar was, was de opzet even simpel als geniaal. Leonard twijfelde niet aan Victors uiteindelijke doel. Als eenmaal alle dorpen via binnenkomende telefoontjes in kaart waren gebracht, kon Victor de groepen vervolgens via internet met elkaar in contact brengen en ervaringen laten uitwisselen. Het wereldwijde web zou vervolgens trillen van woede. In totaal meer dan duizend miljonairs en hun gezinnen zouden schreeuwen om wraak. Eisen dat wat hun ontnomen was, teruggegeven werd.

En Victor kon dit alles bereiken, deze elektronische conferentie van Leonards verzameld publiek, zonder zijn appartement in Amsterdam te verlaten. Vervolgens kon Victor een agressieve campagne op touw zetten om Leonard te vinden; nog steeds buiten de politie of andere autoriteiten om. Ook dit was in het geheel niet moeilijk of ingewikkeld. In de wereld van geld en kunst kent iedereen elkaar. Netwerken omspannen de wereld en zijn met tientallen andere netwerken verbonden. Miljonairs hoefden enkel vrienden te vragen of in hun dorp of regio een landhuis door een nieuweling voor veel geld werd gerestaureerd. Iemand die ook schilderijen inzamelde voor een tentoonstelling.

Als de miljonairs eenmaal begonnen te bellen, kon Leonard erop rekenen snel gevonden te worden. Het zou hooguit enkele dagen duren. Bij dit vooruitzicht voelde hij zich nog bleker worden en speelde zijn maag opnieuw op. En het ironische was: Victor hoefde niet eens werkelijk de tentoonstelling te organiseren, hij hoefde alleen maar de Hermitage te betalen voor het gebruik van haar naam. Later, als Leonard eenmaal zuchtte in de gevangenis, kon Victor de tentoonstelling zogenaamd annuleren.

Haastig sprong Leonard op, liep naar binnen en belde Amsterdam. Hij moest weten of hij het bij het rechte eind had. Als zijn vermoedens op waarheid berustten, vertrok hij vandaag nog uit Königsberg.

Zoals hij verwachten kon, wisten Knabbel en Babbel echter van niets. Volgens het briljante detectiveteam zat Victor nog steeds verscholen in zijn appartement en gingen diens activiteiten volledig achter gordijnen schuil. Elke ochtend volgde een van tweeën Victor op diens dagelijkse boodschappentochtje, en meer zagen ze niet van hem. Beide broers hadden inmiddels een punthoofd gekregen van dit schimmenspel waaraan geen einde leek te komen.

Leonard schold de twee uit, smeet de hoorn op de haak en dacht na. Victor kon altijd uit de weg geruimd worden als het moest, maar eigenlijk liever niet. Hij had Victor namelijk nog nodig. Voor later.

Hij besloot de Hermitage te bellen. Niet het nummer in de krant maar de algemene centrale. Gelukkig waren ze op zondag open. Een dame stond hem in goed Engels te woord en bevestigde bestaan en inhoud van de advertentie. Er werd veel belangstelling voor de tentoonstelling verwacht; met name uit het buitenland. Van tevoren reserveren was dus gewenst.

'Dus de tentoonstelling bestaat?' vroeg Leonard verbaasd. Dit was wel het laatste wat hij had verwacht.

'Maar natuurlijk,' antwoordde Sint-Petersburg. 'Wat dacht u dan? Dergelijke advertenties zijn niet goedkoop.'

'Wat voor attributen zullen er zoal te zien zijn?' ging Leonard verder, zogenaamd nieuwsgierig.

'We verwachten contributies van The Morgan Library & Museum in New York, het Rijksmuseum in Amsterdam en het Mozart Museum in Salzburg. In totaal gaat het om enkele honderden objecten; sommige zijn nog nooit buiten de eigen muren vertoond.'

Leonard bedankte haar en belde onmiddellijk de genoemde instellingen op. Alle drie hadden ze een serieuze reputatie. Geen van hen zou zich inlaten met iets frivools. Enkele uren later, hij moest wachten tot de dag begon in New York, legde Leonard neer; nu meer in verwarring gebracht dan ooit. De drie musea hadden hun deelname aan de tentoonstelling bevestigd en vertelden al maanden bezig te zijn met voorbereidingen. Sinds februari dit jaar werkten ze samen met een Russische historica, Eketarina Dobrivenko geheten, die goed bekend stond in de kunstwereld. De naam Victor van Zanten was hun volledig onbekend. Op zijn beurt zei de naam Eketarina Dobrivenko Leonard niets.

Alleen in zijn kasteel liep hij alles voor de zoveelste keer na, zichzelf tijdens het denkproces tot kalmte dwingend. Uit ervaring wist hij hoe moeilijk het was om waardevolle kunststukken uit de handen van verzamelaars los te weken. Musea moesten nog erger zijn, had hij begrepen. Slechts onder hoge druk, en vaak alleen als anderen meededen, waren ze bereid tijdelijk afstand te doen van hun collecties, als ging het om een persoonlijk verlies in plaats van publiek bezit. Alleen ervaren deskundigen konden een dergelijke uitwisseling voor elkaar krijgen en dan nog vergde dit moeizame onderhandelingen over een hersenpijnigend aantal details.

Verzekeringen, transport en aansprakelijkheid waren slechts enkele van de hindernissen die genomen moesten worden. Valkuilen dreigden overal en juridische haarkloverijen konden maanden duren. Voeg hier de Russische dimensie aan toe en deze uitwisseling van kunst met de Hermitage werd een hachelijke, uiterst complexe onderneming.

Victor kan de tentoonstelling nooit georganiseerd hebben, was Leonard gedwongen te concluderen. Het ontbrak Victor aan de kennis, de contacten en, het belangrijkste, de gelegenheid. Niemand kon iets dergelijks regelen vanuit het isolement van een appartement; intensief en persoonlijk contact met belanghebbenden was noodzakelijk. Maar als Victor het niet was, wie dan wel? Wie was die Eketarina Dobrivenko? En... wat betekende dit alles voor hem? Leonard besloot te wachten tot morgen. Die nacht, voor het eerst sinds jaren, wilde de slaap niet komen.

De volgende ochtend stond de advertentie er weer. In een opwelling reed Leonard naar het dorp en kocht een hele stapel kranten. De gouden letters en het portret van Rembrandt staarden hem aan vanuit de pagina's van de *Financial Times*, de *Wall Street Journal* en de *Frankfurter Allgemeine*; allemaal kranten die zijn doelgroep wereldwijd spelde. Langzaam begon Leonard in een crisis te geraken. Iemand imiteerde hem, daagde hem uit, gebruikte zijn ideeën tegen hemzelf. Hij had geen idee wie het kon zijn, maar kwam, ondanks dat hij zich suf piekerde over een alternatief, telkens weer op Victor uit. Maar Victor kon dit onmogelijk gedaan hebben, redeneerde Leonard in cirkels door. Hij werd er hoorndol van.

De tijd begon te dringen. Ongetwijfeld hadden zijn vroegere slachtoffers het nummer in de krant nu vele malen gebeld, maar voor Leonard was het onmogelijk na te gaan of iemand al begonnen was deze groep tegen hem te verzamelen. Zelf bombardeerde hij de telefooncentrale van de Hermitage met verzoeken verbonden te worden met Eketarina Dobrivenko. Ze was er niet, werd hem verteld; te druk met de tentoonstelling. Niemand anders kon zijn vragen beantwoorden. Als meneer zo nieuwsgierig was, moest hij zich maar aanmelden.

De advertentie viel ook op in Königsberg, merkte Leonard. Mozart was een nationale held. Salzburg was Duits grondgebied toen Mozart er in 1756 geboren werd. Wolfgang Amadeus was een Duitser, hoewel zijn nationaliteit een eeuwig twistpunt bleef tussen Duitsland en Oostenrijk. Een aantal inwoners van het dorp vond de tentoonstelling een goede aanleiding een bezoek te brengen aan Sint-Petersburg. Verschillende nieuwe vrienden vroegen Leonard, die voor zichzelf al een reputatie opgebouwd had als Rembrandt-deskundige, de groep te vergezellen.

Leonard weigerde, legde de verbouwing stil en vertrok nog dezelfde dag. Tot hij precies wist wat er gaande was kwam hij niet terug. Elk moment kon het hier immers uiterst gevaarlijk worden. De kunst retourneerde hij en ook de beveiligingsfirma werd weggestuurd. Leonard trok zich terug op zijn bergtop en spelde elke dag de kranten. De advertenties bleven verschijnen, ook na zijn vertrek. Zijn KAISERPFUND, of elke mogelijke opvolger daarvan, was nu klinisch dood, zoveel was zeker. Nooit meer zou hij het verhaal over Morgan, Mozart en Rembrandt nog aan een gefascineerd publiek kunnen vertellen; het gras werd hem in Sint-Petersburg op dit moment immers voor de voeten weggemaaid. De verrassing in zijn betoog, de gemeenschappelijkheid van talent, was verdwenen. Zijn droom op een hoogtepunt te eindigen, óók.

Zelf piekerde Leonard er niet over naar Sint-Petersburg af te reizen. Daar wachtten wellicht honderden van zijn slachtoffers om hem een warm welkom te heten. Hij dacht na over alles wat hij de afgelopen tien jaar gedaan had en rilde. Niet uit wroeging maar van angst.

Na nog meer slapeloze nachten verloor Leonard het geduld. Hij pakte de telefoon en belde Amsterdam.

'Liquideer Victor onmiddellijk!' schreeuwde hij tegen Knabbel.

'Dat klinkt mooi, baas en geloof me; mijn broer en ik zouden het zelfs gratis voor u doen. Alleen al voor de vele maanden verveling die Victor ons heeft bezorgd, verdient uw man de kogel. Maar u moet zich realiseren dat...'

'Geen gemaar. Doe het nu! Morgen is te laat.'

'Er is toch een probleem. Al ruim een week laat Victor zich niet zien. En bij hem inbreken is onmogelijk.'

Leonard dacht na. Precies een week geleden verschenen de advertenties voor het eerst. Dit leek de connectie te bevestigen.

'Hij komt helemaal niet meer buiten?' vroeg hij.

'Nee. Hooguit zien we af en toe achter het gordijn een schaduw bewegen, maar daarop ons geweer leegschieten is riskant. We hebben slechts één kans om hem neer te leggen. Na de eerste kogel belt Victor immers gelijk de politie.'

Leonard was daar niet zo zeker van. Als Victor bescherming nodig had, had hij die al veel eerder kunnen vragen. Blijkbaar was hij niet van plan de autoriteiten hierbij te betrekken, ondanks het feit dat zijn leven gevaar liep. Opmerkelijk. Wat was Victor van plan?

'Blijf waakzaam en schiet alleen als je zeker bent. En laat Victor in godsnaam niet ontglippen.'

Verscholen in zijn appartement wist Victor dat het na verschijning van de advertenties buiten gevaarlijk geworden was. Hij kon alleen maar raden hoe Black op de uitdaging gereageerd had en dus bleef hij vanaf nu binnen, tot het moment van zijn ontsnapping. Het wachten duurde eindeloos.

Twee dagen voor de grote dag mailde hij Jessica. Zij was zijn verbinding met de buitenwereld. De enige die alles wist. Zijn partner en vriend.

Is alles klaar bij jullie?

Ja, hier zijn we gereed. Hoe staat het met jou? Hou vol! Over enkele dagen is het voorbij.

Victor vertrok zijn gezicht in een grijns toen hij het las. Over een paar dagen ben ik dood, bedacht hij. De kans daarop was zeker tachtig procent. Niet voor het laatst overwoog Victor de risico's, maar op de gracht blijven was ook geen optie.

De laatste loodjes vallen moeilijk, tikte hij. Ben kilo's afgevallen en in de spiegel zie ik een oude man. Niet zo waanzinnig aantrekkelijk meer als vroeger, helaas. Praten doe ik al maanden alleen tegen mezelf en het is niet meer dan gebrabbel. Verder alles onder controle. Kijk uit voor Leonard. Hij is gevaarlijk.

Weet je zeker dat hij naar Sint-Petersburg komt?

Absoluut. Iemand als hij kan geen uitdaging weerstaan. Wees voorzichtig!

Geen zorgen. Vergeet niet: Leonard wordt gast in mijn wereld. Hij heeft geen idee wat hem hier te wachten staat. En wat we van hem weten.

Jouw podium, jouw voorstelling. Het spijt me dat ik na afloop de ster geen kus en rozen kan geven.

Haar antwoord was doelgericht en zonder emotie. Typisch Jessica.

Geen probleem. Maak het karwei af. Veel geluk.

Gelijk daarna stuurde Victor een e-mail naar de politie van Rietschoten.

Dit is een boodschap aan commissaris Sanders. Vraag hem een e-mail terug te sturen naar dit adres. Het is uitzonderlijk dringend. Inzake IMPERIUMBOUWER.

Die nacht was gevuld met vreemde dromen. Zo dicht bij een mogelijk overlijden leek de geest alvast afscheid te willen nemen en Victor werd nog een keer getrakteerd op lang vergeten beelden en geuren. 'De ziel houdt schoonmaak,' merkte hij halfslapend op, ontspande zich en genoot. Het voelde allemaal heel natuurlijk.

De herinneringen waren aangenaam. Met zijn moeder zwemmen in zee toen hij kleuter was en hoe zij naar zonnebrandolie rook. Oma, opa en de liefde bij hen thuis. Zijn eerste fiets met wieltjes aan de zijkant. Woordjes leren spellen op school. Een gevecht aangaan en winnen van een tegenstander. Discussies met vader. De eerste zoen. Geen huiswerk maken en in plaats daarvan buiten voetballen met vriendjes. Verstopt onder de lakens lezen en betrapt worden omdat het al na bedtijd was.

Er waren ook minder plezierige terugblikken. Vader die zijn leven besteedde aan protest en zich later opsloot in zijn eigen lichaam. Moeder in haar versleten jurk. Vader in Afrika en hij machteloos ernaast. Winston en de belofte die nooit nagekomen werd. Winston, wiens jonge leven tussen krokodillenkaken moest eindigen. Zijn schuld.

Toen Victor die ochtend wakker werd, wist hij wat hem te doen stond. In het Afrikaanse dorp bestond geen internetconnectie en dus belde hij. Dit gesprek mochten de detectives afluisteren als ze wilden. Iemand in de bar beloofde zijn moeder voor hem te vinden. Hij liet het nummer achter en wachtte.

Twee uur later hoorde hij haar stem. 'Victor?'

Haar met leugens opbeuren was geen uitweg. Alleen de waarheid telde nu. In enkele minuten legde hij uit wat er de afgelopen maanden gebeurd was. Ze onderbrak hem niet. De verbinding kraakte maar bleef intact.

'Dus je wacht op het moment dat je die man weer gaat zien?' vroeg ze uiteindelijk.

'Ja.'

'En je leven loopt gevaar?'

'Daar ga ik van uit.'

'Je gaat hem confronteren?'

'Ja'

'Ga je winnen?' De vraag hing als dauw zwaar in de lucht. Een seconde aarzeling.

'Ja.'

'Heb je hulp nodig? Is er iets wat wij kunnen doen?'

'Nee. Ik heb hulp. Vrienden. Ik kan er verder weinig over zeggen. Als het niet goed afloopt, bel dan de politie in Rietschoten. Commissaris Sanders heeft alle details. Bel hem over een week. Dan is alles voorbij.'

Het werd stil in Afrika. Victor probeerde zijn moeder voor te stellen zoals ze daar stond; gekleed in een versleten jurk, haar man allang voor de wereld verloren. En nu belde haar enig kind met dit nieuws.

'Mam, het spijt me...' begon hij.

'Niets hoeft je te spijten zolang je anderen geen kwaad hebt gedaan. Heb je anderen kwaad gedaan?'

'Nee. Hooguit ben ik een belangrijke belofte niet nagekomen.'

'Dan sterkte, jongen. We zullen voor je bidden.'

Ineens werd zijn moeder religieus na al die jaren.

'Bedankt. Kan ik vader spreken?' vroeg Victor.

'Wat heeft dat voor zin? Zelfs als hij iets zou willen zeggen, lukt dat toch niet. Zijn tong hangt al jaren als ongebruikte lap in zijn mond.'

Victor grinnikte. Het spreken viel ook hemzelf moeilijk na maanden zwijgzaamheid. Er viel niets meer te zeggen en hij hing op.

Zich eenzamer dan ooit voelend, keek Victor rond in het appartement. Dozen met afval en papier slingerden overal. De keuken stond vol met blikvoer en flessen water. Achterin stond een home-trainer om de fysieke conditie op peil te houden. De vermoeidheid overviel hem en Victor ging op het bed liggen.

Hij verlangde naar het moment dat hij in de zon kon lopen, vrij en door niemand achtervolgd. Met Jessica eten in een restaurant. Haar aanraking en zoete geur. Zomaar om niets lachen met vrienden. Het kriebelend gevoel van gras. Een voetbalwedstrijd bezoeken en juichen om een doelpunt. Zijn ouders omhelzen. Met Jessica trouwen en, als het hun gegeven mocht worden, kinderen. Er was zoveel. Te veel om op te noemen.

'Ik wil leven,' fluisterde Victor in het duister, maar binnen in hem kroop de angst.

Alle voorbereidingen waren voltooid. Afscheid was genomen. Hij voelde zich als een vlinder in een cocon; volgroeid, nog gevangen tussen deze muren, maar klaar om de vleugels uit te spreiden. Leven of dood. De tijd was aangebroken voor een nieuwe generatie, pompte hij zichzelf op. Een die gehakt zou maken van de vorige.

Die laatste nacht sliep Victor diep en droomloos.

Leonard woonde nog steeds op zijn berg. De hoop om Victor voortijdig te kunnen elimineren, had hij intussen opgegeven. 'Misschien heeft het zo moeten zijn,' filosofeerde hij tijdens een lange wandeling over de bergweide. Het was de ochtend van 7 november en koud. Nog twee dagen tot de opening in Sint-Petersburg. Een gure wind blies en Leonard liep voorzichtig om niet in de verstijfde koeienpoep te trappen die hier en daar op het gras lag. De koeien zelf waren inmiddels al naar hun winterstal gestuurd.

'Nog nooit eerder heeft iemand me zo geconfronteerd. Victor lijkt een waardige tegenstander.'

Het idee om Sint-Petersburg te mijden, ging tegen zijn natuur in. Rentenieren met als laatste wapenfeit een handdoek in de ring? Vergeet het. Daarvoor was de reis die hij achter de rug had te lang. Van jonge, berooide emigrant uit Polen via Amerika tot wereldveroveraar.

Na enkele kilometers keerde Leonard terug naar de bungalow. Daar wachtten hem nog enkele details, maar zijn voorbereidingen waren zo goed als klaar. Hij kon niet slapen en telde in zelfverkozen isolement de laatste uren af. Hij voelde zich een gladiator in zijn kooi; wachtend op de gong. Nee, verlangend naar de gong. Liever dood dan zo leven.

25

November

Rondom het middaguur van 8 november stond Victor verscholen achter het gordijn. Hij was gekleed in een donkere regenjas en had zijn zakken volgepropt met bankbiljetten: dollars, roebels en euro's. Zijn paspoort zat in een binnenzak. Op zijn hoofd droeg hij een hoed.

Voorzichtig, bang om door de overkant gezien te worden, gluurde hij naar beneden, af en toe nerveus op zijn horloge kijkend. Minuten leken uren te duren. Buiten was het koud, maar droog. Toen, tot zijn onuitsprekelijke opluchting, dreef op het afgesproken tijdstip een platbodem de Keizersgracht op. De boot stond vol studenten die bier dronken; samen hadden ze de grootste lol. Op de bodem lagen tientallen blikjes. Drinken maakt hongerig en een van de studenten vulde een barbecue met olie. Een vriend hield er zijn aansteker bij. Om een of andere reden ging er iets verkeerd want de barbecue vulde zich met rook, en enkele seconden later hing er een stinkende walm boven de boot. Toen de platbodem ter hoogte kwam van Victors appartement was de andere zijde van de Keizersgracht niet langer zichtbaar.

De studenten begonnen heen en weer te lopen en luid op elkaar te schelden. Victor stak zijn hoofd uit het kozijn; net op tijd om de barbecue met een spectaculaire klap te zien ontploffen. Zwarte rookwolken dreven over de gracht en door de omliggende straten. Sommige studenten sprongen in het water en al spoedig vormde zich een oploopje. Iedereen wilde zien wat hier gaande was.

Victor verspilde niet langer tijd en sprintte het appartement uit, nam de trap met drie treden tegelijk naar beneden, rukte de buitendeur open, liet een daar klaarstaande figuur naar binnen gaan, en rende vervolgens de gracht af. Oliewalm deed hem zijn ogen samenknijpen, maar van tevoren had Victor de stappen geteld en hij wist precies wanneer de afslag links zou komen. In snel tempo sloeg Victor twee hoeken om en wist zich veilig.

Vanbinnen juichte hij. Alles ging precies zoals verwacht. De studenten van de Amsterdamse toneelschool hadden hun rol perfect gespeeld en de bom, een geschenk van de Rietschotense brandweer, was op het juiste moment ontploft. Hij had begrepen dat de barbecue zelf zou veranderen in een hoopje verwrongen staal, maar dat de boot niet zou worden beschadigd.

Victor was ontsnapt, lachend om de analogie met Leonard die op De Eendenhorst immers precies hetzelfde had gedaan. De jongeman die hij had binnengelaten, was de zoon van commissaris Sanders. Deze student had beloofd twee dagen in het appartement te blijven, verborgen in de schaduw en af en toe bewegingen makend om te laten zien dat Victor er nog altijd was. Over twee dagen mochten Blacks bloedhonden erachter komen dat de vogel was gevlogen. Na 9 november maakte het niets meer uit.

Op het Leidseplein rende Victor in de richting van de rij wachtende taxi's. Hij voelde zich als een lammetje in de lentewei. Het was heerlijk om buiten te zijn en frisse lucht in te ademen.

'Sint-Petersburg! Ik bedoel, luchthaven Schiphol,' zei hij tegen de chauffeur terwijl hij het portier openrukte en zich op de kussens wierp. 'Snel alstublieft. Ik heb haast.'

De Gulfstream landde op Pulkovo II, de internationale luchthaven van Sint-Petersburg. Het spierwitte toestel taxiede vervolgens richting de terminal. Daar wachtte Leonard met uitstappen tot hij een verlengde Volvo zag voorrijden. De piloot liet de trap naar beneden zakken en Leonard liep naar buiten. Zonder verhoogde laarzen mat hij niet hoger dan een meter zestig, en zijn verschijning stond in schril contrast met het vervoermiddel waarmee hij arriveerde. Hij droeg een smerige jas, een gescheurde broek en vaalgekleurde sokken die boven afgetrapte Adidas-gympen uitstaken. Zijn haar was ongekamd en zijn wangen gingen schuil achter een baard met daarin vegen grijs. Zijn ogen waren verstopt onder een pet.

De vermomming had hij bewust gekozen. Rusland was toch een land vol bedelaars? Zonder op of om te kijken daalde hij de trap af en liep naar de limousine. Een glazen raam schermde het passagiersgedeelte af van de chauffeur. Achterin werd Leonard door een douaneambtenaar verwelkomd. Het was een steviggebouwde Rus in groen uniform.

'Paspoort alstublieft.' Leonard viste het document uit een zak. De douanier bladerde de bladzijden plichtmatig door en gaf het terug.

'Bent u bekend met de situatie hier?' vroeg de ambtenaar. Zijn Engels was goed. 'Andrei Chistov' stond op het naamplaatje dat links op zijn borst geprikt zat. Leonard negeerde de vraag; politiek interesseerde hem niets. De Hermitage daarentegen trok als een magneet.

De Volvo begon te rijden en enkele minuten later stonden ze bij de luchthavenuitgang. Een slagboom blokkeerde de weg. Andrei maakte echter geen aanstalten uit te stappen of de boom te laten openen. Integendeel, de douanebeambte nestelde zich comfortabel in de kussens.

'Volle etalages in plaats van lege is het enige wat het nieuwe regime ons heeft gebracht, maar alles blijft onbereikbaar duur. Het enige wat mensen zoals ik kunnen doen, is er kwijlend naar staren. Vroeger was iedereen arm, maar collectief is armoede beter te dragen. De nieuwe maatschappij beschouwt armoede echter als persoonlijk falen. Voor het eerst in de Russische geschiedenis is arm zijn werkelijk je eigen schuld.'

'Jammer,' zei Leonard cynisch. Hij begon zijn geduld te verliezen met deze filosoof. 'Daarom krijg je vijfduizend dollar om mij zonder vragen Rusland in en uit te brengen. Dat was onze overeenkomst. Kunnen we verder? Ik heb een dringende afspraak.'

'Nog een moment geduld, meneer. U moet weten dat de nieuwe leiders onze zekerheden hebben weggenomen zonder er nieuwe voor terug te geven. De leegte die Jeltsin na het communisme aantrof, werd enkel opgevuld door hebzucht en consumptiedrang. Voor de melancholie van de Russische ziel is in dit land geen plaats meer. Marx noemde religie ooit opium voor het volk, maar daarmee had de filosoof niet helemaal gelijk. Voor ons volk was ook de tsaar God, en daarna Lenin en Stalin. Tegenwoordig heet de nieuwste God "USD": de dollar uit Amerika, of de euro. De naam van God verschilt, maar de behoefte aan adoratie blijft altijd bestaan.'

Andrei haalde zijn schouders op. Alles verandert, maar ook niets, leek hij te willen uitdrukken. 'Oligarchen jonger dan ik roven de nationale schatkamers leeg en voor de zoveelste keer in de geschiedenis verkrachten Russen hun eigen land. Op zich is daar niets nieuws aan. Ik heb een vrouw en vier kinderen. We wonen in een appartement waarin we onze keuken, douche en toilet moeten delen met andere gezinnen. Rondom het gebouw stikt het van de ratten. Ik ga met mijn tijd mee; je bent gek als je het niet doet. Maar hoewel ons eigen imperium is gevallen, moet Rusland beschermd blijven tegen buitenlandse bedreigingen. En daarom zijn we bij deze slagboom gestopt.'

Andrei leunde naar Leonard toe, strekte zijn rechterarm uit en viste, voordat Leonard kon reageren, een pistool uit diens binnenzak. Met interesse bekeek Andrei het wapen.

'Een Smith & Wesson. Doorgeladen met acht kogels. Helaas duidelijk zichtbaar voor iemand met mijn opleiding. U onderschat de Russische douane, meneer. Wie wil u hiermee vermoorden?'

'Niemand,' snauwde Leonard en greep zijn bezit terug. 'Ik heb genoeg over jullie land gelezen om te weten dat dit het Wilde Oosten is. Het pistool is voor mijn eigen bescherming.'

'Werkelijk? Rusland is niet Amerika, waar duizenden onschuldigen jaarlijks omkomen door ongelukken met wapens. Onze beschaving is oud; alleen lijden we al eeuwen onder de vloek van verkeerde leiders.'

Andrei wees naar het pistool. 'Alleen als de prijs wordt verhoogd, mag dit mee. Honderdduizend dollar.'

'Goed,' knarsetandde Leonard en stak het wapen weer bij zich. Andrei Chistov stapte uit en gaf een seintje dat de Volvo door mocht. De slagboom vloog naar boven. Opgelucht maande Leonard de chauffeur tot haast. Het geld kon hem niet schelen, maar het pistool was nodig. De vijand in de Hermitage trad hij het liefst gewapend, en onder eigen voorwaarden, tegemoet.

De Volvo snelde richting de stad. Dit was Leonards eerste bezoek. Het museum sloot elke avond om zes uur, maar hij had een conciërge gevonden die bereid was langer te blijven in ruil voor een bijverdienste. Als Leonard om precies halfzeven bij de ingang zou staan, kon hij als eerste de tentoonstelling 'Morgan, Mozart en Rembrandt' zien. Nog voor de officiële opening morgenochtend. Hij moest wel op tijd zijn, had de conciërge, Boris was zijn naam, gezegd. Als ze te laat waren, namen officiële bewakingsdiensten het over en die hanteerden weer heel andere prijslijsten.

Boris vroeg driehonderd dollar en Leonard had zonder onderhandelen toegestemd. Hem was namelijk ook iets anders beloofd. De lijst met aanmeldingen. Vol spanning trok Leonards maag zich samen. Honderdtachtig namen stonden erop, had hij begrepen. Allemaal vergezeld van partner. Driehonderdzestig mensen uit de hele wereld waren speciaal voor deze tentoonstelling naar Sint-Petersburg gereisd. Hij kon niet wachten de lijst te bekijken. Hij vroeg zich af of er namen op stonden die hij kende. Dat moest haast wel. Ongetwijfeld allemaal vroegere klanten; nu collectief trillend van haat.

Leonard had een negatief beeld van Rusland. Hij begreep dat het volk arm bleef en leefde tussen de puinhopen van het communisme terwijl een paar slimmeriken er met de buit vandoor gingen. Een verliezersvolk. De werkelijkheid klopte echter niet met zijn perceptie, merkte Leonard terwijl de Volvo zich langzaam een weg door de avondspits baande. Sint-Petersburg was mooi en vol goedgeklede mensen die allen tot de middenklasse leken te behoren. Na kilometerslang grijze Sovjetflats reden ze nu in het centrum en ondanks de invallende schemering kon Leonard de stadspaleizen zien schitteren langs de grachten. Kromme bruggen overspanden het water. Zijn vermomming als zwerver begon hij te betreuren. Hij had willen opgaan in de menigte, maar zo te zien bereikte hij precies het tegenovergestelde. Bedelaars waren onzichtbaar en Leonard vermoedde dat ze uit het straatbeeld werden weggehouden.

In het donker reed de Volvo de Nevski Prospect op. De kaart van Sint-Petersburg zat in zijn hoofd en hij wist dat deze zesbaansweg de grachten doorsneed ten zuiden van de rivier Neva en uiteindelijk naar de Admiraliteit leidde, sinds eeuwen het hoofdkwartier van de Russische marine. Langs de Prospect lagen de hotels, de Kasansky Kathedraal met zijn zuilengalerij en de mooiste en duurste winkels van de stad. Nog iets wat hem verbaasde toen Leonard het opmerkte.

Iets voor de Admiraliteit draaide de Volvo naar rechts. Leonard keek uit het raam en zijn adem stokte. Hij had foto's gezien, maar de werkelijkheid was van een geheel andere dimensie. Vóór hem, aan de overkant van een enorm plein, stond een witgroen paleis, verlicht door ontelbare lampen. Het had drie verdiepingen en strekte zich uit over een lengte van zeker tweehonderd meter. Op het dak stonden tientallen beelden, opgetrokken in het verlengde van vele zuilen die tegen de gevel aangebouwd waren. De beelden, alle bovenproportioneel groot, leken het gebouw tegen indringers te willen beschermen.

Leonard had zich terdege voorbereid. Dit was het Winterpaleis, onderdeel van het Hermitagecomplex, dat in 1762 was opgeleverd aan de nieuwe Russische vorstin, keizerin Catherina de Tweede. Het was Catherina geweest die begonnen was met het verzamelen van een kunstcollectie die haar weerga in de geschiedenis niet kende. Alles wat ze kocht, werd hier opgeslagen.

'Wacht hier,' droeg Leonard de chauffeur op en hij spoedde zich over het plein heen, nieuwsgierig kijkende Russen negerend. Hij liep voorbij de zijkant van de Hermitage en zag de Neva voor zich uit spiegelen. Het water van de rivier was bevroren. Aan de overkant wees de spits van de Petrus en Paulusvesting richting de hemel. Leonard sloeg rechts af en naderde de toeristeningang. Daar stond een oude man met wit haar. Zijn in conciërge-uniform gestoken buik hing over de riem heen en de gesprongen adertjes rond de neus wezen op regulier en overdadig alcoholgebruik.

De conciërge stampvoette want het was koud; vijftien graden onder nul.

'Rembrandt?' vroeg Leonard.

'Mozart,' antwoordde Boris en deed de deur voor hem open. Als de conciërge vond dat Leonards voorkomen niet paste bij het bezoek aan een museum, zelfs na sluitingstijd, liet hij het niet merken. Driehonderd dollar leken zijn zintuigen verlamd te hebben.

Via achtergangetjes en trappenhuizen liepen de twee omhoog. Ze stopten voor een hoge, met goud beschilderde deur. MALACHITE-ZAAL, stond erbij. Boris stak een sleutel in het slot en draaide die met enige moeite om. Leonards maag draaide zich in knopen en zijn adem ging snel. Wat stond hem achter deze deur te wachten? Vijanden die zich verheugden op zijn komst, of enkel schilderijen, muziekstukken en documenten die ooit toebehoorden aan drie genieën van hun tijd?

Hij greep de kolf van zijn pistool. Het metaal voelde koud aan en stelde hem gerust. Als het vijanden waren, zou hij zijn huid duur verkopen. Zeven kogels voor hen en de laatste voor hemzelf. De conciërge opende de deur en glipte naar binnen. De zaal was donker, zag Leonard toen hij volgde. Boven hem flakkerden lampen aan. Seconden later was de ruimte verlicht. Gejaagd keek hij om zich heen, maar zijn nachtmerries werden geen werkelijkheid. Hij en Boris waren alleen.

De Malachite-zaal was vijftien meter breed en dertig meter lang. Het gebogen plafond, hoog boven de grond, was met goud geornamenteerd. Een kandelaar, ook verguld, daalde precies boven het middelpunt naar beneden. Pilaren stonden langs de muren en op de vloer lag glimmend parket. Het was een schitterende ruimte.

Leonard zag verschillende Rembrandts hangen en, in glazen vitrines, Mozarts geschriften. Ook waren er foto's en documenten van JP Morgan. In een aparte kast lagen diens witte schoenen. Ondanks de spanning moest hij glimlachen. John Pierpont Morgans bank stond ooit bekend als de bank van de witte schoenen. Haar medewerkers waren zo rijk en decadent dat ze zich dergelijk schoeisel konden veroorloven. In die tijd, het begin van de twintigste eeuw, was dat een ongelooflijke luxe.

Behoedzaam doorkruiste Leonard de zaal, op zoek naar iets wat een bedreiging voor hem zou kunnen inhouden. Hij zocht en zocht, maar vond niets. Na een halfuur keerde hij terug naar de conciërge, die bij de deur wachtte.

'Nu al klaar?' vroeg Boris, duidelijk in verwarring gebracht.

'De lijst, alsjeblieft. Ik heb weinig tijd.'

'Niemand heeft nog ergens tijd voor,' leek de oude Rus te willen zeggen, maar hij ging Leonard zwijgend voor naar een kantoor verderop.

Ongeduldig knipte Leonard met zijn vingers, terwijl de oude man met enige moeite zijn buik achter de computer propte en de machine opstartte. Na enkele seconden verscheen een lijst op het scherm. Leonard duwde de conciërge opzij en ging zelf op de stoel zitten. Uit een zak haalde hij een handcomputer tevoorschijn. Hier zaten de namen en gegevens in van alle mensen die ooit aan een van zijn fondsen hadden deelgenomen. In totaal waren het er negenhonderdtachtig, verspreid over elf locaties.

Naam voor naam vergeleek Leonard zijn lijst met die van het museum. Beiden waren op alfabetische volgorde gerangschikt dus dat scheelde tijd. Na drie kwartier was hij klaar. Verbluft knipperde Leonard met zijn ogen. Van alles wat hij verwacht had...

'Is er iets mis?' vroeg Boris, die bang leek zijn omkoopsom mis te lopen.

'Nee, nee... integendeel,' zei de zwerver, niet wetend hoe deze informatie te interpreteren. Hij begon opnieuw. Deze keer vergeleek hij de woonplaats van bezoekers met de dorpen waar hij geweest was. Pas twee uur later was Leonard overtuigd van het resultaat. Hij maakte een uitdraai en stak die bij zich. De conciërge sloot de computer af en beiden verlieten het kantoor.

Na enkele meters stopte Leonard. 'Ik moet naar het toilet. Is hier ergens een wc?'

Boris wees naar een deur halverwege de gang, en Leonard bracht enkele minuten door in een eenvoudige, maar schone gelegenheid. Even later stonden ze weer in de koude avondlucht. Ze hadden dezelfde route genomen als op de heenweg.

'Hoe laat wordt de tentoonstelling morgen geopend?' vroeg Leonard, die het antwoord wist.

'Halfelf. Dat is ook onze reguliere openingstijd.'

'Prima. Kun je mij een uur eerder binnenlaten zodat ik kan zien wie de zaal in komt? Zonder daarbij zelf gezien te worden?'

Een glimlach verscheen op het gerimpelde gelaat. Nog meer wodka, leek de conciërge zich te verheugen.

'Geen probleem. Vijfhonderd dollar.'

Vijfhonderd dollar zou waarschijnlijk het einde betekenen van Boris' lever, dacht Leonard.

'Bedankt. Tot morgen.'

Nadat hij het plein opnieuw was overgestoken, ging Leonard weer achter in de Volvo zitten. De wagen spoedde zich terug naar de luchthaven en het was op dit moment dat hij zich een moment van zwakheid veroorloofde. Hij zette de smerige pet af, boog voorover en verborg zijn gezicht achter zijn handen. Leonard begreep er niets meer van.

Geen van zijn vroegere slachtoffers stond op de lijst. Zijn computer herkende naam noch woonplaats van de honderdtachtig mensen die op de opening kwamen. Er was geen enkele overeenkomst. Hij liet zich onderuitzakken. Waarom werd deze tentoonstelling anders georganiseerd dan om hem uit zijn tent te lokken, tegenstanders tegen hem te verzamelen? Had niemand dan op die advertenties gereageerd? Ze konden die onmogelijk gemist hebben; hij stond in honderden kranten.

Of had hij het altijd bij het verkeerde eind gehad? Victor zat nog steeds op de Keizersgracht. Nog niet geliquideerd helaas – wat weerhield die idioten in Amsterdam ervan de trekker over te halen? – maar onder controle. Leonard voelde zich als een pop aan een touwtje. Iemand controleerde zijn bewegingen en hij werd, als een marionet, voortbewogen door onzichtbare krachten.

Bij de toegang tot Pulkovo wachtte de douaneambtenaar hem al op. Andrei Chistov stapte in de Volvo, bladerde nogmaals door het paspoort en gaf het terug.

'Morgenochtend ben ik er weer,' zei Leonard. 'Om acht uur. Dezelfde dag vertrek ik en ik kom niet terug. Hetzelfde arrangement?'

Andrei knikte. Hij leek niet opgemerkt te hebben dat het pistool nu verdwenen was.

Bij de Gulfstream aangekomen zag Leonard de motoren al warmdraaien. Hij gaf de douanier zijn envelop, die hem in een gehandschoende hand in ontvangst nam. Zwijgend namen ze afscheid. Het vliegtuig donderde de startbaan af en enkele minuten later staarde Leonard naar de flonkerende lichtjes van Sint-Petersburg. Daar ergens beneden wachtte een vijand. Wellicht zelfs meerdere. Wachtten ze op het juiste moment? Dacht men soms dat Leonard Black naar Sint-Petersburg gekomen was om zijn eigen graf te graven? Grimmig sloeg hij de cocktail achterover die de stewardess hem aanbood en vroeg meteen om een tweede. Wel, dat zou niet gebeuren. Nooit. Men zou nog zien wie de regie had van dit toneelstuk.

De Gulfstream bracht hem naar Helsinki, een uur vliegen van Sint-Petersburg. Daar, in een luxehotel, zou hij de nacht doorbrengen. Leonard bleef geen moment langer in Rusland dan strikt noodzakelijk. Onwillekeurig dacht hij aan de naam Juanito en hij glimlachte. De herinnering was goed.

26

Vroeg in de ochtend van 9 november keerde de zwaan terug. Het weer in Sint-Petersburg benam haar inwoners letterlijk de adem. De temperatuur was ver onder nul maar de zon scheen en de hemel stond donkerblauw.

Leonard had een gedaanteverwisseling ondergaan. Boven aan de trap verscheen hij zonder baard, met geknipt en gewassen haar en een heldere blik in zijn ogen. Zijn kostuum was scherp gesneden, zijn overhemd hagelwit en hij droeg een das van geel gesponnen zijde met een bijpassend pochet. Aan zijn voeten glommen laarzen; zijn handelsmerk. Zelfs de ring glansde extra.

Leonard droeg de kleding waarin hij al zijn triomfen vierde. Het was gevechtskledij, het uniform van de moderne veroveraar. Ontspannen liep hij naar beneden en hij ging achter in de Volvo zitten. Uit niets liet de douaneambtenaar blijken of de toename in lengte hem opgevallen was en hij nam het paspoort zwijgend in ontvangst. Na enig geblader gaf Andrei het terug. Vijf minuten later namen ze afscheid. De wagen draaide van het terrein af en snelde richting de stad.

Deze keer liet Leonard zich pal voor de ingang van het museum afzetten en hij zag zijn helper daar al staan. In het ochtendlicht was de conciërge nog grijzer dan in de nacht daarvoor. Het leek alsof het museumstof zich in zijn rimpels had genesteld. Leonard keek om zich heen. De straat, gelegen tussen het Winterpaleis en de rivier, lag er verlaten bij. Het museum ging pas over een uur open en tot dan kwam hier weinig verkeer.

Zwijgend ging Boris hem voor door het doolhof van gangetjes en trappen dat Leonard al aardig begon te kennen. Ze passeerden de gesloten deuren van de Malachite-zaal en hij werd naar hetzelfde kantoortje geleid als gisteravond. De IBM stond al aan en het scherm liet de ingang van de zaal zien. In haperend Engels legde de conciërge uit hoe de camera werkte. Ook deed hij voor hoe Leonard andere camera's kon oproepen; zowel in de zaal als in andere delen van het gebouw. Op zijn instructie deelde Boris het scherm in vier delen in: de museumingang, de toegang tot de zaal zelf en twee camera's daarbinnen. Leonard gaf de bejaarde Rus zijn geld en stuurde hem weg. De deur van het kantoor draaide hij van binnen op slot. Hij ging achter het scherm zitten, schoof de stoel naar voren en wachtte.

Rond kwart over tien zag hij hoe buiten op straat zich een groep mensen verzamelde. Hun aantal groeide en op een gegeven moment stonden er honderden te wachten. Leonard bekeek hen zoals een wolf een kudde schapen bekijkt. Ze leken op elkaar, vond hij. Allemaal van middelbare leeftijd en conservatief gekleed. De mannen droegen kostuums en de vrouwen bontjassen over japons. Velen hadden het haar hoog opgestoken. Juwelen flonkerden in de zon. Jongeren en bejaarden waren er niet bij. Feitelijk was de samenstelling gelijk aan de groepen die Leonard zelf al die jaren had verwelkomd. Dat hij hier niemand kende, was na gisteravond geen verrassing meer.

De deur van de Hermitage ging open en de groep stroomde naar binnen. Enkele minuten later zag Leonard hen op zijn scherm de zaal betreden. Uit luidsprekers klonk Mozarts *Adagio voor viool en piano*, een van zijn eigen favorieten. Het publiek betrad de vloer en de oh's en ah's waren niet van de lucht. Zonnestralen stroomden de zaal in en lieten het goud van plafond, kroonluchter en ornamenten schitteren.

Het licht had ook een magnifiek effect op de schilderijen. Verborgen details, weggewerkt in Rembrandts schaduw, werden nu zichtbaar. Op zijn scherm kon Leonard alles uitstekend volgen. Alleen in het kantoortje kon hij een huivering niet onderdrukken. Dit was zijn muziek. Dit was zijn publiek. Dit waren zijn schilderijen. Hij zag een borstbeeld van Morgan staan en voelde een steek van heimwee in het hart. Leonard was toeschouwer op zijn eigen bijeenkomst. Zou er iemand komen om de mensen toe te spreken? Had hij een opvolger waarvan hij niets wist, iemand die het waagde in zijn vijver te vissen? Het zou veel verklaren, maar niet alles.

De zaal was nu vol. Driehonderdzestig welvarende mensen van middelbare leeftijd bekeken op hun gemak de verscheidene symbolen van grootheid. Leonard was er nu zeker van dat hij geen van hen ooit had ontmoet. Voor de zekerheid gebruikte hij de camera's elders in het paleis om te zien of hem daar geen bedreigingen wachtten, maar de enigen die op het scherm verschenen, waren groepen toeristen, dwalend door pracht en praal.

In de Malachite-zaal gebeurde op het oog niets opmerkelijks. Niemand sprak de groep toe of probeerde op andere wijze een rol te vervullen. Er was zelfs geen gids of zaalwachter. Dat was gek, vond Leonard, maar hij had er geen idee wat dit precies betekende. Hij hield het staren nog een uur langer vol maar besloot zich toen onder de bezoekers te wagen.

Na een bezoek aan het toilet maakte Leonard nerveus zijn entree. Zijn aanwezigheid leverde geen reactie op. Mensen negeerden hem terwijl hij schijnbaar doelloos door de zaal zwierf. De conversaties die hij afluisterde, in vele talen, hadden enkel betrekking op de expositie. Leonard voelde zich een indringer in de tempel die hij zelf had opgericht. Buitengesloten.

Een halfuur later kwam er een vrouw op hem af, haast zwevend door de menigte. Het duurde een paar seconden voor hij haar herkende. Het was de juffrouw die zijn tentoonstelling in Rietschoten had ingericht, die hij ooit een rondleiding langs de schilderijen had gegeven. In een flits herinnerde hij zich ook haar naam: Jessica. Ze was gekleed in een witte jurk die tot iets onder de knie kwam. Zijn mond viel open van verbazing. De stukjes vielen nu op hun plaats. Jessica had kunstgeschiedenis gestudeerd en was een vriendin van Victor. Zijn oog viel op haar middel. Onder de centuur bolde het. Jessica leek zeker zes maanden zwanger.

Een seconde later stond ze voor hem. Ze waren ongeveer van dezelfde lengte en Leonard rook haar parfum. Diep en bedwelmend vond hij die.

'Je ziet er goed uit voor een verkoold lijk, William. Hoe kan ik je het beste aanspreken? Heb je een echte naam?'

'Die is niet belangrijk, Jessica. Of moet ik Eketarina Dobrivenko zeggen? Welke naam is beter?'

Haar glimlach was zo koel als ijs. 'Beide zijn goed, William. Familie en vrienden gebruiken ze afwisselend. Maar jouw naam kent niemand. Je bent als een gifwolk die verdampt voordat iemand weet wat hij inademde. Iemand die zichtbaar is en onzichtbaar tegelijk. Een spook.'

Door de muziek en het geroezemoes van de honderden mensen om hen heen kon niemand hun conversatie volgen. Niet dat er ook maar iemand in geïnteresseerd was, overigens. Ze stonden in het midden van de zaal, pal onder de kroonluchter.

'Is dat waarom je mij hebt laten komen, Jessica? Om meer over mij te weten te komen?' vroeg Leonard, spottend en geïntrigeerd tegelijk. Kan het zijn dat zij zich tot me aangetrokken voelt? vroeg hij zich af. Heeft ze daarom alles georganiseerd? Victor is hier wellicht helemaal niet bij betrokken! De gedachte wond hem op. Hij had nooit een vriendin gehad en met haar porseleinen huid, blonde haar en hoge jukbeenderen was Jessica een Russische schoonheid.

'Nee, ik weet genoeg om van je te walgen. Je bent een monster van ongekende proporties.'

Leonard moest zich inhouden om haar niet hard in het gezicht te slaan. Hij wist niet hoe te antwoorden; zijn hoofd was een schakelbord van emoties.

Jessica ging verder, als een schoolmeesteres die een stout kind toespreekt. 'Ik heb je laten komen om je een voorstel te doen. Noem het een schikking, als je wilt. Stop met IMPERIUMBOUWER en je oorlog tegen de mensheid. Trek je terug en geniet van je pensioen. De wereld heeft al genoeg problemen.'

Hij wist niet wat hij hoorde! Deze vrouw, die hij ooit eens had ontmoet, de vriendin van een niemand die elk moment onder zijn voet geplet kon worden, droeg hem op te stoppen? Onmogelijk!

'En als ik weiger?' spotte Leonard, zijn oren suizend van woede.

'Dan zal God je straffen,' zei ze simpel.

'God? Wie is God?'

'God is degene die alles ziet en hoort. Hij heeft gezien dat jij de menselijke nederigheid van je af hebt geworpen. Dat accepteert God niet. Dat accepteert niemand.'

Hij slikte. 'Hoe weet jij dat zo goed? Heb jij soms een lijntje met God?'

'Misschien. Net zoals jouw vader vroeger... We weten alles van je, Leszek Mazowiecki!'

Leszek deinsde terug, nu volledig in paniek. Hier werd een naam genoemd die hij dertig jaar lang verdrongen had! Trillend op zijn benen en met tranen in de ogen keek hij haar aan. Met de zon op haar gezicht en een blik als de Heilige Madonna leek ze op een engel. Het feit dat Jessica een kind droeg, versterkte dit effect alleen maar. De welving gaf haar iets onkwetsbaars.

Voor het eerst sinds zijn jeugd was Leszek werkelijk bang. 'Wie ben jij precies?' mompelde hij. Leszek vreesde haar antwoord, en als op dat moment uit de hemel een hand was verschenen om hem naar de hel te slingeren, zou hij niet verbaasd zijn geweest.

'Iemand die net zo slim is als jij, Leszek. Je doet altijd alsof je zo speciaal bent, maar feitelijk ben je heel gewoon.'

Jessica wees naar het gezelschap in de zaal. 'Die trucs van jou bijvoorbeeld kan iedereen. Al deze mensen zijn acteurs, ingehuurd om vandaag hun rol voor jou te spelen.'

Ongelovig draaide hij in het rond. Al deze keuvelende, oudere stelletjes, acteurs? Voor hem?

'Het leek ons wel leuk,' lachte ze om zijn verbazing. 'In Rietschoten verscheen een acteur voor een publiek van driehonderdzestig. Nu verschijnen driehonderdzestig acteurs voor een publiek van één. In ons leven spelen we allemaal een rol, Leszek. De rol die ons bij geboorte is toegekend. Blijkbaar was je niet tevreden met dit lot en kwam je ertegen in opstand. Ondanks je talenten koos je echter voor de makkelijkste weg. Die van list, bedrog en moord.'

Voor Leszek iets kon terugzeggen, klapte Jessica in haar handen en riep ze iets in het Russisch. Een seconde later stopte de muziek en liep het publiek de zaal uit. Met een harde klap sloot de deur achter de laatste acteur. Ze waren alleen.

Jessica draaide zich om. 'Dit is ons voorstel. Accepteer het of verlies alles.'

Leszek schudde zijn hoofd in een verwoede poging weer helder te denken. 'Wie weten hier verder van? Mijn werkelijke naam en zo?'

'Niemand. Alleen Victor en ik. Je moet nu gaan. Ik ben bereikbaar op dit adres,' zei ze en ze drukte hem een papiertje in handen. 'Onderdeel van de afspraak is dat je belooft met IMPERIUMBOUWER te stoppen. Rijke dorpen worden in de gaten gehouden. Ook de banken zijn gewaarschuwd.'

'Dus de mensen die hier waren, wisten van niets?' probeerde Leszek nog eens, meer om tijd te winnen dan iets anders.

'Inderdaad. Degenen die werkelijk op de advertentie reageerden, hebben we verteld dat de tentoonstelling is afgelast. Die lijst blijft in ons bezit; een verzekering voor het geval je iets van plan mocht zijn.'

Dit nieuws bracht Leszek enorme blijdschap. Dus Victor en Jessica waren de enigen die hem konden bedreigen? Niemand anders wist wie hij was en waar hij was? Het klonk ongelooflijk. Een golf van opwinding spoelde door hem heen. Dit kon hij oplossen! Niets was nog verloren!

Jessica leek door te krijgen dat ze alleen stond met een moordenaar die ze zelf tot de rand van de afgrond had gebracht.

'Haal je niets in je hoofd, Leszek,' waarschuwde ze. 'Er staan camera's op ons gericht. De bewaking is geïnstrueerd om...'

'Die oude conciërge zeker,' schamperde Leszek en hij stak een hand in zijn zak. Een stomp voorwerp wees naar haar buik.

'Dit is een pistool, Jessica, en als ik de trekker overhaal, sterven jij en je kind. Jullie tweeën bloeden dood op deze vloer en ik ben verdwenen voordat iemand "Rembrandt" kan zeggen. Luister je naar me?'

Hij zag Jessica bleek wegtrekken. Ze knikte, al haar eerdere zelfvertrouwen was verdwenen.

'Goed,' zei Leszek, blij dat hij deze situatie eindelijk onder controle begon te krijgen. 'Ik heb slechts één vraag en ik wil onmiddellijk antwoord. Waar is Victor?'

'Victor is in Amsterdam,' zei Jessica. Ze hield een tas omhoog. 'Hierin zit mijn telefoon. Als ik Victor niet elk uur bel, ontsnapt hij en zie je hem nooit meer terug.'

Leszek geloofde er geen woord van. Ondanks de plechtige beloftes van Knabbel en Babbel moest Victor in de buurt zijn. Iemand als Victor liet zijn vriendin niet alleen. Zeker niet zwanger. De voormalige assistent zoeken onder deze omstandigheden was echter onmogelijk, besloot Leszek, en hij duwde het pistool hard tegen Jessica's buik.

'Draai je om! Lopen! Jij en ik gaan een wandeling maken.'

Samen liepen ze door de hol klinkende zaal. Voorzichtig opende hij de deur en stak zijn neus naar buiten. Niets te zien. Ook het kantoortje was leeg en de conciërge leek spoorloos te zijn verdwenen. Gerustgesteld liep Leszek verder, Jessica voor zich uit duwend. Zo gingen ze het doolhof van gangen en trappen binnen. Gelukkig kende hij de weg inmiddels in het halfduister.

Nog voor de uitgang moest hij zich van haar ontdoen, besloot hij. Bij de receptie was het immers druk en hij achtte Jessica heel goed in staat om daar een ontsnappingspoging te wagen. Moeders doen toch alles om hun kind te redden? Ook als ze zelf daarbij mogelijk het leven zou laten, zou ze elke kans aangrijpen die ze zag.

Leszek opende een willekeurige deur. Hij had geluk, het was een kast voor schoonmaakspullen, voor het grootste gedeelte leeg. Haar neerschieten was geen optie, het schot zou gehoord kunnen worden. Leszek moest iets anders verzinnen om deze vrouw voor altijd het zwijgen op te leggen.

'Stop,' zei hij en Jessica stopte.

Ze gehoorzaamde. Leszek haalde zijn arm ver naar achteren en sloeg haar met de kolf van zijn pistool zo hard als hij kon op het hoofd. De schedel kraakte en zonder een geluid te maken, zakte Jessica voor hem in elkaar. Bloed stroomde over de grond.

Hij duwde het lichaam de kast in. Het pistool veegde hij af aan de jurk en gooide hij ernaast. Toen sloot Leszek de deur. Helaas kon hij geen sleutel vinden.

Tevreden liep hij verder. Met enig geluk zou Jessica pas over enkele dagen gevonden worden en dan was het te laat. Bloedverlies gecombineerd met hersenbeschadiging zorgden samen voor een snelle dood. Om de baby bekommerde hij zich niet. Kinderen hadden hem nooit geïnteresseerd.

De donkere trappen van de Hermitage afdalend kwamen de herinneringen terug. Het was een kind geweest dat Leszek voor het eerst moordenaar gemaakt had, elf jaar geleden nu. Een jongetje. Een paar weken na zijn gedwongen vertrek uit Los Angeles had Leszek vriendschap gesloten met een Mexicaan die hem uitnodigde te komen logeren. Het was een prominent man, de gouverneur van Acapulco. Toen die Leszek hoorde spreken over de gemeenschappelijkheid van talent, en hoe daarin te investeren, bood de gouverneur zijn huis aan voor de volgende bijeenkomst. Het ging om een magnifieke hacienda niet ver van zee. Hier probeerde Leszek zijn nieuwe formule uit. In Californië had hij ondernemers zelf hun verhaal laten vertellen, maar het succes was altijd wisselvallig geweest. Niet iedereen kon zichzelf goed verkopen.

In Acapulco was Leszek de enige op het toneel en alle aandacht ging dus naar hem. De formule bleek een succes, want het publiek bleek meer vatbaar te zijn voor illusie dan realiteit. Geen van de ondernemers was in de zaal aanwezig en dus kon Leszek hun de meest mythische eigenschappen toedichten.

'Het publiek wil bedrogen worden,' concludeerde hij niet voor het eerst en profiteerde van misbruik van voorinformatie. Maar wat te doen nu de winst eenmaal geïncasseerd was, wist Leszek niet. In Californië had hij uiteindelijk moeten vluchten en ook hier in Acapulco kon de leugen, de beloofde ondernemers zouden immers nooit verschijnen, elk moment ontdekt worden.

Maar Leszek wilde niet vluchten en voortdurend over zijn schouders moeten kijken. De smaak van het adorerend publiek had hem te pakken en zijn droom was om te vliegen als een vlinder, zich voedend aan rijkdom, eenzaamheid en verlangen. De enige manier om deze droom werkelijkheid te laten worden, was iemand anders voor hem te laten doorgaan. Iemand wiens lichaam hij gebruiken kon. Daar was moord voor nodig.

Om de stap naar vervulling van zijn ambities te wagen, moest Leszek meedogenloos zijn en vastberaden. Kon hij het leven van een ander nemen? Niet eenmaal maar meerdere keren?

Bij zichzelf ging Leszek op zoek naar morele ankers. Hij bezocht kerken in Acapulco en omgeving om iets terug te vinden van het geloof dat hij vroeger van huis uit had meegekregen, maar, hoe hij zijn best ook deed, Leszek kon de kerk niet langer los zien van het gedrocht dat zijn vader ervan gemaakt had.

Het alternatief trok hem zeker niet aan. Leven zonder zijn eigen potentieel te realiseren, was een oefening in zinloosheid. Dan kon hij net zo goed teruggaan naar Polen en gaan werken in de metaalfabriek. Dat nooit, besloot hij.

Tijdens een lome zomernamiddag zorgde hij ervoor alleen te zijn met Juanito; de jongste zoon van de gastheer. Juanito was veertien jaar, goedlachs en dol op alles wat gemaakt was van leer. Het was Leszek al eerder opgevallen hoeveel het tengere lijfje van Juanito op zijn eigen lichaam leek. Die middag liet hij de jongen zijn laarzen aantrekken en samen lachten ze om de verhoogde hakken en zolen.

Daarna wurgde hij Juanito. In razend tempo, en bibberend van angst, kleedde Leszek het lijk om en schoof ook zijn ring om de vinger van het kind. Juanito's persoonlijke eigendommen werden verwijderd en hij liet het lichaam achter op zijn eigen bed. Daarna stak Leszek de hacienda in brand.

Het plan had boven verwachting gewerkt, met name omdat de olietank onder het huis spectaculair ontplofte en zelfs enkele huizen in de omgeving had meegenomen. Nog dezelfde dag verliet Leszek het land; opgelucht en zonder spijt. Ze gaven hem een staatsbegrafenis, las hij later. In de krant stond ook een artikel over de ontroostbare ouders die zich zorgen maakten over hun zoon, verdwenen op de dag van de ontploffing. Een broer beloofde plechtig Juanito overal te blijven zoeken. Niemand legde een verband.

Dankzij Juanito was Leszek nu vrij. Vrij en rijk. De sleutel tot onsterfelijkheid droeg hij bij zich. Leszek kon de voorstelling herhalen waar en wanneer hij maar wilde.

Nog nagenietend van de herinnering stapte Leszek de receptie binnen en hij knipperde even met zijn ogen tegen het licht. Hij keek links en rechts. Geen spoor van Victor. Zonder wapen voelde Leszek zich kwetsbaar en hij liep vlug, maar zonder tussen de toeristen op te vallen, naar buiten. De Volvo wachtte naast de stoeprand. Hij tikte tegen de ruit om de chauffeur wakker te maken en stapte in.

'Naar de luchthaven. Opschieten!'

Nu hij hier een moord gepleegd had, was zijn eerste prioriteit zo snel mogelijk Rusland te verlaten. De speurtocht naar Victor moest tot later wachten.

Gedurende de rit terug bevocht Leszek de drang telkens achterom te kijken en te zien of hij achtervolgd werd. Huilende sirenes bleven echter uit en ook de vele blauwwit gestreepte Lada's en Wolga's op straat besteedden geen aandacht aan hem.

Bij de poort van Pulkovo aangekomen, opende de douaneambtenaar het portier en hij ging, zoals gewoonlijk, naast Leszek zitten. Toen die zijn paspoort aanreikte, stak Andrei het echter, zonder iets te zeggen, bij zich. Leszek keek stomverbaasd, maar de besnorde Rus wuifde dat ze door konden. De slagboom zwaaide omhoog. De Volvo was nu op het luchthaventerrein en baande zich een weg tussen de vliegtuigen.

Leszek begreep niet waarom zijn paspoort in beslag genomen was. Hij stond op het punt woedend uit te vallen toen Andrei begon te praten. Zijn blik was gericht op een punt ver in de toekomst.

'Eketarina Dobrivenko heeft het niet gehaald, helaas,' zei hij vlak. 'En de baby, het was een jongetje, heeft het lot van zijn moeder moeten delen. De navelstrengtoevoer was te lang onderbroken en artsen kwamen te laat om de vrouw vanuit de kast naar het ziekenhuis te brengen. Enkele minuten geleden kreeg ik het nieuws.'

Voor de tweede keer op die dag kreeg Leszek een enorme schok te verwerken. Hij had geen flauw idee hoe deze ambtenaar dit te weten was gekomen, maar zijn eigen reactie was er niet minder om. Die ochtend stonden Leszeks reflexen haarscherp.

'Dat spijt me,' antwoordde hij, op identiek vlakke toon. 'Kan er iets gedaan worden? Een tegemoetkoming voor de familie, wellicht?'

Andrei bleef naar voren staren. 'Dat kan,' antwoordde de Rus toen, bedachtzaam knikkend. 'De ouders hebben een dochter verloren, een man zijn vrouw en allen een kind en kleinkind. Het hart van de familie is gebroken en hoewel geld het verlies nooit kan compenseren, heb ik begrepen dat tien miljoen voldoende moet zijn. Dollars, vanzelfsprekend.'

Leszek knikte; zijn opluchting verbergend. Tien miljoen was een schijntje voor wat hij gedaan had. Als Leszek gearresteerd zou worden, wachtten hem vele jaren in de gevangenis. Siberië waarschijnlijk, onder streng regime. Rusland was een conservatief land, had hij begrepen. Vrouwen en kinderen kwamen vóór al het andere. Als hij zijn paspoort kon terugkrijgen en ongehinderd mocht vertrekken, kon deze corrupte drager van het uniform zijn tien miljoen dollar krijgen. Het dubbele ook, als het moest.

'Komt voor mekaar,' beloofde Leszek. 'Hoe krijgt de familie haar geld?'

'Een cheque met het bedrag in cijfers en letters geschreven. De naam van de begunstigde vul ik later zelf wel in.'

'Uitstekend. Gelukkig heb ik altijd cheques bij me.' Hij haalde een mapje uit zijn binnenzak tevoorschijn en begon te schrijven. Enkele seconden later wapperde Leszek even met het document om de inkt te laten drogen. Daarna droeg hij de cheque over.

Hij zag Andrei zorgvuldig de woorden lezen en de nullen tellen. De Rus viste Leszeks paspoort uit zijn zak en controleerde de handtekening daarmee. Uiteindelijk tevreden gesteld stopte de ambtenaar de cheque diep weg.

'Hoe wist je wat er gebeurd is?' vroeg Leszek, zijn paspoort in ontvangst nemend. Deze vraag zou hij eigenlijk niet moeten stellen, wist hij, maar op dit moment was Leszek dronken van vreugde. Ook deze hindernis was genomen!

Voor het eerst keek Andrei hem nu aan. Diens borstelige wenkbrauwen deden Leszek terugdenken aan Leonid Brezjnew. Vroeger op school hing het portret van de communistische leider in alle klaslokalen.

'U blijft de Russische douane onderschatten, meneer. Gisteravond droeg u het pistool niet langer bij u, dus beschouwde ik het als mijn plicht te achterhalen waar het gebleven was. Volgens de chauffeur verliet u de auto tegenover het Winterpaleis. Russen zijn een nieuwsgierig volk. Door de eeuwen heen hebben we geleerd dat het voor de gezondheid beter is om zo min mogelijk op te vallen. Uw verschijning echter op straat, een zwerver die met kaarsrechte rug midden over het plein naar de Hermitage wandelt, viel uit de toon. Verschillende toeschouwers zijn u gevolgd. Het kostte mij weinig moeite getuigen te vinden die u voor de ingang van het museum zagen praten met een corrupte conciërge.'

Leszeks lippen krulden bij het gebruik van dit woord. Ironie leek echter niet aan Andrei besteed te zijn.

'De conciërge liet me vervolgens zien waar jullie geweest zijn en in het toilet vond ik vanmorgen vroeg het pistool verstopt in een stortbak. Omdat ik officieel in de Hermitage niets te zoeken heb, liet ik het wapen liggen na de kogels eruit gehaald te hebben. Op mijn instructie is de conciërge u vandaag in het gangenstelsel gevolgd. Hij mocht niets doen; enkel rapporteren wat hij zag. Uiteindelijk heeft hij Eketarina in de gangkast gevonden en alarm geslagen.'

'Maar...'

'Vandaag nog vlieg ik naar Cyprus. De autoriteiten daar laten Russen toe zonder visum. Op het eiland zijn veel banken gevestigd. Morgenochtend ligt deze cheque bij uw bank in Zwitserland.' De Rus hief zijn wenkbrauwen omhoog. 'Als de cheque niet uitgekeerd wordt, zal ik u weten te vinden. U bent gefotografeerd; in het Winterpaleis en in deze auto. Foto's van uw vliegtuig en piloten zijn in mijn bezit, net zoals de envelop die u mij eerder hebt gegeven, met de vingerafdrukken er nog op. Verder wordt dit gesprek op band opgenomen.'

Andrei wees op een minuscuul microfoontje dat aan het plafond bevestigd was. In zijn opwinding had Leszek het niet gezien.

'Als de cheque niet verzilverd wordt, eindigen wij samen achter de tralies. Geen aangename ervaring voor u, maar lang niet zo erg voor iemand als ik. Dit is mijn land; niet het uwe. Eigenlijk zou iedereen zo veel mogelijk in eigen land moeten blijven; vindt u ook niet? Het voorkomt misverstanden tussen mensen die elkaar begrijpen. Bent u het daarmee eens?'

'Volledig,' stemde Leszek toe. Ofwel, in vertaling: blijf weg uit Rusland, anders beland je alsnog in de gevangenis. Tien miljoen dollar betekende geen absolutie of een eeuwig durende afkoopsom.

Toen de wagen eindelijk voor de Gulfstream stopte, rukte Leszek de deur open en holde de trap op, om zo snel mogelijk weg te komen van deze afgrijselijke man. Eenmaal boven gebaarde hij de stewardess de deur achter hem te sluiten. Leszek plofte in een fauteuil neer terwijl de motoren begonnen te draaien. Het aanbod van een cocktail sloeg hij af. In plaats daarvan vroeg hij om koffie. Koffie, water en aspirine.

Wat een afschuwelijk volk, bedacht hij terwijl hij naar buiten keek. De Gulfstream zette zich in beweging. Een iets kleinere Learjet, in de gifgroene voetbalclubkleuren gespoten van een of andere oligarch, volgde in de richting van de startbaan.

'Iedereen in Rusland is corrupt of immoreel. Een paar rijken stelen het geld van een heel volk. Niemand geeft een zier om elkaar. Ik begrijp niet waarom het Westen altijd zoveel moeite doet.'

Maar Leszeks frons veranderde in een grijns toen de wielen loskwamen van de grond en de neus van de Gulfstream zich trots richting de blauwe hemel verhief. In gedachten trok Leszek een gek gezicht naar Jessica. Ze was ver gekomen, maar niet ver genoeg. Uiteindelijk had hij overwonnen!

Eenmaal veilig in de lucht liet hij een fles champagne ontkurken. Zijn hoofdpijn was verdwenen. Als God zweefde hij boven het grootste land ter wereld. Almachtig was zijn hand. Niets of niemand kon Leszek Mazowiecki afstoppen. Dat was vandaag weer bewezen.

Beneden op het platform keek Andrei Chistov de witte zwaan na. Toen die eenmaal de grond verlaten had, haalde hij de fax tevoorschijn die hij een kwartier geleden had ontvangen. Het document was ondertekend door de museumdokter van de Hermitage. Zonder deze fax had Andrei de vogel nooit laten vliegen. Iedereen moest offers brengen om de hobbelige overgang naar een normaal systeem te overleven en Andrei wist dat zijn eigen grenzen, net als die van het moederland, al akelig ver waren uitgerekt. Maar de grens lag bij moord.

Voor de zoveelste keer las hij de Russische krabbels. De tekst kende Andrei inmiddels uit zijn hoofd.

Eketarina Dobrivenko heeft een gat in haar hoofd en ze heeft veel bloed verloren. Van levensgevaar is gelukkig geen sprake omdat ze snel gevonden is en het opgestoken haar bescherming bood tegen de klap. De zwangerschap hebben we niet onderzocht maar ook daar verwachten we geen complicaties. Als de moeder gezond is, geldt dat voor het kind in de meeste gevallen ook.

Andrei glimlachte en vouwde de tekst weer samen. Feitelijk had hij, via de conciërge weliswaar, het leven van deze vrouw en haar kind gered. Een bescheiden beloning was dus verdiend. En de crimineel die zich nu met bijna duizend kilometer per uur van Sint-Petersburg verwijderde? Hij haalde er zijn schouders over op. De man zou nooit meer naar Rusland terugkeren en had hier geen onherstelbare schade aangericht. Bovendien... Andrei voelde nog eens aan de borstzak waar de cheque verstopt was. Niet slecht voor enkele dagen werk.

Enkele honderden meters voor zich uit zag Victor de Gulfstream het luchtruim kiezen.

'Hij gaat ervandoor! Erachteraan!' brulde hij naar Dmitry, de piloot die naast hem zat. Zijn eigen opluchting dat Jessica geen levensgevaar liep, vergat hij een moment. Victor zat in de cockpit van de groene Learjet, eigendom van een rijke Rus wiens speelgoed hij voor een dag gehuurd had. De bodem van Victors schatkist was bijna bereikt, maar nu had hij in elk geval een machine waarmee hij Leszek overal in de wereld kon achtervolgen. De brandstoftanks waren vol en in het interieur achter hem, dat veel weg had van een luxe bordeel, bevond zich verder niemand.

Dmitry draaide aan de knoppen in de cockpit en vroeg toestemming van de toren om te vertrekken. Uit de vele wijzerplaten en knoppen om hem heen kon Victor geen wijs worden, maar dat was ook niet nodig. Zijn rol vandaag was enkel die van betalend passagier.

'Geen paniek,' sprak de piloot kalm. 'Volgens de toren gaat de Gulfstream naar Edinburgh. Die vlucht duurt een paar uur dus we hebben alle tijd. Dit vliegtuig is sneller.'

Victor echter was bezorgd. 'Dat kan wel zijn, maar ze kunnen heel goed halverwege van bestemming veranderen. En als dat gebeurt, is alles voor niets geweest.' Geen moment geloofde hij dat Edinburgh Leszeks werkelijke bestemming was. Rijke Schotten woonden in Londen dus in het Noorden had zijn doelwit niets te zoeken.

De motoren werden gestart.

'Ook dat is geen probleem!' brulde Dmitry boven het geraas uit. 'Mijn radar houdt hen doorlopend in de gaten. Door mist, wolken of op duizenden kilometers afstand kunnen we ze volgen. Ho! Hier komt onze toestemming om te vertrekken. Hou je vast!'

Enkele seconden later hingen ze in de lucht, maar Victor, die wild om zich heen keek, kon geen spoor van de Gulfstream ontdekken. De piloot wees naar een vlekje op het radarscherm.

'Dat is-em,' zei hij.

Victor had geen andere keus dan zijn lot toe te vertrouwen aan de technologie. 'Kan ik hier ergens bellen?' vroeg hij.

Dmitry wees met zijn duim naar achteren. 'In de cabine bevinden zich telefoontoestellen.'

Victor maakte zich uit de riemen los en liep naar achteren. In de leuning van een enorme, met rood zijde bespannen zetel was een telefoon gebouwd. Hij installeerde zich en probeerde zich even miljardair te voelen, maar het lukte niet.

De Hermitage verbond hem door met een verpleegster in het ziekenhuis en enkele minuten later legde Victor gerustgesteld neer. Jessica lag in bed, met een gewapende agent voor de deur. De diagnose was een lichte hersenschudding en de wond was inmiddels gehecht. Er was geen ander letsel. Momenteel sliep Jessica en dat zou de komende uren zo blijven.

Victor keerde naar de cockpit terug en staarde naar het vlekje. Langzaam kwamen ze dichterbij.

27

November

Leszek liet de resten van de lunch weghalen en stak een lichte havanna op. Normaal rookte hij niet in het vliegtuig, maar voor vandaag maakte hij een uitzondering. Hij keek naar buiten en zag even verderop een Learjet in dezelfde richting vliegen. Het was het groene vliegtuig dat even na hem vertrokken was. Leszek dacht er niet over na en concentreerde zich op het volgende probleem.

Victor was weg uit Amsterdam. Knabbel en Babbel had hij net zo lang onder druk gezet tot ze kwamen met een verhaal over een ontploffing. Op het moment dat het duo over oliebrand begon, wist Leszek genoeg. Dus Victor was vrij en nog inventief ook. Hij dacht aan Jessica en haar baby en voor de tweede keer die dag brak het angstzweet bij hem uit. Zijn vorige assistent zou tot alles in staat zijn. Los van wat er eerder tussen beiden gebeurd was, had de man nu voldoende motivatie om een levenslange klopjacht te ontketenen.

'Vergeet het oorspronkelijke plan om met hem af te rekenen,' praatte Leszek zichzelf moed in. Victor moest zo snel mogelijk geliquideerd worden. Maar hoe?

Eerst besloot hij het project in Königsberg volledig af te sluiten. Het KAISERPFUND was dood; effectief de nek omgedraaid door al die advertenties. Het leven dat hij had kunnen leiden, de droom die uitkwam, leek voorbij maar Leszek kon daar nog niet om rouwen. Op dit moment had hij behoefte aan rust.

Leszek gaf de koersverandering door en liet zijn stoel ombouwen tot bed. Hij was moe. De laatste nachten had hij slecht geslapen en na een dag als deze telden de jaren. Hij vroeg zich af hoe Mick Jagger zich voelde na een paar avonden op het toneel.

Enkele uren uur later naderde zijn Gulfstream de luchthaven van

Frankfurt am Main en werd hij door de stewardess gewekt. Leszek nam een espresso van haar aan en keek gapend door het venster. Tot zijn verbazing zag hij pal tegenover zich, boven de andere baan, de Learjet de landing inzetten. De gifgroene voetbalkleuren waren duidelijk zichtbaar. Even dacht Leszek dat het de Russische douane moest zijn die alsnog de achtervolging had ingezet, maar een seconde later zag hij de waanzin hiervan in. Douaneambtenaren hebben niet de beschikking over Learjets, laat staan dat een dergelijk toestel zomaar voor vertrek gereed staat. Als de douane, of andere autoriteiten in Rusland, Leszek wilden arresteren hoefden ze enkel hun collega's in Duitsland om hulp te vragen. Met behulp van moderne communicatietechnieken was de Gulfstream eenvoudig te achterhalen.

Bleef de vraag wie er wel in het toestel zat en waarom die hem vanaf Sint-Petersburg achtervolgde. Leszek begon te lachen. Wie anders kon het zijn dan Victor? Vandaag was werkelijk een speciale dag. Niet voor het eerst in zijn leven voelde hij zich gezegend door een hogere macht.

'Welkom in mijn huis,' sprak hij plechtig tegen het vliegtuig tegenover hem waarvan het landingsgestel nu uitgeklapt was, en hij barstte uit in een schaterbui. Hij verslikte zich in zijn koffie en moest zich door de stewardess op de rug laten kloppen.

'We komen te dichtbij!' gilde Victor. 'Hij ziet ons! Draai weg! Draai weg!'

'Onmogelijk!' schreeuwde Dmitry terug. 'U wilde tegelijk met hem landen en de toren heeft me deze plaats gegeven. Ik kan niet weigeren. Sterker nog, we mogen blij zijn dat ze ons toelaten. We hebben van tevoren geen vluchtplan ingediend en het is hier altijd druk. Ik heb moeten beloven zo snel mogelijk weer te verdwijnen nadat ik mijn vrachtje heb neergezet.'

'Goed,' morde Victor en zweeg verder. Hij had andere dingen aan zijn hoofd. Hoe te voorkomen dat Leszek ongezien het vliegveld zou verlaten, bijvoorbeeld. Hij staarde naar het slanke toestel voor hem. Ze hadden snelheid teruggenomen en hingen nu schuin achter de Gulfstream. Victor hoopte dat het ver genoeg zou zijn om niet op te vallen, maar vreesde het ergste.

Omdat ze bezig waren met landen kon hij niet terug naar de

cabine en hij vroeg daarom Dmitry via de radio een telefoonnummer voor hem te draaien. Victor praatte enkele minuten in de microfoon en liet daarna de verbinding verbreken.

'Wie was dat?' vroeg Dmitry nieuwsgierig.

'Een vriend komt helpen. Zonder mijn vrienden begin ik niets.'

Eenmaal aangekomen bij de General Aviation terminal wachtte Victor ongeduldig tot Dmitry de motoren had afgezet en er een rijdende trap arriveerde. Victor deed zijn riemen los en nam afscheid van de piloot. Beneden liet hij zijn paspoort zien aan de douaneambtenaar. Victor verzocht hem naar de Gulfstream te rijden die even verderop geparkeerd stond. Hij zwaaide met zijn reistas.

'Een donornier!' schreeuwde hij boven het lawaai van de draaiende motoren uit. Victor wees naar de Learjet. 'Daarom kwamen we hiermee! Als ik niet snel ben, sterft de patiënt.'

Hij kreeg zijn lift; het was slechts enkele honderden meters. De deur van de Gulfstream was dicht, zag Victor toen ze arriveerden. Een andere douaneauto en een lange Mercedes wachtten beide ervoor. Leszek moest dus nog binnen zijn. Hij had geluk.

Victor bedankte de Duitser en verzekerde hem dat hij samen met de passagiers van dit vliegtuig zijn reis zou vervolgen. De man keek hem even wantrouwend aan maar reed uiteindelijk door.

Victor verborg zich achter een betonnen paal. Uit zijn tas haalde hij een digitale camera met zoomlens tevoorschijn en hij maakte snel enkele opnames van de Mercedes. Met name concentreerde hij zich op het kenteken.

Leszek wachtte bewust zodat Victor alle gelegenheid kreeg dichterbij te komen. Na tien minuten vond Leszek het genoeg en liet de deur openen. Rustig daalde hij af. Zijn paspoort werd gestempeld en zijn bagage summier gecontroleerd. Daarna ging Leszek achter in de auto zitten.

Geen moment was hij bang dat Victor hem in Königsberg niet zou kunnen vinden. Iemand die een Learjet kan huren, kan ook een kenteken achterhalen. Zijn taxi was vanuit de Gulfstream gereserveerd en gemakshalve liet Leszek ook via de centrale doorgeven dat hij terugkwam en dat de renovatie van Schloß Königsberg werd afgemaakt.

De middenstand reageerde juichend op het nieuws, zo vernam

hij nu van de chauffeur. Biervaten werden opengeslagen. Zo vierde het dorp de terugkeer van haar gouden kalf. Leszek zat stralend op de achterbank. Met Victor dicht in de buurt was er nog hoop voor het KAISERPFUND. En een knallend afscheid.

Victor zag de Mercedes wegrijden, maar bleef zich verbergen tot de auto uit het zicht was verdwenen. Het was vijf uur in de namiddag; het einde van een mooie herfstdag. Hij dwong zichzelf Boudewijn Faber, Bram de Lint en Jan Overhout uit zijn hoofd te zetten. Ook aan Jessica dacht hij niet langer. In plaats daarvan concentreerde Victor zich op de komende uren. Er stond veel op het spel. Niet alleen zijn eigen leven, maar ook dat van anderen.

Victor schakelde elke mogelijkheid van angst of twijfel uit en kwam in beweging. Via een binnendeur verschafte hij zich toegang tot het luchthavengebouw en hij liep richting aankomsthal. Daar, na ruim een uur wachten, sprak Victor een kleine, bruin getinte man aan die de douane passeerde.

'Ik ben Victor,' zei hij slechts.

Na een korte aarzeling omhelsden beiden elkaar. 'Manuel Gonzalez. Ik ben zo blij je te ontmoeten, Victor. Het is een lange, lange reis die nu haar einde nadert.'

Zijn Engels had een sterk Spaans accent maar Victor kon hem goed volgen. 'Het is een lange reis geweest voor ons allemaal. Hoe was de vlucht uit Mexico?'

'Prima, hoewel ik amper kon slapen sinds het moment dat Jessica belde. Gelukkig weet mijn moeder hier niets van af. Ze zou haar nagels afbijten van spanning.' Victor wees naar de bagage die Manuel had meegenomen: een eenvoudige rugzak en een pakket, verpakt in zwart plastic. Beide waren bedekt met diplomatieke zegels.

'Geen problemen met je speelgoed?'

'Nee. Alles werd zonder vragen doorgelaten. Lang leve de diplomatieke conventie.'

Ze liepen richting uitgang.

'Als ik niet levend uit dat kasteel kom, of Leszek vertrekt alleen, dan moet jij hem tegenhouden. Hoogstwaarschijnlijk is er dan iets fout gegaan en heb ik het niet gered.'

Manuels gezicht betrok.

'Dan moet je niet naar binnen gaan, Victor. Te veel mensen zijn al gestorven.'

'Maak je geen zorgen. Op dit moment beschouw ik me al zo goed als dood. Ik kan hooguit mijn eigen leven terug krijgen.'

Beiden zwegen toen ze door de glazen deuren naar buiten stapten. Het begon al te schemeren en de lucht was kil.

'Als Leszek alleen naar buiten komt, zal het donker zijn en heb ik weinig tijd om na te denken,' sprak de Mexicaan bedachtzaam. 'Richt ik op de borst of op de benen?' Hij wees naar het langwerpige pakket. Victor wist dat daarin een geweer verpakt zat.

'Dat, mijn vriend, is een beslissing voor je eigen geweten.'

Aan de voorkant van het gebouw stond een rij taxi's en de twee stapten in de voorste gele Mercedes.

Via internet had Victor de registratie van Leszeks limousine kunnen achterhalen; de auto stond op naam van een taxionderneming in Königsberg. Het dorp lag in de Taunus, begreep hij tijdens het bekijken van de website. Een dorp voor rijken; een soort Rietschoten. Victors ademhaling ging sneller toen hij zich realiseerde hoe dicht hij het doel genaderd was. In zijn beste Duits belde hij het bedrijf op.

'Mijn oom zou me vanmiddag van de luchthaven ophalen, maar door een misverstand kwam ik te laat. Jullie taxi reed net voor mijn neus weg. Waar is hij naartoe gegaan? Mijn oom heeft een landgoed in de buurt van Königsberg.'

'Uw oom heeft geen landgoed,' corrigeerde de telefoniste. 'Hij heeft een kasteel. Het mooiste van de omgeving dat hij schitterend laat restaureren. Voor velen van ons hier is uw oom alleen daarom al een held.' Ze legde hem de richting uit naar Schloß Königsberg, in de bossen verscholen. Iedere taxichauffeur kende het, werd Victor verzekerd.

Hij gaf de instructie door en keek naar buiten. Manuel zat naast hem; beiden zwegen. In het vallende licht draaide de auto naar het noorden richting de heuvels. De bont gekleurde bossen werden donker.

Toen de taxi voor een hek stopte, stond de zon als een rode bal boven de horizon. Manuel was twee bochten eerder uitgestapt met zijn bagage. Ook Victor stapte nu uit en hij betaalde. Zonder passagiers reed de auto weg.

Eenmaal alleen voor de poort aarzelde hij. Wat te doen, aanbellen of proberen over het hek te klimmen? Dit dilemma werd opgelost toen, vanachter een eik, iemand hem aansprak. Het was een stem die Victor uit duizenden herkende.

'Welkom,' zei Leszek en hij stapte tevoorschijn. Het pak van die ochtend droeg hij nog, net als zijn laarzen. Alleen de das had hij afgedaan. Leszek hield een geweer in zijn handen dat hij op Victor richtte.

'Ik wist dat je zou komen, maar het duurde langer dan verwacht. Onze vliegtuigen zijn al twee uur geleden geland.' Verbaasd keek Leszek in het rond. 'Alleen? Hoogst onverstandig. Kom hier en laat me zien wat je hebt.'

Victor voelde knokige vingers over zijn lichaam glijden. De loop van het geweer werd tegen zijn nek gedrukt. Het voelde koud en metalig aan.

'Geen wapen of microfoons? Ik vertrouw niemand meer na vandaag. De wereld is gek geworden. Ik kan je er verhalen over vertellen.'

Leszek overtuigde zich ervan dat er nergens verrassingen voor hem verborgen waren en stapte naar achteren. 'Blijkbaar ben je schoon. Een wonder want wat anders brengt je hier? Begin maar te lopen en maak geen onverwachte beweging. We gaan naar het kasteel; de opzet zal je inmiddels wel bekend zijn. Het *Requiem* van Mozart moet je er maar bij denken. We gaan samen dansen op je graf.'

Hij drukte op een knop en het hek zwaaide open. Victor stapte naar voren, in gedachten afscheid nemend van alles wat hem aan het leven bond.

'Blijf lopen. Het kasteel zie je zo. Ik blijf tien meter achter je dus probeer niets doms; dat leidt enkel tot een snellere dood. En zwijg totdat we binnen zijn. Daar hebben we tijd genoeg om te praten. De eeuwigheid lang, als je wilt.'

Victor hield zijn mond en liep over een nieuw geplaveide oprijlaan. Het silhouet van een kasteel doemde op. Het was enorm groot, zag hij, maar hij kon geen details onderscheiden. Het werd nu snel donker; de zon was onder.

Door een openstaande deur ging hij naar binnen en even later kwamen ze in een soort hal terecht.

'Rechtsaf,' commandeerde Leszek. 'Loop door en stop voor de tafel in het midden. Daar staan blijven.'

Victor gehoorzaamde en even later stond hij stil. Nieuwsgierig keek hij om zich heen. De ruimte was erg hoog en groot. De stenen vloer was smerig. Leszek begon, steeds met het geweer op Victor gericht, in verschillende hoeken van de zaal kaarsen aan te steken. Blijkbaar werkte de elektriciteit nog niet. De laatste drie kaarsen werden in een kandelaar op tafel geplaatst, tegenover Victor. De kaarsen waren niet meer dan eilandjes van licht, maar hij kon nu wel meer onderscheiden. Deze zaal was helemaal van steen en leek eeuwenoud. Op de grond lag overal afval en los slingerend bouwmateriaal. Nergens was een spoor te zien van de pracht en praal die ongetwijfeld later zou volgen.

Leszek ging achter de tafel zitten en legde het geweer voor zich neer, de loop op Victor gericht. Leszeks gezicht werd beschenen door kaarslicht. Hij zag er ontspannen uit, vond Victor, die hem al maanden niet gezien had. Gelukkig bijna. Ook hij ging zitten op een houten stoel en vroeg zich af of zijn tegenstander wist dat Jessica nog leefde. Waarschijnlijk niet. Victor strekte zijn rug en probeerde de gedachten aan haar te verdrijven.

Leszek reikte naar onderen en pakte een sporttas die hij in Victors richting wierp. De tas plofte voor zijn voeten neer.

'Hier zit alles in wat je nodig hebt. Zoals voor al mijn assistenten eindigt ook voor jou hier de weg. Je wilde toch in mijn voetsporen treden? Wel, als beloning voor je harde werken gaat dit vanavond gebeuren en wel in de meest letterlijke zin van het woord. Doe je eigen kleren uit en laat ze op de grond liggen. In de olietank heb je ze niet meer nodig.'

Dus dit was het lot dat hem wachtte, begreep Victor en hij werd koud vanbinnen. Daarom had Leszek hem met rust gelaten, al die maanden in Amsterdam. Om als verkoold lijk gevonden te worden na een oorverdovende explosie. Hij dacht terug aan hoe zijn voorganger in de koelcel er had uitgezien en rilde.

'Vertel eens over mijn voorganger. Wat was dat voor iemand?'

'Philippe?'

'Hij heette Phillippe?'

Leszek schaterde van de lach. 'Ja. Philippe was niet zo onnozel als jij, maar meer het type ideale schoonzoon. Hardwerkend, bescheiden en overtuigd van het goede in de mens. Philippe beleefde de verrassing van zijn leven toen ik hem in die olietank wierp en het deksel op zijn vingers gooide. Hij dacht, geloof ik, dat hij mijn zoon was en ik zijn vader.'

'Geloof me, die fout zal ik niet maken.' Victor gedacht even het slachtoffer dat hem was voorgegaan en voelde, ondanks Leszeks ontkenning dat ze familie waren, verwantschap.

'Dit is ook voor jou, Philippe. Rust zacht,' mompelde hij binnensmonds en hij opende de tas. Er zat een kostuum in, een overhemd en, geen verrassing hier, een paar glimmend gepoetste laarzen. Hij vond ook een juweliersdoosje met daarin een gouden ring. Hij hield het sieraad omhoog. 'Geen erfstuk, hoop ik? Het blijft toch zonde.'

'Een ring zoals iedere bisschop draagt. Te koop voor een paar honderd euro bij elke willekeurige juwelier en onmogelijk te achterhalen. Geen grappen meer, en doe die kleren aan. De ring ook. Ringvinger rechterhand.'

Victor gehoorzaamde. De laarzen knelden; zoals hij had verwacht. Met moeite schoof hij de ring om zijn vinger. Hij keek er even naar. Het uitwisselen van ringen had hij zich heel anders voorgesteld.

'En toch had Jessica gelijk,' vervolgde Victor op keuveltoon. 'Je had beter thuis kunnen blijven om die kerk van je vader schoon te vegen. Dat had de wereld een hoop ellende bespaard.'

'Mijn vader had genoeg vrijwilligers,' reageerde Leszek. 'Aan mijn hulp had hij geen behoefte.'

'Was dat jouw probleem niet, Leszek? Dat je vader je niet nodig had? Dat hij je afwees?'

Ook deze provocatie werd genegeerd. Leszeks vinger speelde met de trekker.

'Blijf praten, Victor. Blijf praten want mijn problemen zijn de jouwe niet. Jouw problemen zijn groter.'

Hij schoof het wapen een paar centimeter voor zich uit.

'Je lichaam zal nooit gevonden worden want het wordt onder mijn naam onder de grond gestopt tijdens een emotionele plechtigheid. Ik zal herdacht worden en jij vergeten. Je ziet, tot het laatst blijf je de onzichtbare dienaar. Niet dat het veel uitmaakt, want zonder talent had je bestaan toch weinig zin. Stel je tranen uit; Jessica en de baby zie je snel weer.'

Victor zag dat de vinger kracht begon uit te oefenen en de trekker bewoog. Zweet begon te parelen op zijn voorhoofd.

'Vertel met wie je gepraat hebt,' ging Leszek verder. 'Vertel waar die lijst is met mensen die op de advertentie reageerden. Misschien laat ik je dan in leven. Misschien niet. Het hangt helemaal van jezelf af.'

Victor slikte, maar dat ging moeilijk met een droge keel.

'Het gaat er niet om of ik in leven blijf, Leszek. Het gaat erom dat jij gestopt wordt.' Hij verhief zijn stem. 'Je hebt fouten gemaakt, Leszek. Grote fouten, elk jaar weer. Fouten die je nu fataal geworden zijn.'

Victor stak een vinger naar hem uit. 'Waarom denk je dat ik hier ben, ongewapend en zonder hulp? Om mij aan te bieden als zoveelste slachtoffer? Zo gek ben ik niet. Zo gek is niemand. Waarom denk je dat ik hier werkelijk ben?'

Een verbaasde trek verscheen op het gezicht aan de overkant. Iets van Leszeks zelfvertrouwen verdween.

'Daar heb ik me over verbaasd, moet ik toegeven. Ik kon je zo bij het hek oppikken. Maar je hebt geen gelijk. Ik maak geen fouten. De enige die fouten maakt, ben jij.'

'Alweer fout. De grootste fout die iemand kan maken, is geloven in zijn eigen onfeilbaarheid. Precies waar je me zelf ooit voor waarschuwde.'

Het werd stil terwijl zijn woorden nagalmden. Victor wees naar Leszeks voeten. In het duister glommen de laarzen.

'Je bent ijdel, Leszek. Je bent iemand die met verhoogde hakken door het leven gaat, altijd glimmend gepoetst. We willen allemaal groter of mooier lijken dan we in werkelijkheid zijn, maar jij overdrijft het een beetje. Je vader was ongetwijfeld groter dan jij; behoort dit misschien tot de pogingen op hem te lijken? Droeg je vader ook een gouden ring? We hebben het niet onderzocht, maar het zal me niet verbazen als dat het geval was.'

Leszek begon nu te trillen van woede. 'Wat bedoel je?' schreeuwde hij naar Victor. 'Welke fouten heb ik gemaakt?'

Met een van razernij vertrokken gezicht stond Leszek op, rukte het geweer van tafel en richtte het op Victors hoofd.

'Als je mij nu niet gelijk vertelt waarover je het hebt, schiet ik je hier en nu dood! Die slimmigheidjes van je kan je dan in de hel verkopen.'

Victor sprak zo langzaam mogelijk. 'Alle assistenten droegen laarzen toen ze dood gevonden werden. Allemaal glimmend gepoetst, net als het paar dat ik nu aan heb. Maar ingevet leer brandt niet. Het smeult.'

Leszek keek alsof hij er helemaal niets meer van begreep. 'Ja? En?'

'Gaat je geen lichtje branden? Al die voeten van mensen die je vermoord hebt, zijn nog gaaf! Met behulp van DNA-analyse kan aangetoond worden dat er anderen in die graven liggen! Als ze ooit geopend worden, ben je er gloeiend bij.'

Leszek liet het wapen naar beneden zakken; een grijns van opluchting tekende zijn magere gezicht.

'Leuk gevonden, maar dat bewijst enkel dat ik nog leef. Niet wat ik heb gedaan.'

'Wat heb je dan allemaal gedaan?' vroeg Victor, zijn vreugde over deze opening verbergend.

'Moet ik jou dat nog uitleggen? Ik dacht dat jij alles wist! Ik heb dorpen gebrandschat, mensen vermoord, kunst gestolen. Ik heb alles gedaan wat God verboden heeft.'

'Juist. Dat is bekend. Maar niemand weet precies waarom. Waarom heb je het gedaan?'

Victor smeet de woorden als kogels door de lucht. Leszek schreeuwde net zo hard terug.

'Waarom? Omdat mensen mij erom vroegen! Daarom!'

'Onzin! Mensen vragen er niet om bedrogen te worden. Mensen vragen er niet om dat hun kinderen...'

'Wel waar! Iedereen vindt de droomwereld aantrekkelijker dan de werkelijkheid! Waarom anders is de wereld zo gefascineerd door Hollywood en het leven van de sterren? Waarom anders besteedt men uren aan het kijken naar stompzinnige tv-programma's? Omdat een namaakwaarheid interessanter is dan hun eigen onbeduidende leven!'

Leszeks gezicht was rood aangelopen; aderen stonden gezwollen op zijn voorhoofd. 'En wat kinderen betreft: het liefst zouden ouders hun opvoeding uitbesteden! Vroeger werden kinderen opgevoed door de school, de kerk of het leger, maar die hebben hun gezag verloren! Tegenwoordig krijgen kinderen hun voorbeelden van beroemdheden en computerspelletjes!'

Victor schudde zijn hoofd; zweetdruppels vlogen in het rond. Dit was het meest krankzinnige dat hij ooit gehoord had, maar hij moest het hoofd koel houden.

'Dus jij bewijst die kinderen eigenlijk een dienst?'

'Ja! Eerst geef ik de ouders wat ze willen, een exclusieve club voor hen en rolmodellen voor hun kinderen. Daarna neem ik alles weg. Geld, kunst, stages en die belachelijke obsessie van hen voor beroemdheden. Als ze eenmaal met lege handen komen te staan, zijn ouders wel gedwongen hun kinderen aandacht te geven! Ze kunnen die niet langer negeren!'

Dus dit was Leszeks wraak, begreep Victor. Als ouders niet wilden horen, moesten ze maar voelen. Leszek nam en Leszek gaf. De man wilde heersen als God, maar was zelf blijven hangen in een tussenstage van de puberteit. Alles werd uitgedrukt in de supergevoelige relatie tussen ouder en kind. Het enige wat Leszek had willen doen, was zijn eigen vader straffen.

'Dus daarvoor moesten Boudewijn en Sylvia sterven? En Bram de Lint, Jan Overhout en zijn gezin?'

'Om monumenten te maken zijn splinters nodig. Offers! Je vergeet overigens al die honderden ouders die hun kunst en illusies aan mij verloren. Ik hoop dat ze hun lesje hebben geleerd.'

'Ik vergeet helemaal niemand,' zei Victor en hij bukte. Hij zocht iets in zijn eigen broek, vond het mobieltje en drukte op een toets. Godzijdank was er een goede ontvangst ondanks dat het gebouw van steen was en omringd door hoge bomen. Al na twee keer overgaan werd opgenomen, en Victor sprak enkele woorden voordat hij het apparaat naar Leszek toegooide. 'Voor jou. Een splinter.'

Leszek keek hem niet-begrijpend aan en zette de telefoon aan zijn oor. Een moment later draaide hij de arm weer weg. De vloedgolf van woede die over hem heen werd gespoeld was zelfs voor Victor hoorbaar. Het was een vrouwenstem, die in niet mis te verstane bewoordingen duidelijk maakte hoe zij over William Scarborough dacht.

'Wie is dit?' gebaarde Leszek hulpeloos.

Victor kon een glimlach niet onderdrukken. 'Mevrouw Bastiaanse. Ooit een bewonderaar.'

Jessica werd wakker uit een diepe, kunstmatige slaap. Ze opende haar ogen, maar wist niet waar ze was. Haar ogen konden niets zien, want het was donker. Wat ze wel voelde waren de pijnsteken in haar hoofd. Gedesoriënteerd en misselijk probeerde ze iets te onderscheiden van haar omgeving. Ze lag in bed en het rook naar medicijnen.

Herinneringen golfden terug. Ze liep voor Leszek uit, door de donkere gangen van het Winterpaleis. Hij zei iets tegen haar, maar daarna wist Jessica niets meer. Blijkbaar was ze gevonden en hiernaartoe gebracht. Lag ze in een ziekenhuis? Waarschijnlijk.

Haar armen graaiden, op zoek naar iets waarmee ze alarm kon slaan. Langs de muur hing een koord. Ze trok hard. Enkele seconden later ging de deur open en een in een wit uniform geklede vrouw kwam binnen. Ze leek op haar moeder vroeger. Groot, bol en grijs.

'Kijk, onze patiënt is wakker. Wat kan ik voor je doen?'

Het licht deed Jessica enorme pijn, maar aan haar tong mankeerde niets. 'Mij mijn telefoon geven, alstublieft. Ik moet mijn vriend bellen. Het is een zaak van leven of dood.'

Dit verzoek leek de verpleegster te amuseren. Ze liep verder de kamer binnen.

'Mobiele telefoons storen de apparatuur, meisje. Daarom moeten ze in een hospitaal worden afgezet. En...'

'Breng dan verdomme een vaste telefoon!' vloekte Jessica en haar hoofd spleet alsof er iemand enthousiast met een hamer op hakte.

'Moment, moment... iedereen heeft haast tegenwoordig.' De verpleegster slofte weg en liet haar alleen.

'Dat had je niet verwacht, hè? Klootzak! Hufter! Tuig!' klonk het iets buiten Leszeks oor en Victor luisterde mee. 'Door jou heb ik twee Van Goghs verloren! Door jou zijn mijn kinderen radeloos over hun toekomst! Maar nu hebben we je te pakken! Je bent erbij! We gaan je...'

Victor zag afwisselend ontzetting, haat en woede op Leszeks gezicht geschreven en hij begreep dat dit te ver ging. Hij greep de telefoon terug.

'Zo is het genoeg, mevrouw Bastiaanse,' zei hij. 'We hebben Leszek nog nodig, vanavond. Het heeft geen zin hem zo tegen ons in het harnas te jagen.'

Victor stak de telefoon in zijn zak. Leszek leek zich slechts met moeite van de schok te herstellen.

'Zoals je ziet kunnen wij alles wat jij kan,' grijnsde hij. 'We verzamelen alle eerdere slachtoffers als je niet doet wat wij zeggen.'

Leszek zocht zichtbaar naar woorden. Toen die uitbleven, greep hij naar het geweer. Op dat moment rinkelde Victors telefoon. Leszek staarde ernaar alsof hij niet langer kon bevatten wat hier gaande was. Victor keek op het schermpje en lachte breed. 'Sint-Petersburg. Dat is vast en zeker weer een splinter. Ze blijven bellen, vanavond. Het is werkelijk een speciale dag.'

Hij drukte op de knop.

'Dag Jessica. Ja, met mij. Heb je goed geslapen? Ja, Leszek is hier en alles is onder controle. Hij is zo mak als een lammetje. Dat kussen onder je buik was achteraf toch niet nodig geweest. Leszek vertrouwde me namelijk net toe dat hij al zijn misdaden pleegde uit liefde voor kinderen. Is dat niet ontroerend?'

Het lijdend voorwerp van deze conversatie zweeg en zat roerloos in zijn stoel, mond en ogen wijd opengesperd.

Enkele minuten later legde Jessica de hoorn neer en slaakte een zucht van verlichting. Ze probeerde haar lichaam op te richten en haar benen onder de dekens vandaan te wurmen. De verpleegster kreeg haast een hartverlamming toen ze het zag.

'Wat doe je nu? Dat kan niet!'

'Dat kan wel. Ik vertrek en u houdt mij niet tegen. Bel een taxi alstublieft. Ik moet naar het vliegveld.' Een moment lang probeerde Jessica te blijven staan, maar het was een hopeloze poging. Misselijk van de pijn viel ze terug en ze moest toestaan dat ze als een baby ingestopt werd. Jessica werd overgehaald een nachtje te blijven. Maar niet langer, beloofde ze zichzelf, nadat de verpleegster was vertrokken om eten, drinken en medicijnen voor haar te halen. Victor mocht niet alle plezier met Leszek beleven. Hij moest iets overlaten.

Victor liep heen en weer om de spanning uit zijn lichaam te verdrijven.

'Na afloop van IMPERIUMBOUWER wisten we dat je ergens anders weer opnieuw wilde beginnen. We hadden echter geen idee waar. Je kon over de hele wereld zijn en je willekeurig zoeken was zinloos. Met name omdat we je ook niet wilden afschrikken want dan zou je voor altijd onderduiken. Maar zelfs als je gevonden zou worden, ontbrak elk bewijs van schuld. Zo was er geen enkele aanwijzing dat je betrokken bent bij de dood van Boudewijn, Jan en hun families. We besloten dan ook dat jij ons moest vinden in plaats van omgekeerd. Vandaar die advertentie in de krant, die wonderwel gewerkt heeft. Dat, samen met Jessica's goede relaties met de conservatoren van de Hermitage, stelde ons in staat de rollen om te draaien. Zonder het te weten, werd de jager prooi. Net als jij lokten wij ons doelwit met iets wat niet te weerstaan was. Een tentoonstelling over Morgan, Mozart en Rembrandt.'

Leszek keek hem vuil aan, maar liet Victor doorpraten. Het geweer bleef op tafel.

'Jou een bekentenis ontlokken zou onmogelijk zijn. En dus besloot ik hier te komen. Jij en ik, slachtoffer en dictator, wij zitten samen namelijk vast in een patstelling.'

Hij keerde terug naar de stoel. 'Zie je de ironie niet in? Jij hebt me willen gebruiken, maar uiteindelijk heb je een kloon van jezelf gecreëerd. Een kopie die de meester fataal werd.'

Victor wees op de kleren en de ring. 'Zelfs uiterlijk lijken we nu op elkaar en ik voel me zelfs een beetje Leszek geworden. Voor een buitenstaander kunnen we broers zijn. Sterker nog; in werkelijkheid zijn wij tweeën meer dan broers. Ons lot is namelijk onverbrekelijk verbonden.'

Victor zag het onbegrip in Leszeks ogen. 'In Amsterdam had ik twee keuzemogelijkheden. De weg van Bram, zonder strijd opgeven, of het gevecht. Maar geen gevecht is te winnen zonder iets van de tactieken en strijdmethodes van de tegenstander over te nemen. Ik kon de vrijheid terugkrijgen door jou door iemand in Sint-Petersburg te laten doodschieten. We waren er immers zeker van dat je naar de Hermitage zou komen. In Rusland zijn huurlingen genoeg die voor een schijntje iemand omleggen. Een paar duizend dollar was genoeg voor mijn wraak. Ik had het zelfs kunnen laten filmen en de dvd vervolgens kunnen afdraaien op eenzame winteravonden.'

Even werd het stil. Leszek opende zijn mond in ontzetting.

'Daar had je niet aan gedacht? Maandenlang heb ik die optie overwogen, maar uiteindelijk besloot ik ervan af te zien. Anders zou elk verschil tussen ons wegvallen en ik voelde mijn ziel al zwakker worden. Ik had Acorn Brothers voor vijf miljoen euro gechanteerd en een bom laten ontploffen op de Keizersgracht; alles om de jacht op jou te kunnen openen.'

Victor vouwde zijn handen open. 'Wel, de jacht is voorbij en tussen ons staat het gelijkspel. Geen van beide partijen kan namelijk winnen. Als je mij doodschiet, neemt de politie de jacht over en laat Jessica duizend slachtoffers op je los. Het wordt interessant voor haar om te zien wie je het eerst vindt. Persoonlijk gok ik op de miljonairs. Die hebben meer geld en een grotere motivatie. Wat denk jij?'

Leszek greep het geweer en hield het met witgeklemde knokkels vast. 'Het verbaast me dat je weinig hecht aan je eigen leven.'

'Mijn leven was voorbij op het moment ik hier binnen liep. Het kwaad kan ik niet bestrijden zonder daar zelf deel van te worden. Je hebt me aangeraakt, veranderd en de Victor van nu bevalt me niet.'

'Misschien kan ik de Victor van nu een handje helpen,' spotte Leszek. Hij spande de haan en richtte op het borstbeen. Victor voelde een licht gekriebel en wachtte. Lang bleef het stil. Toen liet Leszek het geweer zakken.

'Ik kan mijn eigen veroordeling niet uitvoeren,' fluisterde hij, duidelijk in gevecht met zichzelf.

Daar ben je te laf voor, bedacht Victor, maar zweeg.

'Overigens, Victor, spreek je jezelf tegen. Die vrouw die mij daarnet uitschold, wist alles. Ongetwijfeld heeft ze het ook aan de buren verteld en haar vriendinnen. Binnenkort staat het nieuws van IMPERIUMBOUWER in alle kranten.'

'Mevrouw Bastiaanse? Ik ben je een bekentenis schuldig. Die stem was van een actrice; iemand die betaald werd te schreeuwen op het moment dat ik belde. Zij moest een indruk geven van de woede die de wereld rondgaat zodra die van je misdaden hoort.'

'Een interessant hoorspel. Wat doen we nu?'

'Niets. We wachten tot een van ons een oplossing vindt.'

Ze staarden elkaar aan, in dezelfde plunje gekleed; voor het eerst op voet van gelijkwaardigheid. Het geweer, irrelevant geworden, lag op tafel. Na een lange stilte schraapte Victor zijn keel.

'Toen ik zei dat geen van ons dit kon winnen, sprak ik niet helemaal de waarheid. Er bestaat namelijk een manier waarop we hier allebei uit kunnen komen. Een compromis waar Bram de Lint trots op zou zijn geweest.'

Leszek fronste zijn wenkbrauwen. 'Ik houd niet van het compromis. Dat zijn vaak stinkende oplossingen.'

'Toch is dit de enige mogelijkheid als er een toekomst moet zijn voor jou en mij. Ik zal het niet hebben over de moraliteit van alles wat je gedaan hebt. Feit is echter dat we je willen afstoppen en alles wat je met IMPERIUMBOUWER en andere fondsen verdiend hebt, teruggeven. In ruil daarvoor bieden we je de vrijheid aan. Geef ons je buit en je kunt gaan en staan waar je wilt.'

Leszeks gezicht vertrok zich in ongeloof. 'Dus je waagt eerst je leven door hier te komen en nu wil je vertrekken met alles waarvoor ik gewerkt heb? Waanzin!'

Victor schuifelde met zijn laarzen over de stenen vloer. 'Beantwoord deze vraag voor me. Toen je al die biografieën over beroemde mensen las, had je toen niet het gevoel dat iets dergelijks jou ook toekwam? Vond je het niet vervelend dat, ondanks al je successen en talent, niemand ooit te weten zou komen hoe je die verschillende werelden veroverde? Als je nu verdwijnt, is er niets wat de herinnering aan jou levend houdt.'

Leszek aarzelde en Victor voelde dat hij beet had. Nu moest hij voorzichtig de lijn binnenhalen. Deze vis zou bij elk verkeerd gekozen woord van het haakje kunnen glippen. Dit was de belangrijkste hengel die hij ooit uitwierp.

'Wel, nu je het zegt inderdaad...'

'Juist. Jij sprak altijd over de fascinatie van de mensheid voor talent. Maar er is nog een andere fascinatie die minstens zo oud is. De fascinatie voor het kwade.'

Victor stond op en begon voor Leszek heen en weer te ijsberen als was die een lid van de jury dat overtuigd moest worden.

'Als de duivel een biografie publiceerde, zou de hele wereld het document willen kopen. Binnen een week wordt dan de bijbel ingehaald als meest verkochte boek ooit. Monsters als Hitler, Stalin, Mao of Jack de Ripper spreken nog altijd tot de verbeelding hoewel ze al tientallen jaren dood zijn. Zelfs een misdadiger als Ronald Biggs, die een klein rolletje had in de Engelse treinroof, kon daarna decennialang zich als een beroemdheid gedragen in Brazilië. Slechtheid fascineert. Meer dan goed gedrag.'

'Nou en? Verwacht je dat ik mijn biografie ga schrijven?'

'Jij niet zelf natuurlijk. Een professional. Iemand die eerder met het bijltje gehakt heeft. Maar het antwoord is absoluut positief. Er komt een biografie van Leszek Mazowiecki, de man die op geniale wijze elf dorpen oplichtte. Een boek dat ook hedendaagse misstanden aan de orde stelt. Denk aan de fascinatie voor beroemdheden of het gebrek aan aandacht van ouders voor hun kinderen. Denk aan de zinloosheid van het bestaan als je geen monument voor jezelf kunt oprichten. Dit wordt een uniek document. Nooit eerder publiceerde een briljante kwaadaardige geest zijn memoires terwijl hij nog leefde. Dit wordt je toegangskaart tot onsterfelijkheid.'

'Maar...' Leszek worstelde duidelijk om het woord uit de mond te krijgen, 'als mijn biografie gepubliceerd wordt, weet iedereen wat ik gedaan heb! Ik zal moeten vluchten! Me verbergen in een hol.'

'Voor wie precies? De politie kan weinig beginnen. Misbruik van voorinformatie en brandstichting zijn onmogelijk te bewijzen. En moord... je zult die lijken uit hun graven moeten halen om elke kans van ontdekking uit te sluiten, maar verder heb je van de politie weinig te duchten.'

'En die miljonairs dan? Enkele minuten geleden dreigde je al mijn slachtoffers op me af te sturen.'

'Collectief, ja. Als individu zullen ze echter niets ondernemen. Het slachtoffer wordt bespot en de dader krijgt de aandacht, zo is het en zo zal het altijd blijven. Zolang onze lijst niet bekend wordt, blijf je veilig. Dat is de verzekeringspolis voor Jessica en mijzelf. Je hoeft je enkel op een geheime plek verborgen te houden en je kan stil genieten van je beroemdheid.'

Leszek dacht na. Victor meende een flikkering van diep verlangen in zijn ogen te zien. 'Heb je al een titel?'

Victor glimlachte. 'Wat dacht je van "De IMPERIUMBOUWER"?'

'Nee, die naam heb ik al eerder gebruikt. Ik zal iets anders moeten verzinnen,' peinsde Leszek. Het idee leek hem te fascineren. 'Dus jullie willen het geld en de schilderijen. Wat ga je ermee doen?'

'Het geld gaat naar liefdadigheid; de schilderijen terug naar de eigenaren.'

Ze hadden het er lang over gehad, Jessica en hijzelf. Alle discussies gingen via e-mail. Al snel waren ze het eens geweest dat teruggave van het geld onmogelijk was. Het zou in elk dorp de affaire weer oprakelen en dat was niet de bedoeling. Maar schilderijen konden op miraculeuze wijze teruggevonden worden, in een kelder of andere plaats waar de brandweer daarvoor niet had gekeken. Leszek had slechts één vraag. Het was de vraag die hem duidelijk het meest bezighield.

'Hoe kun je er zeker van zijn dat ik stop met mijn fonds?'

'Wij denken dat je zelf die beslissing al genomen hebt. Stoppen op het hoogtepunt is beter dan blijven aanrommelen in de marge. Bovendien: we laten je geen keuze. De politie stuurt een algemene waarschuwing uit naar banken en dorpen. Neem van mij maar aan, IMPERIUMBOUWER is dood.'

Leszek leek dit even te overwegen, slikte toen en zei: 'Ik ga akkoord op voorwaarde dat die biografie er komt.'

'Fijn.' Victor leunde naar voren en, voordat Leszek iets kon doen, greep hij het geweer van tafel. Gelijk richtte hij de loop omhoog, waar die geen kwaad kon. Na een korte aarzeling liet Leszek hem begaan. Victor klom op de tafel en torende nu hoog boven Leszek uit.

'Onze overeenkomst geldt niet voor Jessica. Ze deed alsof ze zwanger was om je tot beheersing op te roepen vanochtend. Dat is niet gelukt. Je hebt haar laf neergeslagen en voor dood achtergelaten.'

Nog hoger werd het geweer gericht. De kolf wees nu recht op Leszeks hoofd. Zweetdruppels aan beide kanten glansden in het kaarslicht. Alles om hen heen was donker.

'Dit is voor Jessica. En ons ongeboren kind.' Met geweld bracht Victor de kolf naar beneden.

'PANG!'

Door de klap ging het geweer af. Het geluid echode door de ruimte en de kogel verdween zonder schade aan te richten. Leszek werd op de vloer gesmeten en bleef daar roerloos liggen. Enkele seconden later stormde Manuel de ruimte binnen, met zijn geweer in de aanslag en druk heen en weer gebarend alsof hij elk moment wilde gaan schieten. 'Wat is hier gaande? Handen omhoog!'

Victor gehoorzaamde. Manuel wreef met zijn handen in zijn ogen.

'Ben jij dat? Je hebt dezelfde kleren aan als hij. Wat voor spelletjes spelen jullie? Is dat Leszek die op de grond ligt? Is hij dood?'

'Nee. Ik heb hem neergeslagen.'

'Dat was niet de afspraak!'

'Onzin. Dit was net zo nodig als al het andere. Oog om oog, tand om tand. Help liever in plaats van te prediken.'

Victor legde het geweer neer, liet zich van tafel zakken en begon aan Leszeks benen te trekken. Om diens verwondingen beter te bekijken had hij licht nodig.

'Je kunt de kandelaar beter naar Leszek brengen,' raadde Manuel aan, 'in plaats van Leszek naar de kandelaar.'

'Hoe toepasselijk,' hoonde Victor, maar hij volgde het advies op. Bij het kaarslicht keerden ze het lichaam op de rug. De ogen waren gesloten en Leszek ademde zwaar. Op zijn voorhoofd stond een rode vlek. Een zwelling kwam opzetten en bloed druppelde naar buiten. Het was een schaafwond en waarschijnlijk een hersenschudding. Meer niet.

28

November

In de vroege ochtend van de volgende dag nam Victor afscheid van Manuel. De Mexicaan legde zijn bagage in de taxi en vertrok naar het vliegveld.

Leszek hadden ze als een rollade vastgebonden en zo tilde Victor hem uit het kasteel. Eerder had hij telefonisch in Königsberg een BMW gehuurd en die werd nu voor de reis klaargemaakt. Leszek was inmiddels bij kennis gekomen en keek hem woedend aan. Iets zeggen was echter onmogelijk want zijn mond was dichtgeplakt met luchtdoorlatend plastic; Leszek kon ademen, maar niet praten. Hij was bleek weggetrokken en had waarschijnlijk last van knallende hoofdpijn, maar dat kon Victor niets schelen.

Hij snoerde Leszek liggend vast op de achterbank en ging er zelf naast zitten met het geweer op schoot, onder een deken verborgen. Hij haalde het plastic even weg.

'Waar gaat de reis naartoe? Zwitserland?'

Leszek knikte moeilijk, het water accepterend dat in zijn mond werd gegoten. 'Montreux. In de bergen.'

'Bedankt.'

De tape werd weer aangebracht. Victor ging achter het stuur zitten en begon te rijden.

Acht uur later, tegen het eind van de middag, kwamen ze in het stadje aan, gelegen aan het meer van Genève. Op aanwijzingen van Leszek klom de auto omhoog. Na een tijdje werden ze tegengehouden door een stalen hek. Leszek gaf de toegangscode en de weg cirkelde verder, kilometers de lucht in. Er groeiden geen bomen hier; er was enkel rots. Het uitzicht over de Alpen was adembenemend en de zon scheen. Toen zag Victor een tegen de berg gebouwde bungalow opdoemen. Hij parkeerde voor de deur.

Hij maakte Leszeks voeten los en duwde hem de auto uit. Het geweer hield hij vast.

'Jij eerst, want jij kent de weg. Geen grapjes of ik schiet.'

Met kleine stapjes en een van pijn vertrokken gezicht – zijn bloedcirculatie kwam slechts langzaam op gang – schuifelde Leszek voor hem uit. De voordeur werd geopend met nog een code en Victor volgde hem naar binnen. Hij had een paleis verwacht, maar de inrichting was eerder kaal te noemen; goedkope meubels op houten vloeren. Aan de muren hing geen enkel schilderij. Het mooist was nog het uitzicht vanaf het balkon over de bergen; de meeste toppen waren inmiddels bedekt door de eerste sneeuw.

Behalve het uitzicht had het huis niets speciaals. Het leek eerder op een klooster dan een miljonairsnest. Leszek leidde hem naar de studeerkamer. Op het bureau stond een laptop. Victor herkende de computer; op De Eendenhorst had hij die eerder gezien. Victor verwijderde de tape voor Leszeks mond.

'Je kunt nu praten. Niemand kan je horen.'

Nadat hij Leszek wat water en brood had gegeven, zette Victor de computer aan. Het scherm lichtte op en vroeg om een wachtwoord.

'Julia,' zei Leszek uit zichzelf. 'De naam van mijn moeder,' voegde hij daaraan toe.

Victor tikte het zonder commentaar in. Leszeks complexen waren te veel voor hem. Nog veel meer wachtwoorden werden gevraagd en allemaal verwezen ze naar het verleden. Nadat alle beveiligingen waren doorlopen, verscheen er een nieuw scherm, vol met iconen van banken. Victor telde er zeker tien.

'Met welke beginnen we?'

'United Trust op de Nederlandse Antillen,' wees Leszek. 'Daar staat het meest.'

Leszek kende alle toegangscodes uit zijn hoofd en Victor floot toen hij de bedragen zag. Maar liefst vierhonderd miljoen euro stond op deze rekeningen.

'Je hebt zelfs niets op deposito gezet?'

'Nee. Renteontvangsten leiden tot nieuwsgierige vragen van de belastingdienst.'

Uit zijn zak haalde Victor een lijst bankrekeningen tevoorschijn en hij begon de computer instructies te geven het geld over te maken.

'Waar gaat het naartoe?' vroeg Leszek.

'Afrika; mijn volgende uitdaging. Vierhonderd miljoen euro moet genoeg zijn om een oude belofte na te komen. Ik ga mijn vriend wreken en een volk helpen. Een investering in rolmodellen wordt de beste investering ooit gedaan. En daarbij: de rechtmatige eigenaren hadden deze centen toch al afgeschreven.'

Victor drukte op de verzendtoets. Seconden later kwam een e-mail binnen dat de opdrachten ontvangen waren en in behandeling. Een Luxemburgse bank accordeerde als eerste. Daarna volgden een Belgische, Zwitserse, Nederlandse en nog veel meer. Een uur later was Victor klaar. De computer sloot hij af en nam hij mee. Wellicht stonden er nog rekeningen op die hij gemist had.

Hij volgde Leszek een betonnen trap af richting de kelder. Een kwartier later keerde Victor naar het balkon terug. Hij was alleen. Leszek was met de deur op slot achtergelaten in een slaapkamer. Met de Rubens in handen beheerste Victor met moeite zijn emoties. De engeltjes waren onbeschadigd en lachten hem toe, precies zoals Bram de Lint tijdens de tentoonstelling had laten zien. Het doek was een wonder. Een orakel van licht en onschuld.

Victor had zijn ogen niet kunnen geloven toen Leszeks schatten zich openbaarden. Het was niet eens zo'n grote ruimte geweest; ongeveer tien bij tien meter. Alle Zwitsers hebben atoomkelders onder hun huis en ongetwijfeld was ook deze oorspronkelijk gebouwd voor dit doel. Maar nu lagen er geen geweren, noodvoorraden of water. Enkel schilderijen. En wat voor schilderijen! Het waren er dertig in totaal en allemaal waren het meesterwerken; de een nog mooier dan de ander. Tegen een van de muren stond een Botticelli van ruim twee bij twee meter. Hoe Leszek dit doek ooit had kunnen meeslepen, was Victor een raadsel, maar het opsporen van de eigenaar moest niet moeilijk zijn. De naamsticker zat nog op de lijst.

De zon ging onder. Op sommige toppen leek de sneeuw in brand te staan en de lucht was een schakering van paars en roze. Victor verlegde zijn aandacht van de Rubens naar dit schitterende schouwspel. Hij meende nu te begrijpen waarom Leszek zijn huis zo karig had ingericht. De natuur was mooier dan alles wat een mens ooit kon voortbrengen.

Nog dezelfde avond haalden verhuizers de kelder leeg. Twee vrachtwagens brachten de collectie naar Montreux, waar Victor de grootste kluizen gehuurd had die hij kon vinden. Toen de collectie eenmaal veilig was opgeborgen, verliet Victor de stad. De snelweg voor hem was het enige wat hem scheidde van een nieuw begin. Hij gaf gas om de toekomst dichterbij te brengen. Jessica wachtte op de luchthaven.

29

December

De winter was teruggekeerd in Rietschoten en het vroor licht. 's Avonds waren de straten leeg. De Eendenhorst lag er nog net zo bij als een jaar geleden. Bossen en struiken eromheen hadden hun domein heroverd. De oprijlaan was overwoekerd en het eens zo glad geschoren gazon stond kniehoog.

Leszek had het terrein uitgebreid verkend. De weersverwachting van die nacht was geschikt voor zijn doel. Bewolkt, koud en met uitzicht op regen. Hij hoefde niet bang te zijn gezien te worden; het graf dat hij moest bezoeken lag verscholen in het bos, ver van de openbare weg.

Leszek voelde zich alsof hij aan het einde gekomen was van een lange reis. De inspanningen van de afgelopen maanden waren enorm geweest, meer eigenlijk dan door een mens verdragen konden worden. Eerst had hij tijd nodig gehad om de vernederingen te verwerken, maar daarna vertrok Leszek uit Zwitserland. Gelukkig was hij niet helemaal blut; Victor had niet alle rekeningen gevonden. Diep in zijn hart interesseerde geld hem weinig. Bezit was enkel een manier geweest om de stand bij te houden, en die wedstrijd was nu voorbij.

Victor was de man die hoop gaf, die hem de weg wees naar de nieuwe toekomst: een toekomst als beroemdheid. Zijn biografie zou wereldwijd in alle boekenwinkels komen te liggen, naast die van Morgan, Mozart en Rembrandt. Dit was beter dan de grote klap die hij eerder voor Königsberg in gedachten had gehad. Onvergelijkbaar beter. Dit werd het hoogtepunt van zijn bestaan.

Vanuit elk dorp belde hij Victor om te horen hoe de onderhandelingen verliepen, en na elk gesprek kropen de verwachtingen omhoog. Uitgevers reageerden enthousiast, want dit werd een gegarandeerde bestseller. Prominente auteurs verdrongen zich om het verhaal voor hem op papier te zetten. Er werden gigantische bedragen geboden voor filmrechten. Dit werd een hype. In plaats van slechts enkele tientallen aanwezigen per avond, gedurende een paar avonden per jaar, ging Leszek nu een miljoenenpubliek bereiken. Eindelijk zouden de mensen hem leren kennen zoals hij was; niet langer verborgen achter een masker of rookgordijn.

Hij kon niet wachten om de mensen alles te geven wat hij had. Leszek hield van zijn toeschouwers, maar rekende niet op hun waardering of bewondering. Heel misschien, als het oordeel van de geschiedenis hem goed gezind was, kon hij respect krijgen en een beetje begrip. En aandacht natuurlijk. Vrachtwagens vol aandacht. De media zouden voor hem in de rij staan. In gedachten oefende hij al op interviews en toespraken. Het was een toekomstvisie waarvan Leszek niet eerder had durven dromen, een die de offers van vannacht, en al die nachten daarvoor, waard was.

Een voor een was Leszek teruggekeerd naar de dorpen die hij jaren geleden had bezocht. Eerst had hij Juanito opgegraven. Daarna de rest. Altijd in het holst van de nacht en onder bescherming van regen en wind. Wat Leszek in de graven aantrof, nam hij mee en gooide hij weg in nabijgelegen meren of rivieren. Om herkenning te voorkomen, droeg hij zijn laarzen of zijn ring niet meer. Die deden hem te veel denken aan die vernederende avond in het kasteel.

Tien dorpen had hij nu bezocht en tien graven geruimd. Alles was probleemloos verlopen. Niemand had hem herkend of hem ook maar een tweede blik waardig gegund. Vannacht wachtte nog één klus: het graf van William Scarborough, zijn laatste en meest succesvolle rol. Een knallende afscheidsvoorstelling was hem niet gegund geweest, maar dat was nu slechts een detail.

Leszek pakt zijn schep en begon.

De wind kwam opzetten en het begon te regenen. Algauw was hij doorweekt door koud water. Klappertandend en met verkleumde handen vorderde hij slechts langzaam. Om een of ander reden had Rietschoten hem onder een loodzware steen begraven en pas tegen middernacht kon hij deze eindelijk opzij schuiven.

Leszek zwoegde om de aarde daaronder te verwijderen; zijn concentratie volledig op het werk gericht. Pas na enkele minuten werd hij zich van een vreemd geluid bewust. Hij richtte zich op en wreef de aarde uit zijn gezicht. Ergens klonk muziek. Zware tonen zweefden door het bos. Leszek ging staan, maar hij kon in het donker niets onderscheiden. Voor de veiligheid gebruikte hij altijd een gedempte lamp. Toen herkende Leszek de stemmen van het koor en zijn haren gingen overeind staan.

Kippenvel verscheen over zijn lichaam. 'Requiem aeternam dona eis, Domine, et lux perpetua luceat eis,' zongen de tenoren. 'Kyrie eleison,' klonk de bas terug. Het was Mozarts *Requiem*, de smeekbede om Gods medelijden. Het lied voor de stervenden begon steeds luider te dreunen in het druipende bos. 'Daaa da dom dom, da da dom dom!' galmden de mannen. De muziek klonk nu oorverdovend en zijn trommelvliezen leken te splijten. Leszek moest zijn uiterste best doen om niet hard te gaan gillen. Zijn schep gooide hij uit de kuil.

Het geluid leek van alle kanten te komen en nam nog steeds in kracht toe. In het bos was geen beweging zichtbaar. De regen bleef vallen. Snikkend van angst probeerde Leszek uit het graf te klimmen maar zijn handen waren glad van de aarde. Hij kreeg geen grip en viel terug. Terwijl hij op de bodem lag, gingen er plotseling boven hem lichten aan. Felle lampen verblindden zijn ogen. Een moment lang kon Leszek niets zien, maar toen verschenen er enkele figuren boven aan het graf, allen gehuld in zwarte regencapes.

Victor stond naast Jessica en er was nog iemand anders, die Leszek niet kende. Van de drie lachte Victor het hardst. Een politieman richtte zijn pistool glimlachend naar beneden.

'We wisten dat je ooit je eigen graf zou graven, Leszek,' hikte Victor na. 'Maar dat je dat letterlijk zou doen, had ik niet kunnen hopen. En fouten maak je nog altijd. Grote, domme fouten.'

Hij gebaarde dat de muziek kon worden afgezet en plotseling werd het stil. Enkel het tikken van de regen klonk nog.

'IJdelheid blijft je de das omdoen; de tweede keer alweer. Je wilde dat boek zo graag dat je me belde uit elk dorp. De politie kon je op die manier eenvoudig achterhalen en de afgelopen maanden ben je gefilmd. De beelden op de begraafplaatsen vormen het bewijs dat jij het was die deze moorden pleegde. Het was voor ons de enige manier om bewijs te krijgen en ook het geld en de schilderijen konden we hierdoor achterhalen. Als je die avond in Königsberg gearresteerd was, had je mij de locatie van die bungalow immers nooit verteld. Die schatten kon je na afloop van de rechtszaak ophalen en je zou voor altijd verdwijnen.'

Leszek opende en sloot zijn mond als een vis op het droge, niet in staat iets terug te zeggen.

'Overigens was je nooit veilig uit Schloß Königsberg weggekomen, zelfs al had je mij doodgeschoten. Die avond was de politie op het landgoed niet aanwezig, maar deze meneer wel.'

Victor wees op de man naast hem. Hij had een Zuid-Amerikaans uiterlijk. 'Manuel lag buiten in het gras met een geweer in zijn handen. Als jij dat kasteel zonder mij verlaten had, was je als een dolle hond neergeknald. Maar gelukkig was dat niet nodig en krijg je nu alsnog je verdiende loon. Nietwaar, Manuel?'

De Mexicaan zweeg, maar staarde naar Leszek alsof hij een fascinerend insect zag.

'Manuel las de advertentie en heeft het nummer in de krant niet minder dan honderd keer gebeld,' legde Victor uit. 'Hij was ervan overtuigd dat de persoon die de tentoonstelling 'Morgan, Mozart en Rembrandt' organiseerde iets te maken moest hebben met de verdwijning, nu elf jaar geleden, van een Mexicaans jongetje. Zijn volharding maakte Jessica nieuwsgierig en zij zocht contact met hem. Wij zijn blij dat ze dat deed, want Manuel heeft ons goed geholpen. Dankzij zijn diplomatieke status, zijn vader is gouverneur van Acapulco, kon hij een geweer door de douane smokkelen.'

Vanuit het graf keek Leszek omhoog, maar zijn gezichtsuitdrukking bleef leeg.

'Je weet niet wie dit is?' vroeg Victor. 'Toch kent hij jou goed, want hij is al die tijd naar je op zoek. Mag ik Manuel Gonzalez aan je voorstellen? Juanito Gonzalez was zijn kleine broer.'

Het begin van begrip drong tot Leszek door. Hij voelde zich ziek worden. 'En... mijn biografie dan?' vroeg hij, tegen beter weten in.

Victor glimlachte. 'Alle betrokkenen hebben gezworen jouw geschiedenis voor altijd dood te zwijgen. De wereld heeft geen behoefte aan rolmodellen als jij. Vanavond neemt Manuel je mee terug naar de plek waar het allemaal begon. Acapulco.'

De Mexicaan lachte zijn tanden bloot en sprak voor het eerst. 'Ik vond het moeilijk je in leven te laten, die nacht. Lang heb ik geaarzeld om Juanito te wreken, vechtend tegen mijn instincten. Maar nu ben ik ervan overtuigd dat we de juiste oplossing hebben. U hebt uw imperium op tranen gebouwd, señor Leszek, en wat kan er meer zinloos zijn dan dat? Gelukkig komt er vanavond aan al het lijden een eind.'

'Inderdaad. Alles is voorbij,' zei Victor. 'Manuel is gevolmachtigd om namens de Mexicaanse regering Leszek mee te nemen. Manuel, Leszek Mazowiecki is van jou.'

De Mexicaan knikte, alsof hij de verantwoordelijkheid aanvaardde. Het object van de transactie protesteerde echter heftig. Leszek begon als een waanzinnige te gebaren. Schuim stond op zijn mond en zijn stem sloeg over.

'Maar dat kan niet! Ik wil niet mee met deze kannibaal! Ik heb rechten! Ik...'

Sanders onderbrak hem. 'Een Nederlandse rechter heeft het bewijs onderzocht en een verzoek tot uitlevering toegekend. Er staat een vliegtuig klaar om je naar Acapulco te brengen. De autoriteiten daar zullen je alles geven waarop een verdachte in een rechtsstaat aanspraak maakt.'

Manuel smakte met zijn lippen alsof hij zich ergens enorm op verheugde. 'Maar natuurlijk, señor Leszek krijgt alle rechten van iemand die in een cel gegooid wordt met slechts ratten als gezelschap. Señor Leszek zal de zon nooit meer zien. Helaas sluit onze grondwet de doodstraf uit, maar dit is ook goed. Misschien zelfs beter.'

Zijn glimlach straalde Leszek tegemoet als de zon die door de wolken breekt. 'Maakt u zich geen zorgen, señor Sanders. Wij zullen op Leszek passen als was het ons eigen kind. Vergelijkbaar met hoe Leszek op mijn geliefde broer paste.'

Enkele minuten later werd Leszek naar een politieauto geleid om naar Schiphol vervoerd te worden. Voordat hij instapte fluisterde Victor hem nog iets in het oor. Het duurde niet langer dan twintig seconden. Leszek reageerde des duivels. Razend sloeg hij om zich heen, alsof hij zijn verstand nu helemaal verloren had. Drie agenten waren ervoor nodig om Leszek in bedwang te krijgen en op de achterbank vast te binden. Victor liep lachend weg.

30

Januari

De Volkswagen Golf volgde hem, wist Wilbur-Karp nu zeker. Met de minuut werd de gepensioneerde bankier zenuwachtiger. Het was een nieuw model, maar dat zei niets. Auto's als deze reden er bij honderden rond in Kaapstad. De bestuurder kon hij niet zien; daarvoor hield de wagen te veel afstand.

Hier in zijn nieuwe woonplaats had Wilbur-Karp weliswaar geen vijanden gemaakt maar hij voelde zich wel kwetsbaar. De criminaliteit nam nog steeds toe, las hij in de kranten, en iemand als hij vormde een aantrekkelijk doelwit. Van de opbrengst van zijn polshorloge alleen al kon een arm gezin jaren leven. Snel nam Wilbur-Karp twee, drie bochten achter elkaar maar zijn pogingen om de Golf kwijt te raken faalden. Zijn achtervolger kleefde aan zijn bumper als een bij aan de honing.

Hij onderdrukte opkomende paniekgevoelens en reed rustig naar huis. Niet voor niets had Wilbur-Karp zijn bungalow laten uitrusten met de meest moderne technologie. Bewegingsalarm, elkaar overlappende camera's en een ondoordringbare ruimte garandeerden zijn veiligheid en die van Claire. Het was meer een vesting geworden dan een thuis. De dreiging kwam vooral van aidsjongeren, had Wilbur-Karp begrepen. Die kids waren levensgevaarlijk; zonder hoop ooit oud te worden leefden ze er maar op los.

Gelukkig was Claire momenteel in Engeland, dus die hoefde deze beproeving niet mee te maken.

De Golf volgde hem naar Constantia, altijd een zekere afstand bewarend. Eenmaal voor de poort van zijn vesting aangekomen, wachtte Wilbur-Karp nagelbijtend af terwijl de garagedeur zich voor hem opende. De Golf stopte tien meter achter hem. Een man

stapte uit en liep in snelle pas naar hem toe. Wilbur-Karps opluchting was onuitsprekelijk. Zijn achtervolger was blank. En niet zo
jong meer, zo te zien; boven de grote ogen en de uitstekende neus
zag hij een kalende schedel.

Wilbur-Karp slaakte een zucht en iets van de spanning op zijn
borstkas verminderde. Automatisch streek hij over zijn haar om
kracht te herwinnen. Van zo iemand had hij niets te vrezen. Waarschijnlijk wilde de man hem ergens voor waarschuwen; zijn auto
had een kapot achterlicht of iets dergelijks. Hij liet het raampje
naar beneden glijden en wachtte af. 'Goedemorgen, meneer Wilbur-Karp,' zei George Finton. Het accent, net als het modegevoel
van zijn landgenoot, was ongewijzigd. Ondanks de zomer droeg
George een paarse trui. De kale plek rond zijn kruin was inmiddels
zo groot als een sinaasappel.

'Het duurde lang voordat ik u kon vinden. Een jaar, om precies
te zijn. Maar de aanhouder wint en een man heeft een doel nodig
om voor te leven. Tussen ons staat nog een rekening open. Een
kwart miljoen pond, als ik mij niet vergis. De bonus die u mij
beloofde?'

Wilbur-Karp bevroor. Een kwart miljoen zou een enorm gat in
zijn spaargeld slaan. Hij keek zijn vroegere collega schattend aan.
George leek geen wapen bij zich te dragen.

'Wat gebeurt er als ik niets geef? Ga je mij dan slaan of anderszins kwaad aandoen? Ik ben een oude man en hulpeloos. De rechters straffen streng hier.'

George haalde iets uit zijn zak. Met een hand greep hij Wilbur-
Karps haar vast en hield er een elektrische tondeuse bij. Het apparaat begon luid te zoemen. Wilbur-Karp werd haast gek van angst.

'Jij oude gek. Wat zullen de sancties zijn als ik je haar afscheer?
Betaal liever, dan kunnen we allebei verder.'

De tondeuse ratelde in zijn oor en begon te vreten aan zijn haar.
Wilbur-Karp kon er niet meer tegen.

'Stop!' brulde hij, 'je krijgt je cheque!'

31

Januari

Victor en Jessica lagen op het Kaapse strand. Het weer was heerlijk zomers. De zon scheen en er waaide een briesje. Op zee zeilden ontelbare witte bootjes.

'Ik heb net de weduwe van Bram de Lint gebeld,' vertelde Victor. 'Ze was blij met de Rubens, maar keert zelf niet naar Rietschoten terug. Daarvoor is er te veel gebeurd.'

'Dat valt me tegen van haar,' zei Jessica. 'De familie kan nog zoveel doen voor de gemeenschap.'

'Oordeel niet te snel,' antwoordde Victor en hij nam een slok wijn. De chardonnay van Groot Constantia was perfect. Droog met een zweem van eikenhout.

'Bram was klaar in Rietschoten. De toekomst daar behoort toe aan Adriaan, hun zoon. Als die wil, natuurlijk.'

'O? En wij? Aan wie behoort onze toekomst?'

'Aan ons samen!' zei Victor krachtig. Hij haalde een doosje tevoorschijn. Dit was het moment waarop hij zo lang had gewacht. Het doosje was klein, zwart en vierkant. Victor schoof het naar haar toe.

Met ingehouden adem maakte ze het doosje open. Even moest Victor terugdenken aan dat andere doosje, tijdens die donkere nacht in het kasteel. De ring die hij gedwongen was om te doen.

De stralende lach van Jessica vervaagde echter alle herinneringen.

Ze waren een fles verder en aangeschoten. Plotseling moest Jessica ergens aan denken. 'Wat zei je tegen Leszek waardoor hij zo razend werd? Waarom moest jij zo lachen?'

Victor schoot bijna weer in een stuip toen hij eraan dacht. 'Ik vertelde hem dat hij was beetgenomen. Die vierhonderd miljoen

euro wordt helemaal niet gebruikt voor de bevrijding van een Afrikaans volk. Slachtoffers van dictators laten mij koud; iedereen
moet voor zichzelf zorgen. Die rekeningen waren van ons, de vorige dag geopend op de Caymaneilanden.'

Jessica keek verbaasd. 'Dat is toch niet waar?'

'Nee, maar dat kon Leszek niet weten. Ik vertelde hem ook dat
wij zijn Zwitserse bungalow en Rembrandt-portret al hadden
overgenomen, en een bod gingen doen op de Gulfstream.'

Samen lachten ze zich minutenlang slap.

'Arme Leszek, die vreet zich op in zijn cel!'

'Nee hoor, dit is precies zijn wens. De mensheid wil bedrogen
worden!'

Epiloog

Andrei Chistov, voorheen douaneambtenaar, had een ommuurde datsja gekocht, gelegen tussen de sparren, niet ver van Sint-Petersburg. Zonder heimwee hadden hij en zijn gezin de communale flat vaarwel gezegd.

Niets went zo snel als luxe, begreep Andrei nu. Douche, keuken en toilet hadden ze jarenlang moeten delen. Hier waren er badkamers voor iedereen. Zelfs de baby had een eigen bad, gemaakt van groen marmer. De keuken alleen was groter dan de oude flat.

Vandaag kwam Andrei een belofte na aan een vrouw die hij nooit had ontmoet. Eketarina Dobrivenko. Het Winterpaleis had beloofd post naar haar door te sturen. Op de cheque schreef Andrei een bedrag van vijf miljoen dollar. Hij blies zacht om de inkt te drogen, net zoals hij de misdadiger in de Volvo had zien doen.

De conciërge had niets van het geld willen hebben. Te veel rijkdom trok enkel maar de aandacht, en bovendien: hij was vijfentachtig. Waar Boris binnenkort heenging was geld overbodig.

Andrei aarzelde een moment voordat hij de cheque in de envelop stopte. Toen pakte hij zijn pen en schreef in klein Russisch schrift iets op de achterkant:

GEEN TOEKOMST ZONDER SAMEN DELEN.